D0865558

La détresse d'une mère

———————

Le prix du chantage

CINDI MYERS

La détresse d'une mère

BLACK *ROSE*

Collection : BLACK ROSE

Titre original : ROCKY MOUINTAIN RESCUE

Traduction française de CATHERINE VALLEROY

HARLEQUIN®
est une marque déposée par le Groupe Harlequin

BLACK ROSE®
est une marque déposée par Harlequin

HARLEQUIN
83-85, boulevard Vincent-Auriol, 75646 PARIS CEDEX 13.
Service Lectrices — Tél. : 01 45 82 47 47
www.harlequin.fr

ISBN 978-2-2803-3019-0 — ISSN 1950-2753

1

Quand les premiers coups de feu retentirent, Stacy Giardino se précipita dans leur direction. Pas parce qu'elle était impatiente d'affronter les balles, mais parce que son fils de trois ans jouait dans la pièce de devant.

— Carlo ! hurla-t-elle en courant dans le couloir qui menait au grand salon.

C'était là que le petit garçon aimait faire rouler ses petites voitures, sur les creux et les bosses du canapé en cuir.

Des voix masculines criaient entre les coups de feu. L'un des gardes du corps la dépassa en courant, brandissant son arme automatique. Stacy le remarqua à peine, toute à son inquiétude.

Dans le luxueux salon de la villa, la plus grande partie des meubles étaient renversés. Les coussins des fauteuils massifs étaient éventrés et un lourd verre de cristal gisait au milieu du tapis, parmi les glaçons éparpillés. Mais les combattants s'étaient éloignés ; la pièce était déserte et le vacarme des armes automatiques s'élevait maintenant dans les profondeurs de la maison.

— Carlo ? appela Stacy en luttant contre la panique.

Si l'une de ces brutes avait blessé son fils, elle le dépècerait à mains nues.

— Maman ?

Le son de la petite voix effrayée la mit presque à genoux.

— Carlo ? Où es-tu mon chéri ?

— Maman, j'ai peur.

Se guidant au son de sa voix, Stacy s'avança jusqu'à un petit bureau encastré dans le mur. Elle s'accroupit pour regarder dessous et croisa le regard effrayé de son petit garçon.

Stacy lui tendit la main et il lui jeta les bras autour du cou, enfouissant son visage contre son épaule. Elle lui tapota le dos et respira son odeur de shampoing pour bébé et de beurre de cacahuète.

— C'est qui ces monsieurs, maman ? murmura-t-il. Ils sont entrés en courant et ils ont des pistolets.

— Je ne sais pas qui c'est, chéri. Mais ça ne fait rien.

Peu importait qu'il s'agisse de policiers, d'une faction ennemie de la famille Giardino ou des membres d'une famille rivale. Ils faisaient de toute façon partie du monde cruel et violent dans lequel elle devait vivre tous les jours. C'était à cela que ressemblait la vie quand on avait épousé un gangster : il fallait sans cesse se cacher, sans savoir à qui se fier.

La famille était venue passer des vacances dans le Colorado, mais il était impossible d'échapper au danger. Depuis son évasion de prison, un an auparavant, Sam Giardino, son beau-père, figurait au sommet de la liste des dix personnes les plus recherchées par le FBI. C'était la raison pour laquelle ils séjournaient dans une propriété isolée, à quelques kilomètres de Telluride, plutôt que dans un appartement de la station, comme les touristes normaux.

Même quand il était censé se détendre, Sam continuait à diriger les « affaires » de la famille, en concluant des accords et en proférant des menaces pour développer son empire du mal. Et en mettant tous ses proches en danger.

Ils pouvaient bien s'entretuer les uns les autres, en ce qui la concernait, songea Stacy. Le seul qui comptait pour elle, c'était Carlo.

Elle se releva avec effort, car le petit garçon était devenu presque trop lourd à porter.

— On va se mettre à l'abri, lui dit-elle. Cramponne-toi à maman, d'accord ?

Il hocha la tête et elle reprit le couloir en direction de l'escalier qui descendait au sous-sol. Le propriétaire de la maison — un milliardaire quelconque qui devait une faveur à Sam, car les hommes comme son beau-père n'avaient pas d'amis — y avait fait installer une chambre forte, sorte de bunker en béton où il avait amassé des provisions, comme si la fin du monde allait bientôt survenir.

Peut-être était-ce la fin du monde après tout, pensa-t-elle. Son mari Sammy, le fils de Sam, se disputait avec son père depuis des mois. Le conflit avait peut-être débouché sur une guerre sans merci visant à prendre le contrôle des affaires de la famille. Elle n'aurait pas misé sur Sammy dans cet affrontement. Il se croyait coriace, mais son père était l'homme le plus dur et le plus froid qu'elle ait jamais vu. Il avait même juré de tuer sa propre fille, après qu'elle avait témoigné contre lui dans un tribunal fédéral.

Au sommet des marches, Carlo gigota contre elle.

— Ils ne tirent plus, dit-il.

Il avait raison ; les coups de feu avaient cessé. Des voix étouffées leur parvenaient depuis le fond de la maison, mais ce n'était plus des hurlements. Devait-elle se rapprocher pour essayer de découvrir ce qui se passait ?

Elle caressa les doux cheveux blonds de son fils.

— De quoi ils avaient l'air, ces hommes, Carlo ? Ceux qui avaient les pistolets ?

— Ils étaient très grands et ils avaient des casques qui leur couvraient la figure.

Ce n'était certainement pas les voyous employés par Sam, car elle ne les avait jamais vus porter de casques. Ce devait plutôt être la police, peut-être un détachement du SWAT. Ils avaient finalement découvert la cachette de Sam. Allaient-ils aussi emmener Sammy, cette fois ? Elle ignorait si les fédéraux étaient en mesure de relier son mari aux crimes de la famille Giardino, car les femmes n'étaient pas censées être au courant des « affaires ». Elle, en tout cas, n'avait jamais eu envie de savoir.

Elle se mit à descendre l'escalier, s'attendant à voir d'autres personnes faire de même. Où était la maîtresse de Sam, Veronica, la cuisinière, Angela, et les gardes chargés de protéger les femmes ? Les flics n'avaient pas pu les arrêter tous.

Mais elle était seule avec Carlo. Rien de nouveau à cela. Même dans une pièce pleine de Giardino, elle était l'étrangère, le mouton noir de la famille. Elle les tolérait et ils la toléraient, mais aucun d'eux n'aurait été désolé de la voir disparaître.

Quelle ironie de penser qu'elle serait peut-être la seule à survivre ce jour-là ! A s'enfuir. Cette pensée fit battre son cœur plus vite. Depuis quatre ans, elle n'avait qu'une envie : échapper à l'emprise des Giardino. Son rêve était de tout recommencer de zéro avec son fils, quelque part où personne ne la connaîtrait et où elle ne connaîtrait personne. Elle n'avait besoin de personne, sauf de Carlo.

Dès que les choses se seraient calmées — dès le départ des intrus —, elle trouverait une voiture et roulerait aussi loin que possible. Peut-être quitterait-elle même le continent. Elle changerait de nom et trouverait du travail. Elle louerait un appartement ou une petite maison. Carlo pourrait aller à l'école et ils mèneraient une vie normale.

C'étaient des rêves semblables qui l'avaient aidée à garder son équilibre mental pendant toutes ces années. L'idée qu'elle puisse enfin les réaliser l'emplit d'une énergie renouvelée et elle dévala l'escalier.

Le sous-sol était plongé dans le noir mais elle n'osa pas allumer la lumière. Elle tâtonna le long du mur pour trouver la porte secrète menant à la chambre forte. A l'intérieur, elle pourrait mettre en marche le circuit de télévision intégré pour voir ce qui se passait dans les autres pièces.

La chambre forte était équipée d'un générateur électrique, d'un système de ventilation, de la climatisation et du chauffage, et contenait assez de nourriture et d'eau pour un mois. Carlo et elle n'auraient pas besoin de sortir avant d'être certains qu'il n'y avait plus de danger.

Elle était à mi-chemin de la porte, en train de contourner une pile de cartons, quand elle se figea, le cœur battant. Quelqu'un venait de s'engager dans l'escalier à pas lents. Furtifs.

Elle pressa le visage de Carlo contre sa poitrine.

— Chut ! murmura-t-elle à son oreille.

La lumière inonda la pièce. Elle se plaqua contre le mur, derrière les cartons, et cilla dans la clarté soudaine. Le grincement des semelles de l'inconnu sur le sol en béton lui fit l'effet d'un coup de canon. Elle retint son souffle et pria pour que Carlo reste silencieux. Elle avait les bras douloureux à force de le tenir, mais elle resserra sa prise.

— Qui est là ? fit une voix grave et impérieuse qu'elle ne reconnut pas. Sortez et il ne vous sera fait aucun mal.

Se ramassant sur elle-même, Stacy distingua un homme en treillis noir et gilet pare-balles entre les cartons. Carlo gigota dans ses bras et gémit. Elle lui tapota le dos.

— Chut, chut !

— Qui est là ? répéta l'homme, en braquant son fusil sur leur cachette.

La vue de l'arme lui glaça le sang.

— Ne tirez pas ! glapit-elle, avant d'ajouter avec un peu plus d'assurance : J'ai un enfant avec moi et je ne suis pas armée.

— Sortez que je vous voie. Lentement. Et gardez les mains en vue.

Tenant fermement Carlo, Stacy s'avança. L'enfant tourna la tête pour mieux voir. Son petit cœur battait la chamade contre le sien. L'homme gardait son fusil braqué sur eux.

— Vous êtes seule ?

— Oui.

Il jeta un regard derrière elle, comme s'il s'attendait à voir surgir quelqu'un d'autre. Puis, apparemment satisfait, il baissa son arme.

— Qui êtes-vous ?

Elle le regarda droit dans les yeux pour lui faire comprendre qu'elle ne se laisserait pas intimider.

— Et vous ?

— Patrick Thompson, marshal des Etats-Unis, dit-il.

— Stacy Franklin, répliqua-t-elle.

Franklin était son nom de jeune fille, mais elle n'avait pas envie de se présenter sous le nom de Giardino.

— Et voici mon fils, Carlo.

— Bonjour, Carlo, dit-il en faisant un signe de tête.

Son expression était toujours méfiante, mais ses yeux étaient gentils, bleus et marqués de petites rides, comme s'il avait passé beaucoup de temps à ciller dans le soleil. Carlo le dévisagea avec de grands yeux, un doigt dans la bouche.

Thompson reporta son attention sur Stacy.

— Je voudrais que vous veniez avec moi, dit-il.

— Où ça ?

— D'abord, en haut. Nous allons prendre vos déclarations préliminaires et, ensuite, il faudra que vous veniez avec moi à notre quartier général de Telluride.

— Vous m'arrêtez ? Je n'ai rien fait de mal.

— Non, je ne vous arrête pas, mais vous êtes un témoin, et nous allons peut-être devoir vous placer sous protection.

Elle n'avait pas la moindre intention de se laisser enfermer, mais elle garda cela pour elle.

Elle connaissait la loi. Bien que ce soit Sammy qui ait fait du droit, Stacy avait rédigé toutes ses dissertations. Elle avait lu ses manuels, écouté des conférences en ligne et préparé avec lui l'examen du barreau. Rien de tout cela ne faisait partie de ce que les Giardino trouvaient utile pour une femme, mais elle allait en faire bon usage à présent.

— Que faites-vous ici ? s'enquit-elle.

Le marshal Thompson ne répondit pas et lui fit signe de passer devant lui.

— Montez avec moi et nous en parlerons.

Elle gravit l'escalier, consciente de sa présence derrière elle.

Il la conduisit dans le salon où d'autres hommes circulaient, prenant des photos et des mesures. Elle s'assit. Carlo se dégagea de ses bras et ramassa une de ses petites voitures, qu'il commença à faire rouler sur le bras du canapé.

Le marshal Thompson retira son casque et s'assit sur l'autre bras, après avoir posé son arme sur la table à côté de lui. Il avait de courts cheveux châtain clair, et il semblait fatigué — aussi fatigué que Stacy l'était soudain.

— Quel est votre lien avec la famille Giardino ? demanda-t-il.

Elle eut l'impulsion de mentir et de dire qu'elle était la bonne. Mais ils allaient vérifier ses dires et apprendre sa véritable identité bien assez tôt. Elle releva le menton d'un air de défi.

— Je suis mariée à Sammy Giardino.

Le regard de l'homme se posa sur Carlo, qui produisait un bruit de moteur en guidant sa petite voiture sur la couture d'un coussin.

— Est-ce le fils de Sammy ?

— Oui.

Elle tapota le petit mollet rond, recouvert d'une combinaison en velours côtelé déjà presque trop petite. C'était son fils : Sammy avait fourni la moitié de son ADN, mais c'était elle qui avait donné son cœur et son âme au petit garçon. Il était le seul qui l'aidait à rester saine d'esprit dans cette maison de fous.

— Depuis combien de temps êtes-vous ici ?

Elle aurait sans doute dû refuser de répondre et demander un avocat. Mais peu lui importait. Plus vite elle lui dirait ce qu'il voulait savoir, plus vite il la laisserait partir.

— Nous sommes arrivés dimanche. Il y a cinq jours.

Cinq jours de tension continuelle, durant lesquels Sammy avait alternativement boudé et lancé des imprécations, tandis que son père affichait un air suffisant. Les visiteurs allaient et venaient à toute heure, et elle s'était réveillée deux fois en pleine nuit, à cause d'une dispute entre le père et le fils, sorte de concours de hurlements dont elle s'attendait à tout moment à ce qu'il se termine par une pluie de balles.

— Pourquoi êtes-vous venus ici ? demanda Thompson.

Parce que je n'avais pas le choix, pensa-t-elle.

— Nous sommes venus passer des vacances, répondit-elle. Pour faire du ski.

Carlo avait adoré la neige. Il avait pris des cours de ski deux après-midi de suite, ravi de cette chance de côtoyer des garçons et des filles de son âge. C'était difficile de faire jouer son fils avec d'autres enfants quand on vivait avec un gangster.

— Qui d'autre est dans la maison ?

— Beaucoup de gens. Je ne connais pas leurs noms.

Ce n'était pas tout à fait vrai, mais elle préférait ne pas informer Thompson de ce qu'il ne savait pas encore, par exemple de la présence de son beau-père. Si Sam s'était débrouillé pour leur échapper, mieux valait qu'il n'apprenne pas qu'elle l'avait trahie.

— D'autres femmes ? reprit Thompson.

Pourquoi s'intéressait-il aux femmes ?

— Il y a la cuisinière, Angie. Une femme appelée Veronica.

Aucune raison d'expliquer son rôle en tant que dernière maîtresse en date de Sam.

— Ma belle-sœur, Elizabeth Giardino.

Elizabeth avait surpris tout le monde en venant déjeuner

ce jour-là, comme si son père n'avait jamais menacé de l'exécuter.

— C'est tout ?

Elle le fixa à travers ses cils.

— C'est tout pour les femmes.

— Et les hommes ?

Stacy regarda autour d'elle les meubles austères et la télévision à grand écran, les hommes sanglés de noir qui répandaient de la poudre à empreintes et prenaient des photos sous tous les angles.

— Il y avait beaucoup d'hommes. Il y en a toujours.

Les femmes étaient simplement des objets décoratifs, des accessoires. Nécessaires pour transmettre le nom de la famille, mais inutiles en dehors de cela. Elles restaient autant que possible à l'arrière-plan.

— Y avait-il quelqu'un qui ne faisait pas partie de la famille ?

— Vous voulez dire en dehors des gardes du corps ?

— En dehors d'eux, oui. Des visiteurs ?

— Elizabeth était un visiteur. Elle ne vit pas ici.

— Quelqu'un d'autre ?

Elle secoua la tête.

— Je ne prends pas note de tous ceux qui vont et viennent.

— Parce que ça ne vous intéresse pas ?

— Oui, et parce que je ne veux pas connaître les affaires des Giardino.

— Monsieur, le légiste dit qu'il a terminé dans la bibliothèque, lança un des agents en noir à Thompson.

Celui-ci hocha la tête.

— Très bien. Vous pouvez poser les scellés.

— Où sont-ils tous ? questionna Stacy. Les autres femmes, le reste de la famille ?

Passé le premier choc de cette invasion, le malaise l'envahissait au point de lui donner la nausée.

— On s'occupe d'eux. Vous étiez la seule qui manquait. Où étiez-vous quand la fusillade a éclaté ?

— Aux toilettes, si c'est vraiment important.

Les portes de communication avec le couloir s'ouvrirent et un homme en noir recula dans la pièce, traînant une civière après lui. Stacy fixa la silhouette qui s'y trouvait, recouverte d'un drap blanc. Un frisson la secoua jusqu'au tréfonds d'elle-même.

— Qui est-ce ? demanda-t-elle en se forçant à articuler.

— Madame Giardino…

Thompson tendit un bras pour l'arrêter, mais elle le repoussa et se précipita vers la civière.

L'homme qui la tirait s'immobilisa et regarda Thompson.

— Monsieur ?

— Ça va.

Le marshal jeta un coup d'œil à Carlo, qui avait rampé sous la petite table et s'absorbait dans l'orchestration d'accidents de petites voitures.

— Laissez-la regarder.

Stacy hésita, fixant le profil sous le drap. Elle avait peur de ce qu'elle allait voir, mais elle devait en avoir le cœur net.

L'homme se pencha et repoussa le drap.

Stacy hoqueta et se couvrit la bouche. Thompson posa une main lourde sur son épaule.

— Pouvez-vous identifier cet homme ?

— C'est mon mari, murmura-t-elle.

Dans la mort, il paraissait plus âgé. Sa peau était flasque et cireuse, et ses traits avaient perdu de leur cruauté.

— C'est Sammy, souffla-t-elle, et elle chancela en arrière, heurtant le marshal.

2

Le marshal Patrick Thompson se considérait bon juge des caractères, mais il ne savait que penser de Stacy Franklin Giardino. Quand il était descendu au sous-sol de la villa, il ne s'attendait certes pas à trouver une jeune femme ressemblant davantage à une étudiante ou à une rock-star qu'à l'épouse d'un gangster. Elle devait mesurer moins d'un mètre soixante et peser quarante-cinq kilos toute mouillée. Ses traits fins, ses immenses yeux gris et ses courts cheveux blond platine lui donnaient l'air vulnérable d'un elfe.

Vêtue d'un pull trop grand et d'un legging, et chaussée de bottines, elle aurait pu passer pour la grande sœur ou la baby-sitter du petit garçon. Mais une nouvelle vérification des dossiers confirma qu'elle était bien la femme — ou plutôt la veuve — de feu Sam Giardino Junior, et que le petit garçon, Carlo, était l'héritier de la famille.

Debout dans un bureau obscur du commissariat que les fédéraux utilisaient comme base temporaire, Patrick observait Stacy et son fils à travers un miroir sans tain. Le petit garçon mangeait des biscuits : il les séparait soigneusement en deux pour lécher le fourrage avant de grignoter le biscuit lui-même. La mère regardait son fils sans bouger, excepté pour croiser et décroiser de temps en temps les jambes.

De jolies jambes, songea Thompson, bien qu'il ne fût pas censé le remarquer. Les femmes qu'il devait protéger étaient soit des victimes, soit des suspectes, soit des témoins, et ce genre de pensées n'était pas de mise. Mais il était célibataire et, parfois…

— Qu'est-ce que tu en penses ?

Patrick tressaillit et tourna la tête pour regarder l'agent du FBI Tim Sullivan. Bien que sa première impulsion fût de dire que Stacy était très attirante, il savait que ce n'était pas ce que son collègue voulait entendre.

— Elle dit qu'elle ne sait rien des crimes des Giardino, que les femmes ignoraient tout de leurs activités.

— Tu crois qu'elle dit la vérité ?

— Peut-être.

Patrick revint à la jeune femme. Sous son maquillage soigneusement appliqué, il détectait des cernes de fatigue. Tout à l'heure, elle était aussi féroce qu'une mère ourse protégeant son ourson, mais elle avait l'air plus fragile à présent.

— Qu'est-ce qui peut bien pousser une femme à s'allier à un criminel comme Sammy Giardino ? questionna-t-il.

Sullivan se plaça à son côté.

— Peut-être ne savait-elle pas que c'était un gangster jusqu'à ce qu'il soit trop tard.

— Alors pourquoi ne pas le quitter ? Pourquoi faire durer un mariage avec un homme pareil ?

— On ne divorce pas des mafieux. En général, les femmes en savent assez long pour représenter un danger, et aussi longtemps qu'elles restent mariées, elles ne peuvent pas témoigner contre eux.

Etait-ce le cas de Stacy ? Cette pensée lui noua l'estomac.

— Elle devait savoir qui il était avant de se marier, dit-il. Le rapport dit que son père est un transporteur soupçonné d'avoir conclu des affaires louches avec la famille Giardino.

Comme si elle avait senti qu'on l'observait, Stacy se retourna et lança un regard dur et froid au miroir. Au temps pour la vulnérabilité. Il avait déjà rencontré des femmes comme elle, hostiles envers la police et refusant de coopérer. Mais c'était son travail de la protéger et il le ferait.

— Tu veux que je lui parle ? demanda Sullivan.

— Non, j'y vais.

Saisissant un dossier posé sur le coin du bureau, Patrick sortit dans le couloir.

Stacy leva les yeux quand il entra dans la pièce. Carlo, qui avait fini ses biscuits, était allongé sur deux chaises, la tête sur les genoux de sa mère.

— Quand pourrons-nous partir ? demanda-t-elle dans un murmure. C'est l'heure d'aller au lit pour Carlo.

— Je vais bientôt vous faire conduire à votre hôtel.

Il posa une fesse sur la table à côté d'elle, une posture désinvolte censée l'aider à se relaxer. Mais il n'y avait rien de détendu dans les épaules rigides de la jeune femme. D'une main, elle lissait les cheveux de son fils sans se lasser.

— Nous allons vous fournir une protection jusqu'à ce que nous soyons sûrs que vous et votre fils êtes en sécurité. Si nous décidons d'engager des poursuites contre quelqu'un d'autre, on vous demandera peut-être de témoigner et, dans ce cas, vous resterez sous protection jusqu'à la fin du procès. Après cela, vous pourrez bénéficier du programme de protection des témoins et prendre une nouvelle identité.

— Non.

La main qui caressait les cheveux du petit garçon s'immobilisa.

— Je ne veux pas faire ça.

Ce n'était pas une réaction inhabituelle à l'idée de changer complètement de vie. Il fallait du temps à la plupart des gens pour s'y habituer.

— Votre fils et vous pourriez être en danger, dit-il.

— Je peux prendre soin de lui.

— Nous en reparlerons plus tard. Pour le moment, nous allons assigner un agent à votre protection.

Si les regards pouvaient tuer, celui qu'elle lui décocha

l'aurait abattu aussi sûrement qu'une balle. Patrick feignit
de ne pas le remarquer.

— Avez-vous de la famille que vous voulez que nous
prévenions, des parents, des frères et sœurs ?

— Je suis fille unique.

— Vos parents alors ?

Il consulta les notes du dossier.

— Debby et George Franklin. Ils vivent dans le Queens ?

— Je ne veux pas les voir.

— Pourquoi ?

Y avait-il eu brouille quand elle avait épousé Giardino ?

— Ce ne sont pas vos affaires.

Il céda sur ce point et laissa son regard se poser sur
le petit garçon. La clé, avec les témoins hostiles, était de
trouver un terrain d'entente.

— Comment va votre fils ?

— Il est fatigué et désorienté. Il veut rentrer à la maison.

Son expression se radoucit et elle caressa de nouveau
les cheveux du petit garçon, qui étaient d'un blond miel
beaucoup plus sombre que le sien.

— Je ne lui ai pas encore dit pour son père. Je ne suis
pas sûre qu'il comprenne.

— Et vous, comment allez-vous ?

La dureté revint dans ses yeux.

— Si vous croyez que je suis bouleversée par la mort
de mon mari, vous vous trompez.

— Vous n'êtes pas sous le choc ?

— Non. Je le détestais.

— Alors pourquoi l'avez-vous épousé ?

Elle secoua la tête.

— Vous ne pourriez pas comprendre.

— Essayez…

Elle pinça étroitement les lèvres et il crut qu'elle ne dirait
rien, mais il attendit néanmoins. Haïssait-elle vraiment

son mari ou était-ce une ruse pour se mettre à distance des Giardino et de leurs crimes ?

— C'est mon père et le sien qui ont arrangé notre mariage, dit-elle. Je le connaissais à peine.

— Allons donc, nous sommes en Amérique et au XXIe siècle !

Un voile passa sur le visage de Stacy.

— Je vous ai dit que vous ne comprendriez pas.

Patrick laissa ces paroles se perdre dans le silence, espérant qu'elle ajouterait quelque chose. En vain. Elle ne détourna cependant pas le regard et continua de le fixer d'un air de défi.

Il changea de position, effleurant son bras au passage. Elle tressaillit et il s'écarta. Ce n'était pas correct de la surplomber ainsi. Il prit une chaise et s'assit à côté d'elle, en se tournant pour lui faire face.

— Je voulais vous poser quelques questions à propos d'aujourd'hui, dit-il.

— Je ne peux rien vous dire sur les Giardino.

— Vous avez été mariée au fils de Sam Giardino pendant quatre ans. Vous avez vécu dans leur maison durant tout ce temps. Je pense que vous en savez plus que vous ne le croyez. Y avait-il souvent des gens qui venaient parler affaires ?

Elle demeura silencieuse.

Il prit une photo dans le dossier — un cliché de 20 x 25 du sénateur Nordley.

— Avez-vous déjà vu cet homme ? Chez vous ou ailleurs, avec Sam ou Sammy ?

Elle jeta à peine un coup d'œil à la photo.

— Où sont Veronica et Elizabeth ? Vous leur avez posé la question ?

Elles étaient interrogées au même moment par d'autres agents.

— Elles sont saines et sauves. Et oui, nous leur posons aussi des questions.

— Elles vous diront la même chose que moi : nous ne savons rien. Nous n'étions pas autorisées à savoir quoi que ce soit. Les femmes de la maison Giardino étaient comme des meubles ou des enfants : il était hors de question qu'on les entende.

— Je suis surpris que vous ayez supporté ce genre de traitement.

La colère de Stacy enfla, mettant du rouge sur ses joues et de la vie dans ses yeux. Elle était plus attirante que jamais.

— Vous croyez que j'avais le choix ?

— Vous me semblez une jeune femme franche et indépendante. Pas le genre à se laisser intimider.

Quand elle avait surgi au sous-sol, l'enfant dans les bras, elle avait paru prête à s'en prendre à lui, en dépit du fait qu'elle n'était pas armée.

Elle détourna les yeux, mais il saisit une lueur de tristesse — à moins que ce ne soit du désespoir ? — dans ses yeux.

— Si vous viviez dans une maison où on n'hésite pas à taillader le visage d'un homme pour un oui ou un non, seriez-vous aussi avide de vous faire entendre ?

— Etes-vous en train de dire que les Giardino vous ont menacée ?

— Ils n'en parlaient pas comme de menaces. Ils appelaient ça des promesses.

— Vous ont-ils maltraitée physiquement ?

La colère lui serra brusquement la gorge, le surprenant par son intensité.

Elle secoua la tête.

— Ça n'a pas d'importance.

Il se déplaça pour mettre un peu distance entre lui et cette femme perturbante. Elle passait de la froideur à la vulnérabilité et se montrait tour à tour innocente et calculatrice. Il feignit de consulter le dossier, mais les mots se brouillaient derrière l'image d'une Stacy recroquevillée devant un malfrat sans visage.

— Le nom du sénateur Nordley vous dit-il quelque chose ? reprit-il en repoussant cette vision dérangeante.

— C'est un homme politique de New York. Qu'est-ce que c'est, un examen d'instruction civique ?

— Nous pensons que le sénateur se trouvait dans la maison peu de temps avant notre arrivée cet après-midi.

— Je ne l'ai pas vu.

— Avez-vous vu Sam Giardino avec quelqu'un qui ne faisait pas partie de la maison ces derniers jours ?

— Non. Je restais autant que possible à l'écart de Sam.

— Pourquoi ?

— Mon mari et lui se disputaient sans cesse. Je n'avais pas envie de me retrouver prise entre leurs tirs croisés. Littéralement.

— A propos de quoi étaient-ils en conflit ?

— Le contrôle de la famille. Sammy voulait avoir son mot à dire sur les affaires, mais Sam refusait de lui accorder ce droit.

— Mais Sammy était le successeur désigné de son père, n'est-ce pas ?

— Soi-disant. Pourtant Sam passait son temps à le narguer. Il menaçait de le court-circuiter et de remettre les rênes à son frère Abel.

Patrick feuilleta le dossier sans trouver mention de cet Abel.

— Qui est-ce ?

— Le plus jeune frère de Sam. C'est le mouton noir de la famille, celui dont personne ne parle parce qu'il n'a jamais voulu participer aux affaires.

— Mais Sam menaçait de lui transmettre la direction des activités plutôt qu'à Sammy ?

— C'était seulement une façon de se venger de Sammy. Abel n'a rien à y voir depuis des années.

— Où réside-t-il ?

— Lui et la mère de Sam — la grand-mère de Sammy — vivent dans un ranch quelque part dans le Colorado.

Patrick sentit les poils se hérisser sur sa nuque. Cet Abel Giardino avait peut-être sa place dans cette « Colorado connection » qu'ils recherchaient.

— Vous avez déjà rencontré Abel ?

— La grand-mère et lui sont venus à notre mariage. Il ressemblait à un vieux cow-boy.

— Et la mère ?

— Elle était encore plus effrayante que ses fils. Elle ne m'approuvait pas, et m'a menacée de me jeter le mauvais œil si je n'étais pas gentille avec son petit-fils.

Stacy frissonna et se frotta les bras.

— Après l'avoir rencontrée, j'ai compris pourquoi Sam était si mauvais.

— Raison de plus pour que nous vous mettions sous protection.

— Je vous l'ai dit, je ne veux pas de votre protection !

Au son de sa voix, Carlo remua et gémit. Elle se pencha sur lui et murmura des paroles apaisantes. Encore une fois, elle venait de passer de la colère froide à une tendre affection. Patrick trouvait ce contraste frappant et ressentit malgré lui de la sympathie pour elle. Mais elle faisait partie d'une famille mafieuse et était sans doute elle-même une criminelle. Elle ne méritait pas qu'il s'attendrisse.

Quand le petit garçon se rendormit, elle le regarda de nouveau.

— Laissez-nous partir, je vous en prie.

Patrick se leva.

— Je vais demander qu'on vous conduise à l'hôtel.

Il quitta la pièce, en refermant doucement la porte derrière lui.

Sullivan était dans son bureau, au fond du couloir.

— Tu as déjà entendu parler d'un Abel Giardino ? lui demanda Patrick.

— Non, qui est-ce ?

— Le frère de Sam. Il n'a prétendument jamais été impliqué dans les activités de la famille. Il vit avec sa mère quelque part dans le Colorado.

— C'est peut-être pour cette raison que Sam séjournait dans l'Etat.

— Ça vaut la peine de vérifier. Stacy dit que Sam parlait de choisir son frère pour lui succéder en tant que chef de la famille, plutôt que Sam Junior.

Sullivan prenait des notes.

— Tu as pu tirer autre chose d'elle ?

— Seulement qu'elle haïssait son mari, apparemment. Et elle ne semble pas porter le reste de la famille dans son cœur.

— Pas de confirmation pour le sénateur ?

— Elle dit qu'elle ne l'a pas vu.

— Tu penses que c'est vrai ?

— Difficile à dire. Elle n'est pas du genre bavarde. Je vais demander au sergent Robinson de les emmener à l'hôtel, le gamin et elle, et on réessaiera demain matin.

Il appela le poste du sergent et transmit ses ordres : conduire Mme Giardino à l'hôtel et monter la garde jusqu'à ce que quelqu'un d'autre prenne la relève.

Puis il retourna à son bureau et s'assit dans son fauteuil. Il aimait repasser les déclarations d'un témoin tant qu'elles étaient fraîches dans son esprit, pour y repérer des incohérences à exploiter, ou des informations à approfondir. Il voulait en apprendre davantage sur Abel, mais il désirait aussi mieux comprendre Stacy et déterminer sa position dans cette famille sordide.

Toutefois, au lieu de réfléchir à ce qu'elle avait dit, il orienta ses pensées sur ce qu'elle n'avait pas dit. Pourquoi son père et Sam avaient-ils organisé son mariage avec Sammy, si c'était bien ce qui s'était passé ? Qu'avaient fait les Giardino pour l'effrayer autant ? Ignorait-elle tout de leurs agissements, comme elle le prétendait ?

Et pourquoi l'émouvait-elle autant, au point de lui donner envie de la réconforter et la protéger ? N'était-ce qu'une bonne actrice, habile à manipuler les hommes, ou y avait-il autre chose ? Il fallait qu'il le comprenne afin d'éviter de commettre des erreurs à l'avenir.

Un coup sec retentit à la porte.

— Entrez.

Le sergent Robinson, un homme mince et chauve, passa la tête par la porte.

— Monsieur ?

— Que se passe-t-il, sergent ? Pourquoi n'êtes-vous pas avec Mme Giardino ?

Le regard du sergent survola la pièce, comme s'il s'attendait à la trouver dans un coin.

— Elle n'est pas avec vous ?

— Non. Elle est dans la salle d'interrogatoire numéro deux, je vous l'ai dit.

Le sergent déglutit avec effort.

— La salle est vide, Monsieur. Mme Giardino n'est plus là.

3

Stacy n'avait aucune envie d'attendre que le sergent Untel la trimballe jusqu'à une chambre d'hôtel à peine plus grande qu'une cellule. Elle en avait assez qu'on lui dise ce qu'elle pouvait faire ou ne pas faire. A présent que Sammy était mort, elle avait l'occasion de recommencer sa vie et elle voulait le faire à ses propres conditions.

Elle vérifia que le couloir était vide, puis réveilla Carlo.

— Il faut y aller, chéri, dit-elle en le soulevant pour le mettre à cheval sur sa hanche.

— Où on va, maman ? demanda-t-il.

— On va dormir à l'hôtel. Ça sera bien, non ? répondit-elle à voix basse, mais avec une note d'excitation pour convaincre le petit garçon. Il y aura sans doute une piscine et tu pourras nager.

— Est-ce que Papa sera là ? questionna Carlo d'un air trop sérieux pour son âge.

— Non, Papa ne pourra pas être là, mais toi et moi nous allons bien nous amuser.

Bientôt, quand les choses se calmeraient, elle devrait lui annoncer la mort de son père. Bien qu'elle-même ait depuis longtemps cessé d'aimer son mari, Carlo adorait son père. Sammy avait pourtant passé de moins en moins de temps avec lui au cours des mois précédents.

Elle ignorait si un enfant de trois ans comprenait la mort, mais Carlo serait bouleversé quand il comprendrait que son père ne reviendrait pas. Elle préférait repousser encore un peu cette échéance.

Dans le couloir, elle se dirigea rapidement vers la porte marquée « Escalier ». Il y avait moins de risques de croiser quelqu'un qu'en prenant l'ascenseur. Heureusement, elle n'eut qu'à descendre deux étages avant de trouver une porte donnant sur l'arrière du bâtiment. C'était sans doute par là que les fumeurs allaient en griller une, pensa-t-elle. Elle la poussa en priant pour ne déclencher aucune alarme.

Derrière s'ouvrait un parking. Quelques véhicules étaient garés dans la lueur des réverbères. Un vent froid chargé de neige tourbillonna autour de ses jambes tandis qu'elle se hâtait sur l'étendue bétonnée. Elle prévoyait de rejoindre l'artère principale pour se perdre dans la foule pressée.

Se guidant aux bruits de voix et de musique, elle finit par déboucher dans la grand-rue de Telluride, où elle emboîta le pas à un groupe d'adultes et d'enfants, sans doute une famille en vacances. Un rapide coup d'œil derrière elle lui apprit que le marshal ne la suivait pas : il était tellement grand qu'elle l'aurait repéré dans la foule. Et il avait cette apparence alerte qui trahissait le policier à des kilomètres.

En regardant les vitrines des magasins le long de la rue, elle en remarqua un qui vendait des vêtements d'enfants. Une femme avec un enfant n'y détonnerait pas. Ayant pénétré dans la boutique, elle posa Carlo à terre et feignit d'examiner les rangées de vêtements, tandis que le petit garçon s'approchait d'une caisse de jouets près du mur. Elle avait besoin d'un plan.

— Puis-je vous aider à trouver quelque chose ? s'enquit une femme entre deux âges, en jupe de laine noire et corsage rose.

— Vous avez de très jolies choses, lança Stacy. J'aimerais avoir plus de temps pour les regarder. Je suis entrée jeter un coup d'œil en attendant mon mari. Mais je reviendrai demain sans doute.

— Votre fils est adorable, dit la femme, et toutes deux se retournèrent pour regarder Carlo assembler de gros blocs de mousse.

— Merci, fit Stacy avec un sourire éblouissant. Il est dans cette phase où il adore les trains, les bus et les avions. Y a-t-il une gare routière à Telluride ?

— Pas vraiment. Quelques hôtels ont des navettes pour l'aéroport, et il y a des bus qui conduisent aux pistes de ski.

— Merci. C'était par pure curiosité.

Elle pouvait louer une voiture, mais cela exigerait une carte de crédit et une pièce d'identité, ce qui laisserait des traces. Elle tira son téléphone de sa poche et feignit de lire un texto.

— Il faut que j'y aille. Viens, Carlo, il faut partir.

— Mais je veux jouer, protesta le petit garçon.

— Nous essaierons de revenir demain et de rester plus longtemps.

Elle tendit la main et son fils la prit.

De retour sur le trottoir, Stacy s'efforça de réfléchir à la prochaine étape. Peut-être pouvait-elle prendre une des navettes pour l'aéroport. Elle voulait quitter la ville par n'importe quel moyen. Elle se mit en marche en direction d'un immeuble situé au carrefour, devant lequel stationnaient plusieurs bus et une foule de voitures attendant leur tour pour décharger les passagers.

Comme elle s'y attendait, le bâtiment était un hôtel, et un hôtel bondé à en juger par le nombre de gens qui y entraient et en sortaient. Parfait. Elle resterait anonyme dans cette foule.

Elle se fraya un passage entre les touristes encombrés de bagages et de skis et pénétra dans le hall. S'approchant du comptoir, elle afficha un sourire charmant au bénéfice de l'employé, un jeune homme à la chevelure clairsemée et à l'air affairé.

— A quelle heure part la prochaine navette pour l'aéroport ? demanda-t-elle.

— Telluride, Montrose ou Durango ? interrogea le réceptionniste sans même lever les yeux de son ordinateur.

Elle hésita.

— Euh…

— Le bus pour Durango part dans dix minutes, et celui de Telluride juste après.

— Très bien. Merci

Ce serait donc Durango.

Elle prit un siège derrière un îlot de verdure et donna son téléphone à Carlo pour l'occuper. Elle était en train de lui montrer comment accéder aux jeux qu'elle avait téléchargés pour lui quand l'appareil se mit à sonner, la faisant sursauter.

Elle fixa le numéro. L'indicatif régional était le 303, celui de Denver. Les marshals étaient sans doute basés là-bas. Elle pressa une touche pour ignorer l'appel, mais quelques secondes plus tard, un carillon l'avertit qu'elle avait un message.

Elle hésita, puis décida d'écouter le message. Ce n'était peut-être pas du tout le marshal.

La voix grave et veloutée de Patrick Thompson résonna dans son oreille.

— Vous enfuir n'est pas une bonne idée, disait-il. Appelez-moi à ce numéro et j'enverrai quelqu'un vous chercher. Je vous promets que vous serez en sécurité avec nous.

Bien sûr. Elle était censée faire confiance aux gens qui avaient abattu son mari. Du moins était-ce l'histoire que Thompson lui avait servie. Apparemment, Sammy avait tué son père puis avait retourné son arme contre sa sœur, mais c'était bien un agent fédéral qui lui avait tiré dans le dos. Et si Patrick Thompson s'était montré relativement gentil pendant son interrogatoire, il était sans doute pareil aux autres : il pensait qu'elle ne valait pas mieux que Sammy, une ordure ou, pire, une traînée. Pourquoi se seraient-ils inquiétés de sa sécurité ? La seule chose qu'ils voulaient, c'était qu'elle leur dise tout ce qu'elle savait, afin qu'ils puissent imputer à quelqu'un les crimes de la famille Giardino. Mais après les événements du jour, il n'y avait plus personne à blâmer, en dehors des hommes de main qui suivaient les ordres de Sam et Sammy.

Elle éteignit le téléphone, espérant que cela les empêche-rait de repérer le signal dont les fédéraux se servaient pour localiser les gens. Elle fut tentée de laisser le téléphone derrière elle, mais se trouver dépourvue de tout moyen de communication lui paraissait trop dangereux.

Un somptueux petit bus s'arrêta devant l'hôtel, et le chauffeur annonça la navette pour l'aéroport de Durango. Stacy et Carlo se joignirent à la queue des vacanciers qui montaient à bord.

— Votre nom, madame ? demanda le chauffeur, qui cochait une liste sur un porte-bloc.

C'était un homme d'âge moyen, au visage rond, dépourvu de menton.

— Je ne suis pas sur votre liste, dit Stacy. J'espérais pouvoir acheter un billet à bord.

— Je ne prends que les passagers qui ont réservé.

Stacy se montra embarrassée. Tout le monde la regardait et commençait à marmonner derrière elle. Elle se pencha vers l'homme, lui offrant une vue plongeante sur son décolleté, et dit à voix basse :

— S'il vous plaît, je viens d'apprendre que ma mère est à l'hôpital. J'ai pu trouver un vol à partir de Durango mais il faut absolument que j'y arrive. Je peux vous payer en liquide.

Et il pourrait garder l'argent, s'il en avait envie.

— Cinquante dollars, aboya l'homme sans hésiter.

Elle ouvrit son sac et repêcha deux billets de vingt

dollars et un de dix. C'était l'un des avantages à vivre avec des gangsters : ils préféraient le cash et en avaient toujours beaucoup.

— Où sont vos bagages ? demanda le chauffeur.

— Je les ai déjà mis là-bas, dit-elle en désignant l'arrière du bus, où un porteur chargeait des valises.

A bord du bus, elle choisit un siège au fond et installa Carlo à côté d'elle.

— Où on va, maman ?

— A cet hôtel dont je t'ai parlé.

A l'aéroport, elle se rendrait dans la zone de retrait des bagages et appellerait l'un des hôtels qui offraient une navette gratuite. Elle paierait la chambre en liquide et donnerait un faux nom. Après un dîner et une bonne nuit de sommeil, elle pourrait décider de leur prochaine étape.

Carlo pressa son visage contre la vitre pour regarder dehors. Stacy renversa la tête contre le dossier et ferma les yeux. Elle était en route. Pas encore tout à fait en sécurité, mais presque.

— Elle se dirige vers Durango.

Patrick se pencha sur le technicien chargé de repérer le signal du portable de Stacy, et étudia le petit point vert qui se déplaçait sur l'écran. Ses deux derniers appels avaient abouti sur la messagerie et il supposait qu'elle avait éteint son téléphone. Apparemment, elle n'avait pas compris que l'appareil émettait un signal même quand il était éteint.

— Qu'est-ce qu'il y a à Durango ? s'interrogea Sullivan.

— Peut-être l'oncle Abel ?

Stacy avait dit qu'il possédait un ranch dans le Colorado, mais était restée vague sur l'endroit exact.

— Il y avait quelqu'un d'autre à Durango, aujourd'hui, lança l'agent.

Il lui tendit son smartphone, avec un article sur le discours du sénateur Nordley à la une du journal de Durango.

Patrick sentit son estomac se nouer. Il avait cru au petit numéro innocent de Stacy. Tout ce qu'elle lui avait dit n'était-il que mensonge ?

— Un peu trop pratique comme coïncidence, dit-il.

— On appelle la police de Durango pour leur demander de l'intercepter ? interrogea Sullivan.

— Non. Je vais y aller.

Il prit sa veste.

— Je veux l'observer, voir ce qu'elle va faire. Et moins il y aura de gens informés de cela, mieux ce sera, question sécurité.

Il se tourna vers le technicien.

— Continuez à la surveiller. Je vous appellerai.

Dehors, il faisait un froid de canard et de grandes bourrasques de vent faisaient tourbillonner les flocons de neige sous les lampadaires du parking. Démarrant sa Range Rover, il s'engagea dans la circulation de la grand-rue, puis tourna sur la route qui menait à la station de ski, un itinéraire qui le ferait passer par le col de Lizard Head et les petites villes de Rico et Delores. Stacy avait quarante-cinq minutes d'avance sur lui, mais il ne s'inquiétait pas car elle avait gardé son téléphone.

A moins qu'elle n'ait été assez maline pour le jeter dans un sac en partance pour la direction opposée. Mais il faisait confiance à son instinct et avait la conviction qu'elle avait pris elle-même la direction de Durango.

C'était au cours de son travail qu'il avait appris à se fier à ses intuitions, mais les choses ne se déroulaient pas toujours comme prévu. Récemment, il avait par exemple autorisé Elizabeth Giardino, placée dans le programme de protection des témoins sous le nom d'Anne Gardener, à se rendre dans la maison où se terraient son père et le reste de la famille. La chance d'arrêter un homme qui figurait sur la liste des dix personnes les plus recherchées par le FBI était trop tentante, surtout en considérant qu'Elizabeth était déterminée à prendre ce risque.

Mais Sammy avait failli la tuer et Patrick se faisait des reproches.

Il ne voulait pas risquer de perdre une autre femme placée sous sa protection. Stacy Giardino n'allait pas le doubler aussi facilement.

Quand il atteignit les faubourgs de Durango, il appela le technicien resté à Telluride.

— Vous l'avez toujours sur le radar ? demanda-t-il.

— Oui, monsieur. Elle était à l'aéroport il y a peu. Ensuite elle s'est déplacée, mais elle s'est de nouveau arrêtée. Si vous me donnez une seconde, je pourrai vous donner l'adresse.

— D'accord, j'attends.

Il dépassa des galeries marchandes brillant de mille feux et s'engagea dans la rue principale, bordée de bars, d'hôtels et de restaurants. Comme Telluride, Durango était rempli de touristes qui faisaient la fête après avoir passé la journée sur les pistes de ski. C'était le genre d'endroit où un étranger pouvait facilement se fondre dans la foule.

— Monsieur, j'ai l'adresse.

— Allez-y.

Patrick se pencha et alluma son GPS.

Le technicien ânonna une adresse sur la Deuxième Rue.

— C'est un motel. Le Moose Head Lodge.

— Bien reçu, merci.

Il raccrocha, tapa l'adresse sur son GPS et fit demi-tour.

Le Moose Head Lodge était un bâtiment bas en pierres et en bardeaux, situé à l'écart de la route. Deux ailes s'étendaient à partir du corps principal, et les portes des chambres donnaient directement sur le parking. Patrick arrêta sa Range Rover devant l'entrée et pénétra dans une réception directement inspirée de l'époque Roosevelt, avec un grizzli empaillé près du comptoir.

— Puis-je vous aider, monsieur ? demanda l'employé qui avait à peine du poil au menton.

— Je cherche une jeune femme qui vient de prendre une chambre. Environ un mètre soixante, cheveux blonds courts. Elle avait sans doute un petit garçon avec elle.

— Je ne suis pas autorisé à donner des renseignements sur nos clients, répondit le jeune homme.

— Mais vous pouvez m'en donner à moi, répliqua Patrick en exhibant sa carte.

Les yeux du garçon s'élargirent.

— Oui… Oui, monsieur. Une femme comme celle que vous venez de décrire est arrivée il y a environ un quart d'heure. Elle est dans la chambre 141, au fond.

— Sous quel nom s'est-elle inscrite ?

Le jeune homme se tourna vers l'ordinateur et tapa rapidement quelque chose.

— Kathy Jackson. Elle a payé en liquide.

— Je voudrais la chambre la plus proche de la sienne, dit Patrick.

— Ce sera la 142 alors, la suivante.

— Je la prends.

Il tendit sa carte de crédit du gouvernement au jeune homme et remplit le formulaire d'inscription.

— Cette chambre est équipée de deux lits doubles, d'un petit réfrigérateur et d'un four micro-ondes, dit l'employé en lui tendant sa clé.

— Y a-t-il un endroit où je pourrais manger ?

Il n'avait rien avalé depuis le petit déjeuner et commençait à se sentir affamé.

— Vous avez un menu de pizzas à livrer dans votre chambre.

— Ça ira.

Il reprit sa voiture et se gara devant sa chambre. Il n'y

avait aucune raison pour que Stacy la reconnaisse mais, au cas où elle regardait par la fenêtre, il resta derrière le véhicule et entra rapidement dans la chambre.

Une fois à l'intérieur, il alla directement au mur de séparation et colla l'oreille à la cloison. Des voix et de la musique en provenance de la télévision masquèrent d'abord tout autre bruit, puis il entendit une voix d'enfant et la réponse inintelligible d'une femme.

La mère et l'enfant allaient sans doute passer la nuit là, mais il avait l'intention de rester éveillé au cas où. Si quelqu'un venait la voir ou si elle partait, il s'en apercevrait. Et, au matin, il la suivrait pour voir où elle allait et à qui elle parlait.

Il commanda une pizza et écouta les bruits d'eau dans la salle de bains voisine. Le petit garçon prenait sans doute son bain, mais des images de Stacy sous la douche dérivèrent inopinément dans son cerveau. Bien que de petite taille, elle avait une jolie silhouette. Etait-il un goujat pour fantasmer ainsi sur une femme qu'il était censé protéger ? Ou bien était-ce simplement humain d'imaginer une femme séduisante uniquement séparée de lui par un mur ?

Il repensa aux réticences de Stacy avec lui. Ses années passées avec les Giardino l'avaient peut-être rendue méfiante envers tout le monde, surtout envers ceux qui se trouvaient du bon côté de la loi. Mais il ne pouvait prendre le risque qu'un rejeton de la famille — ou d'une famille ennemie — se lance à ses trousses. Les autres femmes étaient sous protection et les agents s'affairaient à identifier tous les membres de la famille et à rassembler les preuves de leurs innombrables méfaits. Stacy était la seule inconnue.

Après qu'on lui eut livré la pizza, il entrouvrit la porte d'un centimètre pour mieux entendre ce qui se passait à côté. Il mangea, puis s'étendit tout habillé sur le lit, son arme à côté de lui. Tout était tranquille dans la chambre voisine, même la télévision s'était arrêtée. Il ne s'attendait pas à dormir beaucoup, voire pas du tout, car il était habitué aux longues nuits de veille.

Mais, malgré sa résolution, il dut somnoler, car un hurlement féminin le réveilla en sursaut.

4

Tous les sens en alerte, il sauta du lit, l'arme à la main. Par la fenêtre, il vit une berline noire parquée devant la chambre voisine, une silhouette massive au volant. Les cris de Stacy et les pleurs de l'enfant retentissaient dans le silence de l'aube, accélérant son rythme cardiaque.

Il se glissa dehors en restant dans l'ombre. La porte de la chambre de Stacy était ouverte. Alors qu'il s'en approchait, un homme la franchit en courant, serrant Carlo contre sa poitrine.

— Halte ! cria Patrick, en tirant en l'air pour ne pas risquer de blesser l'enfant.

Le ravisseur fit feu sans même ralentir. Le bruit de ses balles était étouffé par un silencieux. Patrick s'accroupit juste au moment où les projectiles se fichaient dans la brique sur sa droite, soulevant des éclats qui lui piquetèrent la joue.

Puis l'homme jeta l'enfant sur le siège arrière, plongea à sa suite, et la voiture démarra dans un crissement de pneus.

Patrick visa les roues du véhicule, mais il était trop tard. Essoufflé, le visage en sang, il fixa la voiture pour essayer de déchiffrer la plaque d'immatriculation ou relever des marques distinctives. Mais la plaque était obscurcie par la boue et le véhicule lui-même ressemblait à une centaine d'autres berlines sombres.

Le cœur battant, il se précipita dans la chambre.

— Stacy ? appela-t-il depuis le seuil.

Le silence qui l'accueillit le fit frémir. Il chercha

l'interrupteur à tâtons et le plafonnier illumina une scène chaotique. A moitié hors du lit, les couvertures traînaient par terre, et une chaise et une lampe gisaient, renversées.

— Stacy ! cria-t-il de nouveau. C'est moi, Patrick Thompson. Est-ce que ça va ?

Un gémissement l'attira vers la salle de bains. Arme à la main, il avança doucement. La lumière était éblouissante sur le carrelage et la porcelaine blanche. Il passa la tête à l'intérieur et vit Stacy affalée contre la paroi de la douche, une entaille sanglante au-dessus de l'œil gauche. Elle gémit quand il s'agenouilla près d'elle.

— Stacy, vous m'entendez ?

Elle ouvrit les yeux et le dévisagea d'un air absent. Mais il fut témoin de l'instant où la mémoire lui revint, car ses yeux se remplirent de larmes et elle lutta pour se redresser.

— Carlo ! Ils ont pris Carlo ! haleta-t-elle d'une voix entrecoupée de terreur et de douleur.

Patrick l'obligea à se rasseoir.

— Racontez-moi exactement ce qu'il s'est passé, la pressa-t-il.

— Il faut les poursuivre !

Elle agrippa son bras et lui enfonça douloureusement les doigts dans la chair.

— Il faut retrouver Carlo !

Il dénoua gentiment sa main et la garda dans la sienne. Ses doigts étaient gelés.

— Ils ont filé en voiture. Je vous promets de faire tout mon possible pour les retrouver, mais j'ai besoin de votre aide. Plus vous pourrez m'en dire, plus j'en saurai pour me lancer à leur recherche.

Le désespoir qu'il lut dans ses yeux l'émut. La femme froide et réticente qu'il avait interrogée au commissariat avait disparu, faisant place à une mère en deuil. Elle dégagea sa main et toucha l'entaille sur son front.

— Il m'a frappée avec la crosse de son arme.

Patrick trouva un gant et le mouilla au robinet pour le presser sur la blessure.

— Qui était-ce ? Vous l'avez reconnu ?

— Non. Je suis sûre de ne jamais l'avoir vu. Mais il savait qui j'étais. Il m'a appelée Mme Giardino, et il a appelé Carlo par son nom aussi.

— Et vous êtes sûre que vous ne le connaissez pas ?

— Je ne l'ai pas reconnu, mais il faisait noir et je dormais quand ils ont fait irruption. Tout s'est passé si vite !

Elle s'empara du gant de toilette.

— Que faites-vous ici ? Quand êtes-vous arrivé ?

— Je vous ai suivie hier soir. Je suis dans la chambre voisine.

— Vous m'espionniez !

Ses yeux lancèrent des éclairs, mais c'était mieux que le désespoir qu'ils recelaient quelques secondes plus tôt.

— Vous vous êtes enfuie, dit-il. Je voulais savoir où vous alliez. A qui vous parliez.

— Comment avez-vous pu me trouver ? Je n'ai vu personne que je connaissais…

— Votre téléphone émet un signal, même quand il est éteint.

Il se rassit sur ses talons et l'observa pour voir si elle était en état de choc. Mais la couleur était en train de revenir sur ses joues et elle semblait plus alerte.

— Je suis surpris que Sam Giardino vous ait laissée vous servir d'un téléphone ordinaire comme celui-ci.

— Les hommes se servaient de mobiles jetables, mais ce que faisaient les femmes ne comptait pas. Nous n'étions pas assez importantes pour qu'on s'inquiète de savoir où nous étions.

Patrick sortit son propre téléphone.

— Je vais appeler la police locale. Ils peuvent diffuser

une alerte Ambre[1]. On pourra les arrêter avant qu'ils aillent très loin.

— Non !

Stacy lui agrippa de nouveau le bras.

— Pas la police ! Il a dit que si j'appelais la police, ils tueraient Carlo.

— Mais si on les rattrape assez vite, ils n'auront pas le temps de faire du mal à l'enfant.

— Non, je vous en prie ! Je ne veux pas prendre ce risque. Il a dit qu'au premier signe des flics, ils lui trancheraient la gorge.

Elle ravala un sanglot et fit un effort pour se reprendre.

— On ne peut pas les poursuivre ? Vous et moi ?

— On aura bien plus de chances de les rattraper avec l'aide de la police. Avec une alerte Ambre, tout le monde les cherchera dans l'Etat.

— Ils verront l'avis aux nouvelles et Carlo mourra ! lança-t-elle d'une voix aiguë, presque hystérique.

Il remit le téléphone dans sa poche.

— Je ne les appelle pas tout de suite, alors. Racontez-moi tout ce que vous vous rappelez d'autre. Même les plus petits détails peuvent avoir de l'importance.

Elle hocha la tête et se frotta les yeux. Elle s'était démaquillée et elle avait l'air beaucoup plus jeune, plus vulnérable.

Un tapotement se fit entendre à la porte.

— Mme Jackson ? Tout va bien ? demanda quelqu'un.

— Je m'en occupe, dit Patrick.

Se levant, il alla rapidement à la porte et jeta un coup d'œil par l'œilleton. L'employé de la réception se tenait de l'autre côté, regardant nerveusement autour de lui.

Patrick ouvrit la porte.

— Quelque chose ne va pas ?

---

1. Amber Alert : système d'alerte mis en place dans les médias lors d'enlèvements d'enfants aux Etats-Unis et au Canada. (N.d.T.)

— Oh !

L'employé eut l'air stupéfait.

— Je… euh… Je pensais que c'était la chambre de Mme Jackson, dit-il en jetant un coup d'œil au numéro de la chambre voisine.

— Mme Jackson va bien, répliqua Patrick. Vous vouliez quelque chose ?

— Des clients ont appelé la réception pour dire qu'ils avaient entendu des coups de feu venant de cette chambre.

— Il devait s'agir d'une voiture qui pétaradait.

Le mensonge lui vint facilement ; inutile d'impliquer le réceptionniste avant d'avoir décidé comment gérer la situation.

— Ils semblaient tout à fait sûrs…

— Je suis capable de reconnaître un coup de feu, vous ne croyez pas ?

— Bien sûr, bien sûr…

Le jeune homme tenta de glisser un œil dans la chambre.

— Et Mme Jackson va bien ?

— Elle va très bien. Mais elle n'est pas habillée pour les visites, ajouta-t-il avec un clin d'œil.

L'employé devint écarlate. L'histoire que Patrick lui avait racontée à son arrivée n'était donc qu'un mensonge élaboré pour couvrir une liaison, devait-il penser.

— Je vais… euh… retourner à la réception, balbutia-t-il en faisant un pas en arrière. Si vous avez besoin de quoi que ce soit… n'hésitez pas… euh… à m'appeler.

Patrick referma la porte en mettant en place la chaîne de sécurité et retourna à la salle de bains. Stacy s'était assise sur le siège des toilettes, la tête entre les mains. Elle leva les yeux quand il entra dans la pièce.

— Qui était-ce ?

— L'employé de la réception. Quelqu'un a signalé des coups de feu.

— Qu'est-ce que vous lui avez dit ?

— Que c'était sans doute une voiture qui pétaradait.

Il s'accroupit devant elle.

— Maintenant, racontez-moi ce qui s'est passé.

Stacy inspira profondément.

— Quand je me suis réveillée, il était déjà dans la chambre. Il devait avoir une clé, parce que je n'ai rien entendu. Carlo dormait et l'homme était en train de le soulever. C'est ce qui m'a réveillée.

Elle pressa de nouveau le gant de toilette sur son entaille, qui avait presque cessé de saigner.

— J'ai hurlé et il m'a ordonné de me taire. J'étais terrifiée de trouver quelqu'un dans ma chambre comme ça. « Qui êtes-vous ? » lui ai-je demandé. « Qu'est-ce que vous faites à mon fils ? » « J'emmène Carlo, Mme Giardino », a-t-il répondu. « Si vous tenez à la vie, ne vous en mêlez pas. »

Il aurait pu tout aussi bien dire au soleil de ne pas se lever.

— Sa voix avait-elle un accent particulier ?

Elle fronça les sourcils.

— Pas vraiment. Je veux dire, il était américain, mais je ne saurais pas dire de quel Etat. Il m'a dit que si j'appelais la police, il tuerait Carlo, que si quelqu'un les suivait, ils lui trancheraient la gorge.

Elle se mordit la lèvre, luttant contre une nouvelle vague de larmes.

— Qu'est-ce que vous avez fait ? la pressa Patrick.

— J'ai essayé de lui reprendre Carlo. Il s'est réveillé et il a commencé à pleurer. Je ne voulais pas le lâcher, alors le type m'a frappée.

Elle tressaillit de douleur ou au souvenir de la douleur, Patrick n'aurait su le dire.

— J'ai chancelé en arrière et il m'a empoignée et poussée dans la salle de bains, puis il est parti en courant avec Carlo. J'ai entendu des coups de feu dans le parking.

— Il m'a tiré dessus. Vos cris m'ont réveillé. J'ai essayé

de l'arrêter, mais il se servait de Carlo comme bouclier. Je n'ai pas pu le viser.

— Il portait une cagoule, précisa Stacy. Une cagoule de ski. Je n'ai pas vu son visage. Et sa voix m'était inconnue.

— Ils étaient deux, ajouta Patrick. Le chauffeur était grand et massif. Celui qui a emporté Carlo était plus mince. La voiture était une berline noire, avec de la boue sur la plaque d'immatriculation.

— Vous les avez vus ! Alors vous pouvez les retrouver ! L'espoir illumina son regard.

— Ils ne vous soupçonneront pas : vous n'êtes pas en uniforme et vous n'avez pas une voiture de police. Ils ne savent sans doute pas que vous étiez ici. Moi-même je ne le savais pas, alors comment le sauraient-ils ?

— Sauf qu'ils ont tiré sur moi. Et j'ai riposté.

— Mais ils ne vous ont certainement pas bien vu. S'il vous plaît, Patrick ! Dites que vous allez m'aider !

Seul un homme dénué de cœur aurait pu résister à ces yeux suppliants. Il avait envie de lui promettre qu'il retrouverait Carlo très vite, et qu'il les protégerait de ces hommes. Mais l'idée qu'il lui serait peut-être difficile de tenir parole le retint de prononcer ces mots.

— Allons dans ma chambre soigner l'entaille que vous avez à la tête, dit-il à la place. Ensuite, nous déciderons de ce qu'il faut faire.

Il alla chercher le manteau et le sac de Stacy et drapa le premier sur ses épaules. Puis il la soutint tandis qu'elle chaussait ses bottines. Sa blessure avait cessé de saigner, et même si elle aurait sans doute mal à la tête pendant quelque temps, il espérait que les dégâts n'étaient pas trop graves.

Il la conduisit dans sa chambre et referma la porte derrière eux. Elle s'assit sur le lit qu'il n'avait pas défait.

— Vous serez plus en sécurité ici avec moi, dit-il.

— Je n'étais pas en sécurité cette nuit. Comment m'ont-ils retrouvée ?

— Si nous avons pu vous localiser grâce à votre téléphone, eux aussi.

Elle fixa son sac sur le lit, à côté d'elle.

— Dois-je le détruire ?

— Pas tout de suite. Les ravisseurs vont peut-être vous appeler à ce numéro.

— Ils veulent de l'argent ? demanda-t-elle. C'est ça dont il s'agit, une rançon ?

— S'ils connaissent la famille Giardino, ils savent que Sam avait de l'argent. Peut-être veulent-ils profiter de sa mort pour mettre la main sur une partie de sa fortune.

— Alors ils ne feront pas de mal à Carlo.

Les larmes lui montèrent de nouveau aux yeux, et elle se couvrit la bouche comme pour réprimer un sanglot.

Patrick lui pressa l'épaule.

— Je sais que c'est difficile, mais il faut vous reprendre, pour le bien de votre fils.

Elle hocha la tête et fit effort pour reprendre contenance. Patrick sortit de nouveau son téléphone.

— Qui appelez-vous ? demanda-t-elle.

— Le bureau. Je veux savoir s'il y a des signes d'activité inhabituels chez les individus que nous suivons dans cette affaire.

— Vous ne pouvez pas le leur dire. Le ravisseur a dit…

— Je ne ferai rien qui mette Carlo en danger. Pourquoi n'allez-vous pas dans la salle de bains vous nettoyer la figure pendant que je passe cet appel ?

Elle lui lança un regard noir, mais se leva et fit ce qu'il demandait. Pendant son absence, il allait demander à ses supérieurs de la placer tout de suite dans le programme de protection des témoins, avant que ceux qui avaient enlevé Carlo ne s'en prennent aussi à elle.

*
* *

Stacy fixa son image dans le miroir de la salle de bains. Elle avait une mine épouvantable : pas de maquillage, du sang séché dans les cheveux, un énorme bleu au-dessus de l'œil. Mais quelle importance en regard de la disparition de Carlo ? Qui avait pu l'emmener ? Un ennemi des Giardino ? Pour une vengeance ? Pour l'argent ? Fermant les yeux pour soulager son mal de tête, elle s'efforça de réfléchir, mais son cerveau semblait vide.

Elle hésitait à écouter la conversation téléphonique du marshal Thompson, mais elle se dit qu'elle n'avait pas vraiment envie de savoir. Et puis il fallait qu'elle reste dans ses bonnes grâces : c'était le seul qui pouvait l'aider à retrouver Carlo. Il avait vu ces hommes, il avait une arme, une voiture et sans doute la formation adéquate pour pister des gens, présumait-elle. Elle ne pourrait pas faire mieux que lui.

Elle aurait dû être en colère qu'il l'ait suivie à Durango, mais s'il ne l'avait pas fait, elle n'aurait eu personne à qui faire appel. Et il s'était montré assez correct. Il avait écouté ce qu'elle avait à dire et ne lui avait pas donné d'ordres comme s'il était le seul à savoir quoi faire. Cela la changeait des hommes dont elle avait l'habitude.

Non qu'il ne soit pas viril. Il aurait fallu être aveugle pour ne pas remarquer ses larges épaules et ses bras musclés. Il était plus grand et massif que les hommes Giardino ; elle se sentait minuscule à côté de lui. Mais ça n'avait pas d'importance. Le côtoyer lui donnait un sentiment de… sécurité. Quelque chose qu'elle n'avait pas ressenti depuis longtemps.

Il frappa à la porte alors qu'elle lavait le reste du sang dans ses cheveux. Elle prit une serviette et la drapa autour de sa tête avant d'ouvrir.

— Qu'ont-ils dit ? questionna-t-elle.

— Ils sont d'accord pour que nous n'appelions pas la

police locale. Cela pourrait mettre le garçon en danger et saboter notre enquête.

— Quelle enquête ? Vous ne cessez d'en parler mais sur qui enquêtez-vous… sur moi ?

— Non, pas sur vous. En fait, j'aimerais vous placer immédiatement dans le programme de protection des témoins. Quand nous retrouverons Carlo, nous vous l'amènerons.

— Non !

— Je sais que vous n'aimez pas cette idée, mais c'est le meilleur moyen de vous protéger et…

— Non ! Je n'irai nulle part avant de savoir ce qui est arrivé à Carlo. Quand vous le retrouverez, je serai là.

— Je ne peux pas pister des criminels avec vous !

— Je ne serai pas une gêne. Je peux vous aider.

— Comment ?

— Je sais me faire toute petite. Je sais tirer et surtout, je connais mon fils. Je pourrai le faire venir à moi et le faire taire, si besoin est.

Un pli têtu entre les sourcils, Patrick la transperçait du regard, mais elle tint bon. Il n'était plus question de se laisser intimider et commander par un homme.

— Je n'intégrerai pas le programme de protection, martela-t-elle. Si vous ne me laissez pas venir avec vous, je chercherai Carlo moi-même.

Sans voiture, sans arme et sans notion claire de sa situation géographique, ce ne serait pas facile, mais elle pourrait voler une voiture, et acheter une arme et une carte si nécessaire. Elle ferait n'importe quoi pour retrouver son fils.

— Ma tâche principale est de vous protéger.

— Alors vous pourrez le faire en m'emmenant. Je vous en prie ! Nous perdons du temps à discuter. Il faut nous lancer à leur poursuite.

Elle tenta de le contourner, mais il l'immobilisa en lui posant une main sur l'épaule.

— Vous ne pouvez pas sortir les cheveux mouillés. Vous allez prendre froid.

Elle retira la serviette qu'elle portait autour de la tête.

— Peu importe. Ils sécheront dans la voiture.

— Vous ne serez d'aucune utilité à Carlo ou à moi si vous attrapez une pneumonie.

— D'accord.

Se retournant, elle s'empara du sèche-cheveux fixé au mur près du lavabo.

— Mais dès qu'ils seront secs, nous partirons.

Elle s'attendait à ce qu'il la laisse, mais il resta dans l'embrasure de la porte, le regard fixé sur elle. Elle tenta de l'ignorer, mais c'était impossible ; même s'il n'avait pas été reflété par le miroir, elle aurait senti ses yeux, sa présence imposante juste derrière son épaule. Pourquoi avait-il dit qu'elle ne lui serait d'aucune utilité si elle tombait malade ? La considérait-il comme un témoin important dans sa mystérieuse « enquête » ? Il n'avait certainement pas besoin d'elle pour autre chose.

Sauf peut-être comme un homme a besoin d'une femme, murmura une petite voix traîtresse dans sa tête. Elle remua pour dissiper la tension que la conscience d'être une femme jeune et désirable faisait naître dans son bas-ventre. En épousant Sammy Giardino, elle avait réprimé sa sensualité. La sentir refaire surface à cet instant la laissait stupéfaite. Elle avait entendu parler de gens qui avaient des réactions inattendues dans des moments de stress : qui éclataient de rire à un enterrement, par exemple. Cet état de semi-excitation était-il sa manière de réagir à la tragédie et au péril ? Difficile de trouver quelque chose de moins approprié, surtout en considérant que c'était une grande brute de policier qui le lui inspirait.

Elle éteignit le sèche-cheveux et pivota pour lui faire face.

— Qu'est-ce que vous regardez ? lui demanda-t-elle.

Elle s'attendait à une flatterie quelconque sur son

apparence, car c'était ce que les hommes disaient quand ils voulaient persuader une femme de coucher avec eux, mais, au lieu de cela, il se redressa et décroisa les bras.

— Je me disais que les Giardino avaient bien tort de vous tenir pour négligeable, dit-il, puis, sans attendre de réponse, il sortit.

Elle fixa son dos, en butte à un mélange de plaisir et de confusion. Ce qu'un flic pensait d'elle n'aurait pas dû avoir d'importance, mais elle n'était pas habituée aux compliments — s'il s'agissait bien d'une remarque flatteuse. Elle était désorientée qu'il ait commenté sa personnalité plutôt que son apparence physique. Elle avait depuis longtemps pris l'habitude de ne pas compter : c'était une sorte de camouflage qui la gardait en sécurité. Que cet homme ait vu à travers elle lui parut soudain hardi et périlleux.

— Vous venez ? appela-t-il.

— Oui !

Elle prit son manteau et son sac et le suivit sur le parking jusqu'à son luxueux 4x4, qui semblait davantage convenir à un riche touriste qu'à un agent fédéral. Si les ravisseurs de Carlo repéraient cette voiture derrière eux, ils ne se douteraient de rien.

— N'espérez pas trop les retrouver, dit-il quand elle eût bouclé sa ceinture de sécurité. Si ce sont des professionnels, ils ont déjà changé de voiture pour quitter la ville.

— Mais peut-être pas, répliqua-t-elle. Il n'y a pas beaucoup de circulation à cette heure-ci. Ils ne s'attendent pas à ce que nous nous lancions à leur poursuite, alors ils seront plus négligents.

— C'est beaucoup de peut-être.

Il mit le contact et passa une vitesse.

— Mais les criminels font des choses encore plus stupides.

S'engageant dans la rue obscure et déserte, ils prirent la direction de l'autoroute. Les réverbères éclairaient les congères de neige sale sur les bas-côtés. Ils croisèrent quelques voitures ; Stacy observa soigneusement chacune d'elles, mais aucun des conducteurs ne ressemblait à l'homme qui avait pris Carlo.

Ils continuèrent jusqu'aux limites de la ville, puis firent demi-tour pour prendre la direction opposée. A un moment donné, Patrick s'engagea sur le parking d'un motel.

— Cherchez une berline noire avec de la boue sur les plaques, dit-il. Ce n'est pas gagné, mais ils ont pu se terrer à proximité.

Osant à peine respirer, Stacy se colla à la vitre et étudia les véhicules garés : de vieux camions, des 4x4 neufs, des voitures de sport aux couleurs vives, mais aucune berline noire.

Ils vérifièrent quatre autres parkings de motels avec le même résultat. Patrick patrouilla ensuite une zone commerciale plongée dans le silence.

— Je pense qu'ils ont quitté la ville, dit-il.

Une profonde lassitude envahit Stacy. Si elle avait fermé les yeux, elle se serait endormie sur son siège. Mais comment pourrait-elle dormir alors que son fils, sans doute terrifié, était retenu par des inconnus ?

— Que fait-on maintenant ? demanda-t-elle.

— Il faut réfléchir à un plan.

Il fit demi-tour et reprit la direction de leur motel.

— Et il nous faut d'autres indices.

Sortant son téléphone, Stacy le fixa, lui intimant l'ordre de sonner.

— Si seulement ils pouvaient appeler pour me dire ce qu'ils veulent !

— Ils ne voulaient peut-être que Carlo.

C'était tout ce qu'elle voulait, elle aussi. Il était tout ce qu'elle avait dans la vie.

— Ils sont bien quelque part, dit-elle.

Patrick ne répondit pas. Dans la lumière bleue des lampadaires, avec ses cernes et l'ombre sur sa mâchoire, il paraissait sombre et intimidant, le prototype de l'homme qui ne renonce jamais. Stacy s'accrocha à cet espoir comme à une bouée dans un océan d'incertitude.

De retour à l'hôtel, elle se laissa tomber au bord du lit. Son cœur battait la chamade et ses yeux la démangeaient à force de pleurer, mais le malaise physique n'était rien comparé à la souffrance d'avoir perdu Carlo et d'être impuissante à le secourir.

— Je vais jeter un coup d'œil à côté, dit Patrick, chercher des indices éventuels. J'ai besoin de votre clé.

Elle repêcha la carte dans son sac, mais la retint une seconde quand il fit mine de la prendre.

— Donnez-moi aussi votre clé, dit-elle. Je vais chercher un soda. Il y a un distributeur de boissons à la réception.

La boisson apaiserait peut-être son estomac tout en lui redonnant de l'énergie.

Ils firent l'échange des clés et Stacy sortit en même temps que Patrick pour gagner le hall du motel. Elle resta à distance du réceptionniste pour ne pas faire voir sa blessure à la tête et trouva le distributeur dans un couloir secondaire. Avec une poignée de piécettes, elle obtint une canette de Coca light et une autre de Coca normal. Patrick n'était sûrement pas du genre à faire un régime, mais il apprécierait sans doute une dose de caféine.

En ressortant, elle sentit le froid la transpercer jusqu'aux os malgré la parka qu'elle serrait autour d'elle. Le parking était absolument silencieux et ses pas résonnaient sur le béton. Les chambres qu'elle dépassait étaient obscures et silencieuses. Patrick et elle étaient sans doute les seuls clients du motel.

Elle remonta les épaules et pressa le pas. Plus vite elle serait de retour auprès de Patrick, plus elle serait rassurée. Peut-être aurait-il trouvé un indice qui les mènerait à Carlo.

Au moment où elle tournait le coin du bâtiment, deux

bras solides l'agrippèrent par-derrière. Les doigts épais d'un homme se pressèrent sur sa bouche et une lame tranchante se posa sur sa gorge.

— Un cri et vous mourrez.

5

Le parfum de Stacy — une senteur luxueuse et fleurie — flottait dans la chambre. Patrick s'immobilisa sur le seuil et parcourut la scène des yeux, en quête d'un signe révélateur de l'identité des ravisseurs. Le lit double montrait un creux, là où la mère et le fils avaient dormi, et quelques cheveux blonds brillaient sur l'oreiller. Il les contempla en pensant à la femme qui les avait perdus. Elle possédait un tel mélange de force et de fragilité, de réserve et d'ouverture. Son refus de coopérer et de le laisser la protéger ne faisait que renforcer sa détermination à écarter le danger d'elle.

Détournant le regard, Patrick examina la moquette d'un brun terne, plissée et usée devant la porte. Une trace de boue attira son œil. Il s'agenouilla et, avec la pointe de son stylo, décolla un fragment d'argile encore fraîche. En le reniflant, il reconnut l'odeur distincte du fumier. Des chevaux ? Des vaches ?

Il glissa l'échantillon de boue dans une enveloppe trouvée dans le tiroir du bureau. Il pourrait demander qu'on l'analyse pour en déterminer la source, mais un peu de terre ne suffirait pas à retrouver des hommes qui ne voulaient pas être trouvés.

Il fouilla le reste de la chambre, le placard et la salle de bains sans rien trouver d'autre. Stacy était arrivée avec pour tout bagage les vêtements qu'elle portait. Qu'avait-elle prévu de faire ensuite ? Où serait-elle allée ?

Il allait lui poser la question, mais il doutait qu'elle réponde. Il était incontestable qu'elle gardait beaucoup de choses pour elle. *Je sais me faire toute petite*, avait-elle dit. Etait-ce en restant invisible qu'elle avait survécu chez les Giardino ? Il avait connu de telles femmes, qui réprimaient leurs sentiments et leurs paroles afin de composer avec un mari tyrannique. Mais au bout du compte, elles finissaient toujours par en payer les conséquences. La colère monta en lui à l'idée que Stacy avait été forcée de vivre ainsi.

Il quitta la pièce et referma doucement la porte derrière lui. Sur les quelques mètres qui le séparaient de la chambre voisine, un son étouffé lui fit soudain dresser les cheveux. Il attendit et le bruit se reproduisit faiblement, au coin du bâtiment.

Ses vêtements frottèrent bruyamment sur la brique quand il se plaqua contre le mur en sortant son arme. Pas à pas, il s'approcha du coin. Un coup d'œil rapide de l'autre côté ne lui révéla rien de suspect. Puis il remarqua un recoin abritant les poubelles et un extincteur d'incendie. Rien ne bougeait dedans, mais il sentit son cœur accélérer. Il arma son pistolet et tira une mini-torche de sa poche dont il dirigea le faisceau dans l'ombre...

... tout droit dans les yeux terrifiés de Stacy.

— Jette ton arme ou elle meurt, aboya une voix masculine.

Après l'avoir soigneusement désarmé, Patrick laissa tomber son pistolet sur le sol.

— Qui êtes-vous ? demanda-t-il. Et que voulez-vous ?

Un homme entre deux âges, trapu et musclé, sortit du recoin en entraînant Stacy. Les yeux gris de la jeune femme étaient agrandis par la frayeur et son visage était livide. Mais du sang perlait sur la peau pâle de son cou, là où était posé le couteau de son agresseur. Ce spectacle fit voir rouge à Patrick et il inspira profondément pour garder son calme.

— Reste là, ordonna la brute. Mon pote va venir dans une minute s'occuper de toi.

Réelle ou non, Patrick ignora la menace. Il fallait qu'il se concentre sur l'homme et en découvre le plus possible sur lui afin de le vaincre. Ce type ne ressemblait pas à celui qui avait pris Carlo ; il était plus petit et plus massif. Il portait un pantalon, un pardessus et une casquette de base-ball noirs, mais pas de masque.

— Où m'emmenez-vous ? demanda Stacy d'une voix chevrotante.

— Ta gueule ! lança l'homme et quelques gouttes de sang coulèrent de nouveau sous la lame du couteau.

Stacy ouvrit tout grand les yeux et poursuivit :

— Si vous m'emmenez voir Carlo, je viendrai volontiers.

— Mon patron veut te voir.

Comme beaucoup de gens, l'agresseur de Stacy ne suivait pas ses propres conseils.

— Qui est votre patron ? questionna Patrick.

— Encore un mot et je lui tranche la gorge !

D'une saccade, il serra Stacy plus étroitement et elle haleta. Puis Patrick vit ses yeux s'exorbiter de nouveau. Comprenant que ce n'était pas à cause de la douleur, il pivota sur lui-même à temps pour voir un deuxième homme se ruer lui. Il se laissa tomber sur le sol et ses genoux heurtèrent durement le béton, tandis qu'une balle volait au-dessus de sa tête.

Stacy hurla et se débattit sauvagement entre les bras de l'homme qui la tenait. Patrick était déchiré entre le besoin de la secourir et celui de s'occuper du deuxième homme, qui se préparait faire de nouveau feu.

Voyant cela, Stacy fit diversion en donnant un coup de pied dans la rotule de son assaillant, qui tituba. Patrick plongea en avant pour s'emparer de l'arme, roula sur lui-même et tira au moment où le deuxième homme lâchait une autre volée de balles. L'autre tomba à la renverse, touché à la poitrine, et Patrick bondit sur ses pieds en pointant son revolver sur l'homme trapu.

Mais celui-ci courait déjà sur le parking. Patrick se lança à sa poursuite en martelant le sol. La carrure massive de l'homme était trompeuse ; il ne tarda pas à distancer à Patrick et fut englouti par l'obscurité.

Essoufflé, Patrick retourna auprès de Stacy. Une main sur la gorge, elle fixait l'homme blessé, qui gisait inerte, la poitrine inondée de sang.

— Tout va bien ?

Patrick lui toucha l'épaule en la regardant au fond des yeux. La terreur de la jeune femme semblait avoir reculé, faisant place à la lassitude de quelqu'un qui en a trop vu.

— Je vais bien, dit-elle en inspirant profondément. Mais pas lui, on dirait.

Patrick s'agenouilla près du blessé.

— Qui vous a envoyé ici ? interrogea-t-il.

L'homme ne répondit pas ; il semblait inconscient.

— J'ai appelé le 911 !

Le réceptionniste, terrifié et hors d'haleine, arrivait en courant.

— J'ai entendu les coups de feu.

Il resta bouche bée devant l'homme étendu.

— Qui est-ce ? Il est mort ?

Patrick fouilla les poches de l'homme et trouva un portefeuille avec un permis de conduire.

— Apparemment il s'appelle Nathan Forest.

— Que s'est-il passé ?

L'employé se tourna vers Stacy.

— Vous saignez ! J'aurais dû demander une ambulance.

Patrick replaça le portefeuille de Forest et se releva.

— Cet homme et son compagnon ont tenté d'enlever Mme Jackson.

Il prit le bras de Stacy.

— Nous ferions mieux d'y aller.

Elle hocha la tête et ne tenta pas de se dégager quand il la fit pivoter vers sa chambre.

— Vous n'attendez pas la police ? questionna l'employé.

— Vous pourrez leur dire tout ce qu'ils ont besoin de savoir.

Pressant le pas, Patrick entraîna Stacy dans la chambre, dont il ferma et verrouilla la porte. Puis il la conduisit dans la salle de bains.

— Renversez la tête pour que je puisse voir, lui dit-il, un doigt sous son menton.

Elle tressaillit de douleur mais obéit et le laissa examiner la blessure.

— J'imagine que ça fait mal, mais la plaie n'est pas très profonde, dit-il en prenant une serviette sur le porte-serviettes près du lavabo. Mettez ça autour du cou pour stopper le saignement. Il faut que nous partions avant l'arrivée de la police. Ils vont poser des questions auxquelles nous ne pouvons pas répondre maintenant.

Stacy pressa la serviette sur son cou.

— Merci, dit-elle.

— De quoi ?

— De ne pas impliquer la police.

— Je vais demander au bureau de les joindre pour savoir s'ils apprennent quelque chose sur Forest et son compagnon mais, pour le moment, je ne veux pas perdre de temps avec eux. Rassemblez vos affaires et allons-y.

Ils croisèrent une voiture de patrouille et une ambulance en sortant du parking. Stacy, la serviette ensanglantée sur les genoux, se retourna pour regarder jusqu'à ce que le motel soit hors de vue.

— Aucun d'eux ne ressemblait aux ravisseurs de Carlo, dit-elle.

— Je ne pense pas non plus, remarqua Patrick.

— Alors qui étaient-ils ? Que voulaient-ils ?

Il jeta un coup d'œil au rétroviseur. Jusque-là tout allait bien ; ils n'étaient pas suivis.

— Deux possibilités me viennent à l'esprit, reprit-il. Ou bien Carlo représente une trop lourde charge et l'auteur de l'enlèvement a envoyé ces deux-là vous cueillir...

— Alors je serais allée avec eux pour m'occuper de lui.

— Ou bien les kidnappeurs ont commis une erreur. Ils n'étaient pas censés vous laisser derrière et ceux-là sont venus finir le travail.

Elle poussa un soupir et toucha son cou.

— Qu'allons-nous faire maintenant ?

— Il faut trouver un autre motel. Nous avons besoin de sommeil et d'une douche et vous devez soigner vos blessures.

— Je ne pourrais pas dormir alors que je devrais chercher Carlo.

— Vous ne pourrez pas l'aider si vous dormez debout. Et nous ne pourrons rien faire dans le noir. Demain matin, nous repartirons de zéro. Je vais appeler le bureau et leur demander de nous fournir une autre voiture. Le réceptionniste va parler de celle-ci à la police locale et ils vont sans doute la rechercher. Ils voudront nous interroger sur Nathan Forest.

— Je parie que ce n'est pas son vrai nom.

Elle était assez maline pour avoir compris au moins ça.

— Nathan Bedford Forest était un général confédéré, pendant la Guerre Civile, expliqua-t-il. Les parents de ce type étaient peut-être mordus d'histoire.

— Ou bien il l'a inventé.

— C'est sans doute le cas.

— Et une fois que nous aurons une nouvelle voiture ?

— Je pense que nous devrions aller voir votre oncle Abel et le questionner sur ce qu'il sait.

— Oncle Abel ? Vous croyez que c'est lui qui est derrière tout ça ?

— C'est le plus proche parent de Sam Giardino. Ne m'avez-vous pas dit qu'il possède un ranch dans les environs ?

— Crested Butte. Vous croyez que c'est lui qui a Carlo ? Ou qu'il sait qui le détient ?

— L'homme qui l'a enlevé avait de la boue sur ses chaussures, de la boue mélangée à du fumier. C'est le genre de choses qu'on trouve dans un ranch.

— Mais cela pourrait venir de n'importe où, pas forcément du ranch d'Abel.

— Vous avez raison. Mais c'est le seul indice dont nous disposons pour l'instant. Aller voir Abel me semble un bon début. Sil ne sait rien, peut-être pourra-t-il nous dire qui s'intéresse au garçon. Et puis Sam voulait qu'il reprenne les affaires.

— Je ne pense pas qu'il était sérieux. Tout le monde disait que les deux frères n'étaient pas en bons termes.

— Ils ont pu régler leurs différends et entrer récemment en contact. C'est peut-être pour cette raison que Sam avait décidé de passer ses vacances dans le Colorado.

— Peut-être, dit Stacy d'un ton dubitatif. Et si Abel ne sait rien ?

— Nous y réfléchirons le moment venu.

Le temps que Patrick repère enfin un motel paraissant convenir à leur dessein, Stacy se rongeait d'inquiétude. Situé dans une rue secondaire, l'endroit consistait en une rangée de bungalows des années cinquante et proposait des chambres à la semaine et des appels téléphoniques gratuits.

— Il y a de la lumière à la réception, on devrait pouvoir trouver une chambre libre, dit Patrick en dépassant le motel. Je vais me garer à quelques rues d'ici et nous reviendrons à pied.

— Pourquoi ? protesta-t-elle.

La perspective de marcher ne serait-ce que quelques

centaines de mètres dans le froid et le noir lui donnait envie de se recroqueviller sur son siège.

— Si des policiers remarquent la voiture, je ne veux pas qu'ils puissent nous trouver.

En fin de compte, Stacy s'appuya sur Patrick pendant tout le trajet. Quand il lui offrit son bras, sa première réaction fut de refuser, mais elle était si fatiguée qu'elle en avait le vertige. Le bras de Patrick était la seule chose qui lui paraissait sûre et solide dans le monde.

La chambre était froide et sentait le renfermé. Elle était meublée de deux lits doubles recouverts de chenille verte et de meubles en érable qui évoquèrent à Stacy la maison de sa grand-mère. Elle s'étendit sur le lit le plus proche de la porte tandis que Patrick passait des coups de fil.

Malgré la lumière et les murmures de Patrick, et bien qu'elle eût pu jurer qu'elle était trop anxieuse pour dormir, elle sombra dans l'inconscience en quelques secondes. Elle s'éveilla quelque temps après dans le noir, sentant qu'on lui retirait ses bottes et qu'on la couvrait. Elle ouvrit les yeux et vit Patrick auprès d'elle.

— Je ne voulais pas vous réveiller, dit-il en remontant la couverture sur ses épaules.

Elle fit effort pour éclaircir ses idées.

— Qu'ont-ils dit à votre bureau ? Savent-ils quelque chose sur Nathan Forest ?

— Rien encore. Ils vont nous envoyer une voiture. Dans l'intervalle, rendormez-vous.

— Vous n'allez pas partir, n'est-ce pas ?

D'où venait cette question ? Loin d'elle l'idée d'inviter un policier dans sa vie. Mais entre la disparition de Carlo et les agressions dont elle avait été victime, la pensée de se retrouver toute seule la terrifiait.

— Non, je ne m'en irai pas.

Il lui tapota l'épaule.

— Je vais m'allonger sur l'autre lit et essayer de dormir un peu. Faites la même chose.

— D'accord.

Mais elle ne parvint pas à retomber dans un oubli bienheureux. Elle resta allongée dans le noir, écoutant le bourdonnement et les cliquetis du chauffage, et les grincements du matelas à ressorts sur lequel Patrick se tournait et se retournait.

Il ne ressemblait à aucun policier qu'elle ait rencontré. Non qu'elle en ait connu beaucoup. Elle avait assisté au procès de Sam Giardino un an et demi auparavant, de même que le reste de la famille, mais les agents en uniforme qui le gardaient, froids et impassibles, ne regardaient jamais dans leur direction. Elle n'avait pas pris la peine d'essayer de les différencier. Pour elle, ils représentaient simplement « la police », les ennemis de la famille Giardino et, par conséquent, les siens.

Patrick avait la même allure empreinte de raideur et de sens du devoir. Dès le moment où il l'avait découverte au sous-sol, il l'avait considérée avec soupçon. Et il l'avait suivie à Durango parce qu'il suspectait quelque méfait de sa part, elle en était certaine.

Mais il avait aussi risqué sa vie pour la protéger, et avait sciemment transgressé les règles pour l'aider à chercher Carlo sans impliquer la police locale. Il ne la connaissait pas mais il se comportait comme si elle comptait pour lui. La considérait-il comme un témoin précieux pour sa mystérieuse affaire ou y avait-il autre chose à l'œuvre ?

Le sommeil la prit enfin. Mais elle dormit mal, hantée par des silhouettes imprécises de poursuivants et des images de Carlo, la figure striée de larmes, qui l'appelait en lui tendant les bras.

— Stacy, réveillez-vous. Tout va bien. Vous êtes en sécurité.

Elle s'éveilla en sanglotant sur son oreiller trempé de

larmes. Dans la faible lueur de la lampe de chevet, elle vit Patrick. Il avait enlevé sa chemise, sa ceinture et ses chaussures et était assis au bord du lit en pantalon. La lumière jouait sur les poils de sa poitrine musclée. Qu'il était donc étrange de remarquer ce détail dans un moment pareil, pensa-t-elle. C'était quelque chose de si intime, de si masculin… Peut-être son esprit essayait-il d'échapper à la souffrance de savoir que son fils lui avait été enlevé.

— Vous faisiez un cauchemar, dit-il, en posant une main lourde et chaude sur son épaule.

— Je rêvais de Carlo.

Sa voix se brisa, et elle ferma les yeux dans un vain effort pour refouler d'autres larmes.

— Je ne crois pas que ses ravisseurs lui feront du mal, dit-il.

— Comment le savez-vous ? J'ai entendu parler d'enfants kidnappés qui avaient subi des choses terribles.

Effrayée par ses propres paroles, elle se plaqua une main sur la bouche, mais ses pensées, elles, ne pouvaient être stoppées.

— Il ne s'agit pas de ce genre de crime crapuleux, dit-il. C'est Carlo qu'ils voulaient, pas n'importe quel enfant, et je pense qu'ils vont le garder sain et sauf.

— Vous n'en savez rien, riposta-t-elle.

— Non. Mais mon instinct ne me trompe pas dans ce genre de cas.

Elle aurait voulu le croire. Il avait l'air si calme et si sûr de lui. Si rassurant.

— J'ai peur de me rendormir, dit-elle. J'ai peur de mes rêves.

— Vous avez besoin de vous reposer, insista-t-il en regardant le réveil sur la table de chevet.

Il était 3 h 19 du matin. Tant de choses s'étaient passées depuis que Stacy était descendue du bus à Durango, qu'il lui semblait que des jours entiers s'étaient écoulés.

Patrick tendit la main pour éteindre la lampe de chevet mais elle saisit son bras.

— S'il vous plaît !

— Vous voulez que je laisse la lumière allumée ?

Il leur serait difficile de s'endormir dans une pièce éclairée et elle voulait qu'il soit alerte et prêt à l'action le lendemain — ou plutôt le jour même. Mais la pensée de se retrouver de nouveau dans le noir l'angoissait.

— Vous pourriez peut-être… vous allonger à côté de moi, dit-elle sans le regarder.

Il allait sans doute penser qu'elle essayait de le séduire ; les hommes croyaient toujours cela.

— Vous allonger, rien d'autre, précisa-t-elle. Je me sentirais plus rassurée.

Patrick jeta à coup d'œil à l'autre oreiller.

— D'accord.

Se relevant, il contourna le lit et s'étendit au-dessus des couvertures.

— Vous voulez bien éteindre maintenant ?

Elle obtempéra. Le poids du corps de Patrick creusa le matelas. En se détendant, elle glisserait sans doute vers lui.

— Vous devriez vous couvrir, dit-elle, vous allez prendre froid.

Patrick s'empara du couvre-lit de l'autre lit et s'en enveloppa.

— Tout ira bien maintenant, dormez un peu.

Elle ferma les yeux et s'efforça de dormir, mais la présence de Patrick l'empêchait de se relaxer. Elle se raidit et décida d'attendre le matin sans bouger.

— Qu'est-ce qui ne va pas ? demanda-t-il, alors qu'elle le croyait endormi depuis longtemps.

C'est vous, aurait-elle pu dire. *Je veux et je ne veux pas que vous soyez là*.

— Je ne sais pas, répondit-elle. Tant de choses se sont passées.

— Vous en avez vu des dures, remarqua Patrick. Trop pour une seule personne.

— Comment faites-vous pour gérer tout cela ? questionna-t-elle. Je veux dire, ces gens qui vous tirent dessus, vous qui ripostez ?

— J'essaie de me concentrer sur ce qui compte.

— Ce qui compte, répéta-t-elle à haute voix.

Carlo était la seule chose qui comptait pour elle.

— Vous avez une famille ? Des enfants ?

Elle en savait si peu sur lui.

— Non, je ne suis pas marié. Mes parents sont toujours en vie, mais ils ont pris leur retraite en Floride et je ne les vois pas beaucoup.

— Alors vous êtes seul.

— J'ai une sœur. Elle vit à Denver, et j'essaie d'aller la voir aussi souvent que possible.

— C'est bien.

Elle avait toujours eu envie d'avoir une sœur ou un frère, quelqu'un qui saurait tout d'elle et qui l'aimerait incondi-tionnellement. Du moins, c'était ainsi qu'elle imaginait les frères et sœurs.

— Pas de petite amie ?

A peine la question eut-elle franchi ses lèvres que Stacy la regretta. Elle ne voulait pas que Patrick pense qu'elle s'intéressait à lui de cette manière, alors même qu'il était couché près d'elle.

Il resta silencieux un long moment avant de répondre.

— Ce métier ne favorise pas les relations.

— C'est la vie qui ne favorise pas les relations.

Du moins, la vie qu'elle connaissait. Ses propres parents étaient restés mariés, mais c'était davantage par entêtement que pour autre chose. Quant aux Giardino, ils ne divor-çaient pas. Sammy avait été très clair là-dessus : si elle le quittait, elle perdrait tout, l'argent, Carlo et même la vie.

Elle referma les yeux en pressant les paupières. Elle

ne voulait pas penser à Sammy ni aux Giardino. Il fallait qu'elle se concentre sur le présent. Parler à Patrick lui faisait du bien. Elle avait l'impression qu'elle pouvait tout lui dire dans le noir. Bien qu'il soit tout près, elle ne pouvait lire sur son visage s'il la jugeait ou non.

— Vous sentez-vous seul parfois ? questionna-t-elle encore.

— Tout le temps.

— Oui, je comprends, dit-elle en léchant ses larmes sur ses lèvres. Moi aussi.

Elle renonça alors à résister et se laissa glisser contre lui. Allongée contre lui, elle posa la tête au creux de son épaule. Il se raidit.

— Que faites-vous ?

— Rien, dit-elle. Tenez-moi... C'est tout.

Il se détendit graduellement et passa un bras autour d'elle.

— C'est seulement pour ne pas me sentir aussi seule, expliqua-t-elle. N'y voyez rien d'autre.

Elle s'attendait à ce qu'il argumente ou qu'il essaie d'en profiter. Si c'était le cas, elle devrait s'écarter. Mais il se contenta de pousser un long soupir.

— D'accord, dormez maintenant.

Elle était déjà en train de sombrer, bercée par sa chaleur et sa solidité, et par le sentiment qu'il la protégerait comme aucun homme ne l'avait fait jusqu'à présent.

5

Patrick s'éveilla d'un sommeil agité, bien trop conscient de la femme nichée contre lui. Les courbes de sa poitrine se pressaient contre lui, et elle avait posé une main sur son ventre, terriblement près de son érection.

Un homme de moindre valeur aurait pu profiter de la situation : rouler sur le flanc et chercher réconfort et soulagement auprès d'elle en lui faisant l'amour.

Mais même si Stacy Giardino avait accepté l'idée de faire l'amour avec lui — et compte tenu de sa méfiance envers lui, c'était douteux —, elle lui était interdite. Pour lui, elle représentait une responsabilité et un devoir, pas une amante potentielle.

Ce rappel ne fit pas grand-chose pour apaiser son désir, mais lui permit au moins de se dégager et de sortir du lit. Il remit sa chemise, puis vérifia son téléphone en se dirigeant vers la salle de bains. Un texto du bureau l'informait qu'une Jeep avait été laissée sur le parking, les clés sous le tapis de sol. Quelqu'un avait récupéré l'autre voiture, avec l'échantillon de boue qu'il avait laissé sur le siège arrière.

Un deuxième texto indiquait que Nathan Forest était mort sans reprendre conscience. Jusque-là, on ne savait rien concernant son identité ou ses liens potentiels.

Les ressorts du matelas grincèrent quand il ressortit de la salle de bains et Stacy poussa un petit gémissement. Il s'approcha du lit.

— Stacy ? appela-t-il doucement.

Elle battit des paupières d'un air désorienté, qui laissa rapidement place à la souffrance de la veille. S'attendant à la voir éclater en sanglots, Patrick se tendit, mais elle se reprit et se redressa en position assise.

— Vous avez des nouvelles ?

— Nous avons une nouvelle voiture et Nathan Forest est mort. Rien d'autre.

Elle se couvrit les yeux de la main. La blessure sur son front était rougeâtre mais ne semblait pas infectée. Il lui aurait sans doute fallu des points de suture pour empêcher la formation d'une cicatrice, mais il était trop tard maintenant. Les estafilades de son cou ressortaient sur sa peau pâle.

— Comment vous sentez-vous ? demanda-t-il.

— J'ai mal partout.

Elle retira sa main et regarda autour d'elle.

— Il y a du café ?

Une petite cafetière électrique trônait sur un plateau près de la télévision.

— Je vais en faire, dit-il. Pourquoi ne prenez-vous pas une douche ?

— Bonne idée.

Elle le contourna pour aller dans la salle de bains, et quelques secondes plus tard, il entendit l'eau couler. Il mit le café en route et sortit inspecter la voiture.

La Jeep avait plusieurs années, et la peinture de la carrosserie et les sièges en cuir étaient usés. Mais elle était équipée d'un GPS et les pneus étaient en bon état. Et sur le siège arrière, il trouva deux sacs en plastique remplis d'articles de toilette, de casse-croûtes et de vêtements. Quelqu'un au quartier général méritait des éloges.

Il transporta les sacs à l'intérieur et tapota à la porte de la salle de bains.

— Stacy, j'ai des vêtements et d'autres choses pour vous, dit-il.

Pas de réponse. Peut-être ne pouvait-elle l'entendre avec le bruit de la douche.

Il essaya la poignée. Elle n'était pas verrouillée. Il entrouvrit la porte sans regarder à l'intérieur, et posa le sac contre le mur, avant d'aller se verser une tasse de café pour patienter.

Quand elle émergea de la salle de bains, une demi-heure plus tard, les cheveux humides et fleurant bon le savon, il était assis au bout du lit, devant la télévision branchée sur les nouvelles locales.

— Je n'ai jamais été aussi reconnaissante pour des sous-vêtements propres et du dentifrice, dit-elle. D'où viennent-ils ?

— L'agent qui a apporté la voiture les a laissés dedans.

— Eh bien, il — ou elle — mérite une promotion.

Elle lissa de la main son sweat-shirt rose à capuche et son pantalon de yoga assorti.

— Je parie que c'est une femme et qu'elle a bon goût. Elle a même pensé à ajouter un peu de poudre et du rouge à lèvres. Je me sens presque humaine.

Elle avait incontestablement l'air plus pimpante. Les cernes sous ses yeux avaient diminué, et elle s'était coiffée de manière à cacher la plus grande partie de l'entaille sur son front. Dans cette tenue décontractée, avec un léger maquillage, elle semblait plus jeune que la veille.

Il se leva et passa la main sur son menton hérissé.

— Je crois que je vais prendre une douche et me raser. Il y a à manger dans l'autre sac. Servez-vous.

Elle jeta un coup d'œil à l'écran de télévision.

— Des nouvelles ?

— Rien qui nous intéresse.

Après s'être douché et rasé, il revêtit un pull nordique et un jean trouvés dans le sac et rentra dans la chambre. Ces tenues sportives leur donnaient l'air de touristes ou même d'habitants du coin. Stacy était assise en tailleur sur le lit et mangeait des crackers au beurre de cacahuète en fixant la télévision.

— Ils viennent juste de diffuser un reportage sur un échange de coups de feu dans un motel de Durango, dit-elle. Je pense qu'il s'agit de nous.

Patrick s'assit à côté d'elle et attendit la fin des publicités. Un reporter au visage grave apparut ensuite pour faire part de nouvelles exclusives dans l'incident de l'hôtel.

« Bien que l'échange de coups de feu ait d'abord été pris pour une agression gratuite, nous avons appris depuis certains éléments qui le relient au crime organisé. La femme sur qui l'on a tiré, et qui a disparu entretemps, est Stacy Giardino, la belle-fille de Sam Giardino, le chef de l'une des familles mafieuses les plus dangereuses du pays. Cet homme a été abattu dans une villa de vacances près de Telluride hier matin. Mme Giardino était accompagnée par un homme qui s'est identifié comme un marshal. Tous deux ont quitté l'hôtel peu de temps après les coups de feu et avant que la police puisse les interroger. Si vous voyez Mme Giardino ou son compagnon, prenez immédiatement contact avec la police locale. »

Le reporter décrivit ensuite Patrick en le raccourcissant de quelques centimètres. Puis une photo de Stacy apparut, prise lors de son mariage, cinq ans auparavant. Elle avait les cheveux longs à l'époque et, engloutie dans un tourbillon de tulle et de satin, elle semblait avoir seize ans.

Patrick pressa la télécommande pour éteindre l'écran.

— Je ne crois pas qu'il faille nous inquiéter d'être reconnus avec ces descriptions, mais il vaut mieux ne prendre aucun risque.

— Comment ont-ils découvert qui nous étions ? questionna Stacy. Je me suis inscrite sous un faux nom à l'hôtel.

— Mais moi, j'ai utilisé le mien, répondit Patrick. Et j'ai montré ma carte au réceptionniste. Il a sans doute donné cette information à la police et quelqu'un a fait le rapprochement avec Sam Giardino. Fini l'incognito.

— Qu'allons-nous faire ? demanda-t-elle.

— Nous déplacer en essayant de ne pas attirer l'attention.

— Je suis prête à partir.

Elle se leva et brossa les miettes sur ses genoux.

— Vous avez dit que nous allions au ranch d'Abel ?

— C'est le plan. Savez-vous où il se trouve ?

Elle secoua la tête.

— Juste à Crested Butte. Je ne crois pas que la ville soit très grande. On pourra peut-être se renseigner ?

— Oui, mais il faudra être prudents. Mieux vaut ne pas leur faire savoir que nous sommes sur leurs traces, s'ils ont Carlo.

— Vous croyez que c'est le cas ?

— Je ne sais pas. Mais c'est la seule piste à laquelle je pense pour le moment. J'ai demandé au bureau de rechercher un Abel Giardino à Crested Butte, mais ils n'ont encore rien trouvé.

— Il se sert peut-être d'un autre nom. On disait dans la famille qu'il ne voulait rien avoir à faire avec les Giardino.

— C'est possible. Je crois que le mieux à faire à présent est d'y aller et de voir ce que nous pouvons découvrir sur place.

— Combien de temps va prendre le trajet ?

— Environ cinq heures, si le temps se maintient.

Elle jeta un coup d'œil par la fenêtre.

— Il fait gris mais il ne neige pas.

— Ça devrait aller. Allons-y.

Ils transportèrent les provisions et leurs vêtements sales dans la voiture, ne voulant rien laisser derrière eux que les autorités — ou leurs ennemis — pourraient utiliser contre eux. Même si elle était moins confortable que la Rover, la Jeep roulait bien et le chauffage soufflait assez d'air chaud pour repousser la température glaciale de l'extérieur.

Ils atteignirent rapidement les faubourgs de la ville et continuèrent au milieu de champs à moitié recouverts de neige, entrecoupés de bois de conifères et d'affleurements rocheux. De temps en temps, ils dépassaient une maison située en retrait de la route ou de petits troupeaux de chevaux ou de bétail, rassemblés autour de bottes de fourrage.

— Comment peut-on vivre ici ? s'exclama Stacy. C'est tellement isolé !

— C'est vrai, mais vous et moi sommes des citadins. C'est pour cela que nous réagissons ainsi.

— Où êtes-vous né ? demanda-t-elle.

— A New York. J'ai grandi dans le Queens, tout comme vous.

Stacy croisa les bras étroitement sur sa poitrine.

— Je crois que cela ne me plaît pas que vous en sachiez autant sur moi. Je ne suis pas une criminelle, vous savez. Je n'ai jamais eu ne serait-ce qu'une amende de stationnement.

— Je sais.

Du moins n'avait-elle participé activement à aucun des crimes dont il avait connaissance.

— Mais vous avez épousé un gangster.

— Et cela me rend donc coupable par association ?

— D'une certaine manière, oui.

Les gens innocents et respectueux de la loi n'avaient pas de lien intime avec la mafia, selon lui.

— Est-ce pour cela que vous m'avez suivie à Durango ? Parce que vous pensiez que j'allais commettre un crime ?

— Je me demandais pourquoi vous aviez fui la protection que nous vous offrions. Je voulais savoir ce que vous alliez faire.

— Vous appelez ça de la protection, mais pour moi, c'était une autre forme d'emprisonnement.

Elle détourna le regard.

— J'en ai eu ma dose, merci bien.

— Etes-vous en train de dire que vous étiez prisonnière des Giardino ?

— J'aurais pu tout aussi bien l'être. J'avais juré de rester jusqu'à ce que la mort nous sépare, et Sammy m'a bien fait comprendre que je devais respecter ce serment.

— Vous m'avez dit que votre père et le sien s'étaient mis d'accord sur ce mariage, mais vous ne m'avez jamais dit pourquoi vous aviez accepté.

— Mon père avait une dette envers Sam. Je ne sais pas ce que c'était, mais il m'a affirmé que je devais épouser Sammy pour lui sauver la vie.

Une épouse pour Sammy était donc le prix de la vie de George Franklin ? D'après ce que Patrick savait de Sam, ce genre de plan tordu lui ressemblait bien.

— Quel âge aviez-vous ?

— Dix-neuf ans. J'avais un petit boulot sans avenir au centre commercial, mais je voulais aller à l'université. Je savais que les Giardino avaient de l'argent. Je me suis dit que si j'épousais Sammy, je pourrais sauver mon père, faire des études aux frais de mon mari et divorcer quelques années plus tard. Mais les choses ne se sont pas déroulées ainsi.

Le regret perceptible dans sa voix émut Patrick.

— Le divorce était impossible ?

— Et les études aussi. Sam pensait qu'éduquer les femmes était une perte de temps et sa parole avait force de loi. Alors c'est Sammy qui est allé à la faculté de droit, et j'ai lu ses manuels et écrit ses dissertations.

— Et vous avez eu Carlo.

— Oui.

Elle enleva un fil imaginaire sur son pantalon.

— Je l'aime plus que tout au monde, et je suis tellement heureuse de l'avoir maintenant, mais je n'étais pas ravie de tomber enceinte si vite. Bien sûr, à l'époque, j'avais déjà compris que même sans enfant, les Giardino ne me laisseraient pas partir. Une fois que Carlo est arrivé, j'étais complètement piégée.

— Qu'allez-vous faire maintenant que Sammy est mort ?

— J'aimerais reprendre mes études, si je peux économiser pour ça. Je trouverai un travail et un endroit où vivre. J'imagine qu'après avoir aidé Sammy à obtenir son diplôme en droit, ce ne sera pas très difficile d'avoir le mien.

Des rêves simples, songea Patrick, certainement pas les projets d'un cerveau criminel. Bien sûr, certaines personnes étaient de très bonnes actrices et pouvaient faire croire tout ce qu'elles voulaient, mais il ne pensait pas que Stacy appartienne à cette catégorie de gens.

— Quelle branche du droit ?

— Je ne sais pas. J'aimerais faire quelque chose pour aider les femmes et les enfants.

— Vous seriez une bonne avocate.

— Vous le pensez vraiment ?

— Vous restez calme sous la pression, vous êtes intelligente et vous avez une bonne capacité de réaction.

— Merci, mais vous vous êtes laissé berner parce que je ne me sens pas du tout calme.

Elle se tordit les mains.

— Vous croyez que nous allons retrouver Carlo ?

— Oui, nous le retrouverons.

Il resserra les doigts sur le volant, en se disant qu'il rendrait l'enfant à la mère, même si c'était la dernière chose qu'il faisait.

Les accents d'une chanson d'Alicia Keys flottèrent soudain depuis le sol. Stacy le dévisagea, le visage vidé de toute couleur.

— Mon téléphone !

— Répondez.

Il s'arrêta au bord de la route mais ne coupa pas le moteur.

Pendant ce temps, Stacy fouilla dans son sac et en sortit l'appareil.

— Allô ?

— Mettez le haut-parleur, murmura Patrick.

Elle fit ce qu'il demandait et une voix de femme, grave et douce, s'éleva dans la Jeep.

— Bonjour Stacy.

— Qui êtes-vous ?

— Cela n'a pas d'importance. Mais à moins que vous vouliez que votre fils meure, vous allez faire demi-tour et retourner à Durango, à New York ou à Tombouctou pour ce que j'en ai à faire. Faites ça et nous vous laisserons en vie. Continuez votre chemin et nous tuerons l'enfant, et nous nous en prendrons aussi à vous. Et cette fois, vous n'en réchapperez pas.

— Qui êtes-vous ? Qu'avez-vous fait de mon fils ?

Elle éleva la voix.

— Carlo, tu es là ? Tu m'entends ? C'est maman !

— Maman ! Maman, où tu es ? J'ai peur, maman.

La ligne fut coupée. Stacy se couvrit la bouche de la main et fixa l'appareil.

Patrick lui ôta doucement le téléphone des mains et fit défiler l'historique des appels.

— Numéro inconnu, annonça-t-il. Je pourrais demander à quelqu'un de retrouver l'origine de l'appel, mais ils sont certainement assez malins pour s'être servi, d'un mobile jetable ou même d'une cabine. Il y en a encore un peu partout.

— Qu'allons-nous faire ?

La voix de Stacy tremblait, mais elle se contenait. Après avoir entendu la détresse de son fils, il lui fallait du nerf, pensa Patrick. Son rôle à lui était de rester calme et de lui faciliter les choses.

— D'abord, nous allons nous débarrasser du téléphone.

Il fit glisser le capot arrière et sortit la carte SIM, qu'il laissa tomber sur le plancher de la Jeep et écrasa du talon.

Puis il cassa le reste du téléphone en plusieurs morceaux et les jeta par la fenêtre.

— Vous ne pouvez pas le jeter dehors, protesta-t-elle.

— Je suis désolé, mais nous ne pouvons prendre le risque de le garder, alors que quelqu'un peut s'en servir pour vous pister.

— Non, je veux dire, vous polluez.

Elle avait l'air si authentiquement choquée qu'il se retint de rire.

— Je m'établirais une amende à moi-même plus tard. Allons, il faut partir d'ici.

Il passa une vitesse et fit demi-tour, reprenant la direction d'où ils étaient venus.

Toujours bouleversée d'avoir entendu Carlo pleurer, Stacy avait du mal à comprendre ce qui se passait.

— Que faites-vous ? demanda-t-elle à Patrick.

Il n'avait certainement pas renoncé à leur plan d'aller à Crested Butte.

— C'est au cas où quelqu'un nous surveille. Je veux qu'ils pensent que nous avons pris leurs menaces au sérieux et que nous battons en retraite. J'ai regardé la carte pendant que vous étiez sous la douche, ce matin, et j'ai vu qu'on peut se rendre à Crested Butte par un autre chemin, en passant par les petites routes.

Stacy se renfonça dans son siège, même s'il était impossible de se détendre. Carlo avait l'air tellement malheureux… Elle ravala d'autres larmes. Il ne fallait surtout pas qu'elle craque maintenant. Elle devait se maîtriser pour le bien de son petit garçon.

Patrick lui tapota le bras, sans qu'elle sache si c'était pour la rassurer ou simplement pour attirer son attention.

— Vous avez reconnu la voix de la femme ? questionna-t-il.

— Non.

— Abel est-il marié ?

— Il ne l'était pas la dernière fois que je l'ai vu, mais c'était il y a cinq ans.

— Il vivait avec sa mère, alors ?

— Oui. Et elle n'a pas une voix comme ça. Elle est âgée.

— Âgée comment ?

— Dans les soixante-dix ans ? Abel a au moins cinquante ans. Nous sommes peut-être sur une mauvaise piste.

Cette idée augmenta son agitation.

— Abel n'a peut-être rien à voir avec tout ça et nous perdons notre temps, pendant que les ravisseurs de Carlo s'éloignent de plus en plus.

— C'est possible. Mais ceux qui l'ont enlevé savent — sans doute grâce à votre téléphone — que nous avons quitté Durango en direction de Crested Butte. Et ils veulent que nous changions de route. Cela indique que nous allons dans la bonne direction.

— Et s'ils nous surveillent et comprennent que nous n'avons pas vraiment fait demi-tour ?

Elle regarda autour d'elle, comme si elle s'attendait à voir quelqu'un les épier.

— Ils pourraient faire du mal à Carlo.

— Je ne pense pas. Ils ont pris votre fils pour une raison précise. S'ils voulaient le tuer, ils auraient pu le faire à l'hôtel, avant même que vous vous réveilliez. Ils vous menacent pour vous effrayer et pour vous éloigner, mais je pense qu'ils veulent garder l'enfant en vie.

— Mais que veulent-ils faire de lui ? Ce n'est qu'un bébé !

Sa voix se brisa sur les derniers mots, mais elle prit une profonde inspiration et poursuivit :

— Il ne peut pas leur dire ou leur donner quoi que ce soit.

— Et le testament de Sam Giardino ? Est-ce Carlo qui va hériter de tout, maintenant que Sammy est également mort ?

— Vous devriez le savoir mieux que moi. Le gouvernement ne confisque-t-il pas l'argent mal acquis ?

— S'ils peuvent prouver son lien avec un crime, oui.

— Sammy n'avait pas énormément d'argent sur son compte. Il vivait bien, mais le liquide venait de ses affaires. Et Elizabeth est toujours vivante. Elle héritera sûrement de quelque chose.

— Mais la plus grande partie de l'argent devrait aller à son fils ou au fils de son fils, j'imagine.

— Oui. Sam était un macho, c'est certain. Bien que lui-même aurait dit qu'il suivait la tradition.

Les femmes ne comptaient pas plus que des chiens dans la maison Giardino.

— Mais même si Sam avait décidé de laisser son argent à Carlo, il n'aurait pas tout remis à un enfant de trois ans, dit-elle. Il doit y avoir un fidéicommis ou quelque chose du genre, pour gérer l'argent jusqu'à ce que Carlo soit en âge d'en disposer.

— Alors l'argent n'est peut-être pas le motif principal. Quoi d'autre ?

— Je n'arrive pas à imaginer une autre raison pour laquelle on voudrait enlever Carlo.

C'était son bébé. Personne ne l'aimait plus qu'elle. Comment quelqu'un avait-il pu même le remarquer ?

— Je crois que notre embranchement est ici, dit Patrick en indiquant une route sur la gauche. Cet itinéraire contourne le lac et n'est pas très utilisé à cette époque de l'année, mais il est entretenu en général.

— Je vous crois sur parole, dit Stacy.

La route était goudronnée sur un kilomètre et demi avant de laisser place à du gravier. Une fine couche de neige recouvrait le sol et des amas de neige avaient été repoussés sur les bas-côtés. Patrick dut ralentir à moins de vingt kilomètres-heure pour négocier les nombreux virages. Il ne faisait aucun doute qu'il leur faudrait bien plus de temps pour parvenir à Crested Butte. Stacy se crispa pour s'empêcher de gigoter d'impatience.

— Je n'arrive toujours pas à croire qu'on en veuille à Carlo, dit-elle après une demi-heure de silence.

Parler valait mieux que laisser ses pensées dériver et, pour un homme, Patrick écoutait bien. Il ne critiquait pas ses idées à tout bout de champ.

— Nous nous trompons peut-être du tout au tout, dit Patrick. Ce n'est peut-être pas Carlo qui est la cible, mais vous.

— Moi ?

— Si quelqu'un voulait vous atteindre, quel meilleur moyen que d'enlever la seule personne qui compte pour vous ?

Ces mots firent l'effet d'un coup de poing à Stacy et elle croisa les bras sur son ventre.

— Si Sammy était encore en vie, il en aurait été capable. Il me haïssait assez pour cela.

— Pourquoi vous haïssait-il ?

Elle avait passé la plus grande partie de son mariage à essayer de répondre à cette question.

— Son père lui avait imposé ce mariage. S'il avait été libre, Sammy aurait choisi une femme du style mannequin, avec de longues jambes et une grosse poitrine. Une écervelée qu'il aurait pu habiller et exhiber, et qui se serait cramponnée à son bras en le regardant avec adoration.

— On ne peut pourtant pas dire que vous n'êtes pas séduisante.

Elle tressaillit. Etait-il désolé pour elle ? Pourquoi, sinon, lui aurait-il fait un compliment ?

— Il m'appelait « la guenon ».

Mentionner ce surnom haï lui faisait encore mal.

— Et il disait que j'étais trop maligne pour mon propre bien.

En tout cas, elle l'était assez pour ne pas se sentir insultée par le fait qu'il lui reconnaissait des capacités intellectuelles.

Les jointures de Patrick blanchirent sur le volant.

— Vous n'êtes pas une guenon, dit-il. Et je préférerais dix fois être avec une femme intelligente qu'avec un super-mannequin qui joue les idiotes.

— Je ne crois pas que vous aurez beaucoup d'occasions de protéger un mannequin, répliqua-t-elle pour l'empêcher de proférer un autre compliment fabriqué. Mais si cela arrive, vous changerez peut-être d'avis.

Elle se redressa et étudia la route devant eux.

— Vous êtes sûr que nous sommes sur la bonne voie ? Cela ne ressemble pas vraiment à une route.

Le chemin caillouteux s'était encore resserré et les arbres s'inclinaient des deux côtés. Ils n'avaient dépassé aucune maison ni croisé aucune voiture depuis des kilomètres.

— La carte l'indiquait comme un itinéraire alternatif.

Il jeta un coup d'œil à l'écran monté sur le tableau de bord.

— Et le GPS indique que nous sommes dans la bonne direction.

— On dirait que personne n'a pris ce chemin depuis des lustres.

— Tant mieux. Ceux qui nous surveillent ne penseront pas à venir voir par là.

— Peut-être pas, conclut Stacy, mais son expression demeura sombre.

Ils sortirent d'un autre virage et Patrick dut freiner à fond pour éviter un énorme pin couché en travers de la route. Ses grosses branches, dont les aiguilles paraissaient presque noires contre la neige, bouchaient tout à fait la vue. Patrick passa au point mort et fixa l'arbre. Il n'y avait pas moyen de passer.

— Qu'est-ce qu'on fait maintenant ? demanda Stacy.

Il dégaina son arme en s'assurant qu'elle était chargée, puis posa la main sur la poignée de la portière.

— Restez ici pendant que je vais voir, dit-il. Si quelqu'un se met à tirer, baissez-vous.

7

A la sortie d'un virage étroit et en pente, avec des bois épais de chaque côté, l'endroit était idéal pour une embuscade. Abrité par la voiture, Patrick se plia en deux pour chercher des traces dans la neige, mais ne vit que des empreintes d'écureuils et d'oiseaux. S'immobilisant, il tendit l'oreille : seuls les petits cliquetis du moteur qui refroidissait et sa propre respiration rompaient le silence.

Il longea ensuite le tronc et sentit un peu de sa tension le quitter en voyant les racines pointer vers le ciel. L'arbre n'avait pas été abattu, comme il l'avait d'abord soupçonné, mais avait été déraciné par une tempête ou par la force cumulée de l'âge et du poids de la neige.

Il rengaina son arme et grimpa sur le tronc pour examiner la route au-delà. De l'autre côté, la neige semblait beaucoup plus épaisse et on distinguait à peine le tracé de la voie. L'arbre était sans doute tombé depuis un bon moment. Il sauta à terre et revint vers la voiture d'un pas lourd.

Stacy sortit et le rejoignit à mi-chemin.

— Qu'est-ce que vous regardiez ? demanda-t-elle.

— Apparemment, l'arbre a été déraciné par la dernière chute de neige. La route est bloquée. Il va falloir faire demi-tour et repartir par où nous sommes venus.

— On ne pourrait pas le déplacer ?

— Même si nous y arrivions, la route n'a pas été déneigée au-delà. Impossible de passer.

— Je ne peux pas croire que nous ayons perdu autant de temps uniquement pour devoir faire demi-tour.

— Moi non plus. Mais il n'y a rien à faire. Et peut-être que les ravisseurs se sont convaincus entretemps que nous avions renoncé.

— Comment pourraient-ils croire qu'une mère renonce à chercher son enfant ?

— Ils n'ont peut-être pas d'enfants.

Patrick venait de poser la main sur la poignée de la portière quand la vitre vola soudain en éclats.

— Couchez-vous ! hurla-t-il en se jetant sous la voiture.

La détonation retentit comme un coup de tonnerre dans le canyon. Puis des balles martelèrent le flanc et le toit du véhicule, le faisant danser sur ses roues et brisant le pare-brise et les rétroviseurs.

— Stacy !

Patrick la chercha du regard, mais son champ de vision était limité par la carrosserie. Il roula sur le ventre et sentit le gravier lui écorcher les coudes et les genoux. Il se tendit dans le silence qui suivait les coups de feu, puis émergea de l'autre côté de la Jeep.

— Stacy ? appela-t-il de nouveau.

— Par ici.

Se fiant au son de sa voix, il repéra une faille étroite entre deux rochers, au bord du chemin. Mais au premier mouvement qu'il fit, une autre salve se déclencha et l'obligea à replonger derrière la voiture.

— Patrick ? fit-elle d'une voix rendue aiguë par la frayeur. Est-ce que ça va ?

— Ça va. Et vous ?

— Oui. Qu'allons-nous faire ?

Passant la tête juste au-dessus du capot, Patrick jeta un regard dans la direction opposée. Rien ne bougeait le long des falaises rouge et or. Les tirs venaient incontestablement de cette direction, mais d'où précisément ?

Il enleva sa veste et fouilla le bas-côté en quête d'une branche brisée. Puis il enroula le vêtement autour et l'éleva au-dessus du capot. Etait-ce son imagination ou les coups de feu venaient-ils de plus bas ? Le tireur était-il en train de descendre vers eux ? Ou s'était-il seulement rapproché pour mieux les viser ?

Il regarda par-dessus son épaule la faille où Stacy s'abritait. De là où il était, elle était invisible, et il ne pouvait prendre le risque de traverser l'espace qui les séparait.

— Stacy, vous m'entendez ? lança-t-il à voix basse.

— Oui.

— Je vais essayer d'escalader la pente pour contourner le tireur. Mais j'ai besoin que vous fassiez diversion pendant ce temps.

— Et comment puis-je faire ça ?

— Je vais vous donner mon arme. Tirez en direction de la paroi rocheuse pour attirer son attention. Quand il se sera concentré sur vous, je passerai de l'autre côté de l'arbre et je grimperai sur l'autre versant. Je serai trop loin pour qu'il me voie.

— Je ne crois pas que nous devrions nous séparer, dit-elle. Et s'il vous voit et vous tire dessus ?

— Je ferai en sorte que ça n'arrive pas. Si je ne tente pas quelque chose, il va nous bloquer jusqu'à la nuit, et ensuite il se rapprochera et nous abattra.

Silence. L'avait-il effrayée au point qu'elle n'arrivait plus à parler ?

— D'accord, dit-elle après un long moment. Dites-moi ce que je dois faire.

— Quand je vous le dirai, rejoignez-moi de ce côté aussi vite que possible, en restant courbée.

— D'accord.

Posant la main sur le capot de la voiture, il visa la paroi rocheuse.

— Maintenant ! cria-t-il en tirant trois coups de feu à bref intervalle.

Stacy se rua hors de sa cachette et plongea dans la neige près de lui, tandis qu'une autre pluie de balles secouait la voiture.

Patrick l'aida à se redresser. Du sang ruisselait sur son visage.

— Vous êtes blessée ! s'exclama-t-il.

Elle secoua la tête.

— Juste un éclat de verre qui m'a entamé la joue. Je vais bien. Dites-moi ce qu'il faut faire.

Patrick rechargea le pistolet et le lui tendit.

— Vous voyez cet affleurement rocheux là-bas — celui qui a un trait violacé en forme de flèche ?

Elle acquiesça.

— Quand je vous donnerai le signal, commencez à tirer dans cette direction. Contentez-vous de presser la gâchette et de vider le chargeur.

— Vous ne pouvez pas y aller sans arme.

— J'en ai une autre.

Il sortit le SIG Sauer de son holster de cheville et en vérifia les munitions.

— Je vais vous laisser un autre chargeur.

Il ne lui expliqua pas qu'elle devrait l'utiliser si leur assaillant réussissait à se rapprocher d'elle ; elle était assez intelligente pour y penser toute seule.

Stacy agrippa l'arme à deux mains, le canon dirigé vers le sol.

— Soyez prudent, dit-elle.

— Je le serai.

Il posa un instant la main sur son épaule. Elle était petite et fragile, mais elle avait davantage de force que bien des hommes qu'il avait rencontrés.

— Vous êtes prête ?

Elle inspira à fond.

— Oui.

Il lui fit signe et, après avoir visé, elle se mit à tirer. Des fragments de roche jaillirent autour de l'affleurement rocheux et l'écho des balles se répercuta dans le canyon.

Courbé en deux, Patrick se mit à courir en zigzag, comme on le lui avait inculqué durant son entraînement. Ce mouvement était censé faire de lui une cible moins facile, mais une arme automatique avait peu de chances de le rater. Toutefois, son plan sembla fonctionner ; il parvint à l'arbre sain et sauf et se jeta par-dessus le tronc, atterrissant dans la neige de l'autre côté.

Pataugeant dans les congères à hauteur de genou, il se fraya un chemin jusqu'au talus opposé et commença à escalader la pente rocheuse. La glace, la neige et les cailloux rendaient l'escalade difficile et, pour chaque pas effectué, il perdait dix centimètres. Le froid engourdissait son corps et le faisait trembler de tous ses membres et les rochers déchiraient ses vêtements et lui éraflaient la peau, mais il ignora la douleur et l'inconfort et continua son chemin.

Quand il crut être au-dessus des rochers où il avait repéré le tireur, il obliqua latéralement, en titubant dans les broussailles et en glissant dans les cailloux et la neige fondue. Au-dessous de lui, tout était silencieux : l'écho des coups de feu s'était tu.

Un étroit sentier apparut soudain, croisant sa trajectoire. Les traces d'un chevreuil se détachaient clairement sur la neige, de même que les empreintes striées de chaussures de randonnée. Patrick les examina ; elles étaient fraîches et nettement dessinées. Le tireur était arrivé par là.

Son pistolet à la main, il reprit sa progression plus lentement et en silence. Bientôt, il aperçut une sorte de cache entre les rochers, un espace juste assez large pour qu'un homme s'y accroupisse.

Mais elle était vide. Brillant faiblement, des cartouches étaient éparpillées dans la neige.

Patrick se laissa tomber dans le trou et regarda autour de lui. Une rapide inspection révéla un sachet vide de chips et l'emballage d'un sandwich, de même qu'un creux où quelqu'un était sans doute resté assis un long moment. Quelqu'un surveillait-il la zone, juste au cas où ils passeraient par là ? L'idée que les ravisseurs se soient donné tant de mal le perturbait. Comment un petit garçon pouvait-il donner lieu à tant d'efforts et de dépenses ?

Mais il n'y avait plus personne. Soit le tireur avait anticipé son arrivée et s'était échappé pendant qu'il en avait l'occasion, soit il avait profité de son absence pour descendre vers la route et vers Stacy. Il n'avait pas entendu de détonation, mais il y avait d'autres moyens de tuer quelqu'un. Une image de Stacy un couteau sur la gorge lui traversa l'esprit, faisant battre son cœur.

— Stacy ! hurla-t-il.

Stacy ! lui renvoyèrent les parois du canyon.

Moitié courant, moitié glissant, il dévala la pente. Il s'efforçait de rester à couvert derrière les arbres ou les rochers, mais personne ne lui tira dessus. Ce simple fait le poussa à rejeter toute prudence et à dégringoler la pente à toute allure jusqu'au talus qui surplombait la voiture.

— Stacy ! cria-t-il de nouveau en se précipitant vers le véhicule.

Aucune réponse ne lui parvint.

La Jeep gisait sur la route, trois pneus crevés. La plupart des vitres avaient éclaté et des impacts de balles parsemaient la carrosserie. Patrick enregistra les dégâts en contournant l'épave. Il n'y avait aucune trace de Stacy. Elle n'était ni sous la voiture, ni dedans, ni même dans la faille entre les rochers où elle avait initialement cherché refuge.

Il examina la neige autour de la voiture, mais ses propres pas en avaient fait de la bouillasse. A genoux, il étudia le sol en quête d'empreintes similaires à celles qu'il avait vues sur le sentier. Il repéra une trace partielle qui les rappelait, mais il n'en était pas sûr. En se relevant, il aperçut l'éclat d'un objet brillant. Se penchant de nouveau, il ramassa un mince anneau en or dans la boue. Son sang se glaça quand il reconnut l'un de ceux que portait Stacy. Elle l'avait perdu en luttant, alors qu'il n'était pas là pour la protéger.

— Non ! Lâchez-moi !

Stacy hurlait sa rage envers l'homme qui la tenait d'une main de fer. Il étouffa ses cris en lui fourrant la manche de sa veste en tweed poussiéreux dans la bouche. Réduite au silence, elle se débattit de plus belle en griffant et en donnant des coups de pied, mais ses efforts ne parvinrent pas à ralentir la progression de l'homme qui l'entraînait. Un autre homme les suivait, un fusil automatique au creux des bras, le regard fixé alternativement sur les talus.

Le talon de la botte de Stacy heurta brusquement le menton de son ravisseur, et ce dernier grogna en déplaçant sa prise sur elle.

— Lâchez-moi ! hurla-t-elle de nouveau.

En deux enjambées, l'homme au fusil fut sur elle et la frappa si violemment que sa vision se brouilla et ses oreilles se mirent à siffler.

— Ferme-la ! ordonna-t-il.

Stacy battit des paupières et le visage de l'homme se précisa : dur et maigre, avec des pommettes hautes et une mâchoire carrée. Ses yeux étaient si pâles qu'ils étaient presque sans couleur, comme des morceaux de glace, et son expression était tout aussi glaciale. Elle l'avait déjà vu auparavant, mais le souvenir lui échappait. Il travaillait pour Sam, de cela elle était sûre. Alors pourquoi s'en prenait-il à elle ?

Il se pencha vers elle en lui soufflant une haleine chargée de nicotine et de café au visage.

— Encore un cri et je te coupe la langue.

Et pour le lui prouver, il tira un cran d'arrêt de sa poche, dont il fit jaillir la lame.

Stacy s'efforça de déglutir, mais sa bouche était sèche.

— Qu'est-ce que vous me voulez ? murmura-t-elle.

Son regard la survola comme pour la déshabiller, la réduisant au statut d'objet.

— Je veux beaucoup de choses, répondit-il. La question est : qu'est-ce que je veux en premier...

A ces mots, l'homme qui la tenait se mit à rire ; un rire affreux et sans pitié.

L'homme aux yeux pâles posa le couteau sur sa gorge, juste au-dessus des cordes vocales, et entama sa peau d'une torsion du poignet. Stacy sentit la brûlure de la lame et un filet de sang coula le long de son cou.

— Tu seras plus docile si je t'écorche ?

Elle le fixa, muette de terreur.

— Je crois que je vais t'écorcher, dit-il. Pour commencer.

Elle le regarda au fond des yeux et y vit la mort ; une mort lente et douloureuse. Elle n'avait aucune idée des raisons pour lesquelles ces hommes l'emmenaient mais elle savait qu'elle devait leur échapper.

Fermant les yeux et détendant tout son corps, elle feignit de perdre conscience. La brute épaisse qui la portait se mit à rire.

— Tu l'as fait s'évanouir de trouille ! croassa-t-il.

— Elle sera plus facile à transporter comme ça, commenta l'autre. Dépêche-toi, on est encore loin de la voiture.

— Et le marshal ? questionna son compère.

— On s'occupera de lui plus tard. Il n'ira pas loin avec sa bagnole dans cet état.

L'homme costaud la hissa sur son épaule, laissant pendre sa tête dans son dos, une main posée de manière obscène sur ses fesses. Les yeux toujours fermés, Stacy s'efforça de passer en revue les possibilités, mais il ne semblait y en avoir aucune. Elle était consciente qu'elle devait fuir avant d'arriver à leur véhicule car, une fois à l'intérieur, elle serait à leur merci. Ils pourraient la poignarder, l'abattre ou faire d'elle ce qu'ils voulaient dans l'habitacle. A l'extérieur, au moins, elle avait un espoir de parvenir à les distancer.

C'était donc ce qu'elle devait faire, obliger le grand type à la poser par terre avant qu'ils n'atteignent la voiture. Dès qu'il la remettrait sur ses pieds, elle se mettrait à courir et miserait sur sa chance. Mais qu'est-ce qui pourrait le forcer à la poser ? Elle pouvait vomir sur lui, sauf qu'elle n'avait jamais été capable de rendre facilement. Même quand elle était malade et que se vider l'estomac lui aurait fait du bien, son corps refusait d'obtempérer. Durant sa grossesse, les nausées matinales avaient été une torture pour elle. Que restait-il ?

Plus aucune honte. Dans le conflit entre la gêne et le salut, elle choisit la vie. Prenant sa respiration, elle tendit ses muscles et…

— Merde alors ! glapit le costaud en relâchant sa prise sur elle.

— Qu'est-ce qui se passe ? demanda Yeux-pâles.

— Elle m'a pissé dessus !

Il la jeta sur le sol. Dès qu'elle fut libre, Stacy bondit sur ses pieds et s'élança en direction d'un bouquet d'arbres. L'air se remplit de coups de feu autour d'elle. Les balles ricochaient sur les rochers et s'enfonçaient dans la terre à ses pieds, mais elle ne ralentit pas. Mieux valait mourir sous les balles que d'être tailladée à mort par un couteau.

Parvenue au bosquet, elle s'enfonça dans les taillis, les mains et le visage déchirés par les ronces. Elle priait pour ne pas rester emberlificotée dans les broussailles, où les deux hommes n'auraient eu aucun mal à la rattraper. Si elle pouvait atteindre un terrain plus dégagé, elle aurait une meilleure chance de s'échapper, car les malfrats seraient ralentis eux aussi par la végétation.

Que ferait-elle ensuite, elle l'ignorait. Même si elle pouvait retourner à la Jeep, elle ne pourrait pas la conduire. Yeux-pâles et son compagnon lui avaient sauté dessus environ quinze minutes après que Patrick l'avait quittée. Cela signifiait-il qu'ils l'avaient croisé en chemin et l'avaient tué ? Elle n'avait pas entendu de coups de feu, mais Yeux-pâles avait peut-être joué du couteau. Elle espérait que Patrick avait survécu et qu'il ne s'était pas sacrifié pour la protéger.

Quoi qu'il lui soit arrivé, elle était seule à présent, perdue dans la nature, sans arme, sans moyen de transport et sans même un manteau pour lui tenir chaud.

L'idée de mourir de froid après avoir évité des balles toute l'après-midi lui fit monter les larmes aux yeux, mais elle les réprima. Elle n'allait pas renoncer. Pas quand Carlo attendait qu'elle vienne à son secours.

Au bout d'un laps de temps qui lui parut une éternité, elle déboucha dans une clairière plantée d'herbes hautes et parsemée de rochers. Elle s'accroupit derrière le plus gros et tenta de reprendre son souffle en tendant l'oreille. Il n'y avait aucun bruit : ni coups de feu, ni cris, ni craquements dans les broussailles. Rien sauf le râle de sa respiration et le tambourinement de son cœur.

— Stacy !

Son prénom hurlé aurait suffi à la faire sursauter, mais en comprenant qui l'appelait, elle bondit sur ses pieds et se fraya de nouveau un chemin dans le sous-bois.

— Stacy ! cria de nouveau Patrick. Tout va bien, vous pouvez sortir !

Enfin, elle émergea des arbres et s'immobilisa au bord du chemin. Deux silhouettes gisaient sur le gravier aux pieds de Patrick. Il tenait le fusil automatique d'Yeux-pâles à la main, et son pistolet de l'autre. Dans la lumière déclinante, elle ne put déchiffrer l'expression de son visage, mais le soulagement était perceptible dans sa voix quand il l'appela.

— Stacy ! Est-ce que ça va ?

— Je vais bien.

Elle se mit en marche vers lui. Elle saignait, elle avait froid et elle tremblait de tension accumulée. Mais elle était vivante ; Patrick ne l'avait pas laissée tomber. Ils allaient retrouver Carlo. Ils allaient retrouver son fils ou bien mourir en essayant.

8

Ils découvrirent la voiture de leurs agresseurs au bord de la route, à huit cents mètres de là, la clé sur le contact. Une rapide fouille du siège arrière révéla des munitions, de la corde, un rouleau d'adhésif et quelques couvertures. Le coffre contenait deux valises, un jerrican d'essence vide et un pneu de rechange.

— On dirait qu'ils projetaient de vous attacher et de vous couvrir, commenta Patrick en lui jetant une des courtepointes. Tenez, enveloppez-vous là-dedans, vous devez geler.

— Ils voulaient peut-être seulement envelopper mon cadavre avant de s'en débarrasser, dit-elle.

— Il aurait été plus facile de vous laisser sur cette route déserte.

Il se mit au volant et démarra. Plus ils avançaient dans cette affaire, moins les choses faisaient sens. Les ravisseurs avaient emporté l'enfant mais ne s'en étaient pas pris à Stacy. Puis d'autres hommes étaient revenus pour elle. Ils ne l'avaient pas tuée d'emblée, ce qui semblait indiquer qu'ils avaient l'intention de l'emmener quelque part. L'inconnue au téléphone avait menacé de tuer Carlo si Patrick et Stacy s'obstinaient à les poursuivre, et pourtant quelqu'un avait préparé une embuscade sur la route secondaire la plus évidente. Une fois encore, les agresseurs n'avaient pas tué Stacy, mais l'avaient laissée en vie.

Quand Patrick avait rejoint les malfrats, ils tiraient dans

le sous-bois en appelant Stacy à grands cris. Il avait pris position derrière un rocher et les avait hélés pour qu'ils viennent dans sa direction. Il était assez proche d'eux pour les abattre avant qu'ils ne le mettent en joue.

Stacy remua et resserra la couverture autour d'elle.

— J'ai reconnu un de ces hommes, dit-elle. Le grand avec les yeux clairs. Il travaillait pour Sam.

Patrick ne s'attendait pas à cela ; jusque-là tous ceux qu'ils avaient croisés étaient des inconnus. Il ralentit et lui jeta un coup d'œil.

— Vous en êtes sûre ?

— Oui. Je n'oublierai jamais son visage. Il me terrifiait. Il était toujours en train de me dévisager.

— Que faisait-il pour Sam, le savez-vous ?

— Ce n'était qu'un sbire de plus, un homme de main.

— Etait-il dans la maison le jour où Sam a été tué ?

— Non. Il n'est pas venu dans le Colorado avec nous. Il travaillait à New York. Il ne faisait pas partie des gardes du corps et il ne passait pas beaucoup de temps à la maison. C'était juste un employé, vous voyez ? Il venait voir Sam de temps à autre.

— Quand l'avez-vous vu pour la dernière fois ?

— Il y a quelques mois ?

Elle plissa le nez.

— Peut-être un peu plus. Chaque fois qu'il venait, je quittais la pièce, alors je ne sais pas pourquoi il était là.

— Pour qui travaille-t-il maintenant ?

— Je n'en sais rien non plus.

— Vous vous rappelez son nom ?

— Non. Je ne crois pas l'avoir jamais entendu. Sam n'avait pas l'habitude de me présenter les gens avec qui il travaillait.

— Mes collègues vont vérifier ses empreintes, ils réussiront peut-être à l'identifier. A-t-il dit pourquoi ils voulaient vous enlever ?

Le visage de Stacy pâlit un peu.

— Il a dit des tas de choses sur ce qu'il voulait me faire. J'ai pensé qu'il allait me tuer, mais je crois qu'il voulait d'abord me faire mal.

Elle déglutit, tentant visiblement de reprendre le contrôle de ses émotions. Patrick posa sa main sur la sienne.

— Je ne pense pas que ces hommes — ou ceux pour qui ils travaillent — voulaient vous tuer. Si c'était le cas, il aurait été plus facile de laisser votre corps dans le canyon. Plus sûr, aussi.

— Mais la femme voulait nous éloigner, et puisque nous ne l'avons pas fait, j'ai pensé qu'ils voulaient me punir.

— Nous ne savons même pas s'ils sont liés. Peut-être l'appel n'était-il qu'une ruse pour nous faire changer de route. Il n'existe pas tant de chemins pour aller à Crested Butte. Ils ont pu se dire qu'il serait plus facile de nous stopper et nous séparer dans un canyon isolé. L'un des hommes a-t-il dit quelque chose qui laissait deviner leurs projets ? Ou pour qui ils travaillaient ?

— Non. Ils n'ont pas fait allusion à Carlo, et ils n'ont pas dit où ils m'emmenaient, ni pour qui ils travaillaient.

— Et l'autre type ? Vous l'avez reconnu ?

— Pas vraiment. Mais je ne faisais pas très attention aux hommes qui entraient et sortaient de la maison. Je me souviens seulement de celui qui avait les yeux clairs parce qu'il était horrible.

Sa voix trembla sur les derniers mots, comme si elle revivait un condensé de sa terreur durant cette épreuve.

— Vous avez été formidable, lui dit-il, espérant lui remonter le moral. Vous avez gardé la tête froide et vous n'avez pas cessé de vous battre. Vous vous en êtes sortie.

— Grâce à vous. J'avais peur qu'ils ne vous trouvent avant moi et vous tuent.

— Ils ne m'ont pas vu avant qu'il soit trop tard.

— Eh bien… Je suis contente que vous soyez là. Je suis contente de ne pas avoir à chercher Carlo toute seule.

Elle s'adossa à la portière de la voiture, visiblement fatiguée. Patrick était las également. Ces longues heures de tension prenaient leur rançon sur lui.

— Vous avez l'air épuisé, lui dit-il. Même si nous arrivons à Crested Butte, nous ne pourrons pas localiser le ranch ce soir. Je pense que nous devrions nous arrêter et nous reposer avant de poursuivre.

— Non, il faut continuer. Si nous pouvions boire un café, je me sentirais mieux.

— D'accord.

Ce serait peut-être un bon remontant. Et un en-cas aussi, bien qu'il n'eût pas faim.

Plus d'une heure s'écoula avant qu'il n'avise une station-service doublée d'une boutique en bord de route. Un panneau annonçait de la bière, des appâts et des toilettes propres.

— Je vais faire le plein pendant que nous sommes là, dit-il, en s'arrêtant devant la pompe. Cela semble être la seule station à la ronde.

— D'accord. Je vais nous chercher des cafés et je vais essayer de me nettoyer un peu aux toilettes.

Elle fit mine d'ouvrir la portière, mais il tendit la main pour stopper son geste.

— Tenez, dit-il en enlevant sa veste. Votre veste est déchirée et pleine de boue. Mettez celle-ci.

— Elle est bien trop grande pour moi !

— Alors elle vous couvrira d'autant mieux.

Elle jeta un coup d'œil à ses propres vêtements. Ils étaient en lambeaux après sa course dans les ronces.

— C'est vrai que je suis dans un drôle d'état. D'accord, merci.

Elle jeta la courtepointe sur le siège arrière et enfila le blouson. Puis elle roula les manches sur ses poignets et serra les pans du vêtement autour d'elle. Elle ressemblait à une adolescente avec le blouson en cuir de son petit ami. C'était mignon.

— Pourquoi souriez-vous ? demanda-t-elle.

Il n'avait pas conscience qu'il souriait.

— Pour rien. Allez-y et prenez ce que vous voulez. Je vous rejoins dès que j'ai fini de remplir le réservoir.

Quand il entra, elle ajoutait de la crème et du sucre à un grand gobelet de café.

— Vous devriez aussi manger un bout, dit-il.

— Je n'ai pas faim.

— Je sais. Mais nous nous sentirons mieux si nous nous restaurons un peu.

Elle choisit des barres de céréales tandis qu'il ajoutait un sandwich au jambon à leurs achats. Pendant qu'ils attendaient que la caissière fasse le total, Patrick réprima un bâillement.

— Je vous comprends, dit l'employée. J'ai commencé à 3 heures du matin ; j'étais censée finir à 11 heures, mais comme ma collègue ne s'est pas montrée, j'ai dû faire double horaire.

— Je vous attends dehors, dit Stacy en prenant son café et son en-cas.

— J'arrive, lança Patrick.

Il tendit un billet de vingt dollars à la caissière.

— Auriez-vous vu un petit garçon blond d'environ trois ans, ce matin ? Avec un homme ?

Elle lui compta sa monnaie.

— Et qui êtes-vous ?

Il sortit son porte-cartes. C'était risqué : si la caissière avait regardé le reportage sur la fusillade de Durango, elle pouvait en conclure qu'il était du mauvais côté de la loi et prévenir les autorités. Il n'avait pas le temps de tirer cette histoire au clair. Mais si elle avait vu Carlo et ses ravisseurs, cela confirmerait que Stacy et lui étaient sur la bonne piste.

Il décida de prendre le risque et souleva le rabat en cuir.
La caissière contempla la carte et hocha la tête.

— Redites-moi qui vous cherchez ?

Patrick prit son téléphone et cliqua sur la photo de Carlo.

— Ce petit garçon. Son prénom est Carlo. Il a été enlevé
à sa mère la nuit dernière. Nous pensons que les hommes
qui l'ont kidnappé ont pris cette direction.

Elle se pencha plus près pour regarder la photo et
acquiesça.

— Je l'ai vu. Du moins, je suis presque sûre que c'était
lui. Il pleurait, le genre de crise que les enfants piquent
quand ils sont fatigués. L'homme l'avait amené aux toilettes
mais le petit ne voulait pas retourner à la voiture. Il s'est
assis par terre et l'homme a dû le traîner pendant qu'il
sanglotait en appelant sa mère.

Elle prit un air navré.

— Si j'avais su ! Je croyais qu'il faisait seulement sa
mauvaise tête. J'écoute toujours les alertes Ambre, mais
je n'ai rien vu sur ce petit garçon.

— C'est une affaire sensible. Nous essayons de garder
le silence pour le moment. Vous pourriez me décrire
l'homme qui l'accompagnait ?

Elle fronça les sourcils en réfléchissant.

— Environ un mètre quatre-vingt, plutôt mince, habillé
en noir. Il était penché sur le petit, alors je n'ai pas bien
vu son visage.

Patrick rempocha son téléphone et déchiffra le nom de
la caissière sur sa poche.

— Merci, Marne. Vous m'avez été très utile. Vous avez
vu quel genre de voiture ils avaient ?

Elle secoua la tête.

— Désolée. Ils étaient garés de l'autre côté et il faisait
noir.

— Si vous vous rappelez autre chose, appelez ce numéro.
Dites-leur que vous m'avez parlé.

Il lui tendit une carte.

— Je le ferai. J'espère que vous le retrouverez.

— Merci.

Il attendit d'avoir redémarré pour en parler à Stacy.

— Nous sommes sur la bonne piste, dit-il. La caissière pense avoir vu Carlo de bonne heure ce matin. Il était avec un homme qui ressemblait à celui qui l'a enlevé dans votre chambre.

— Ah bon ? Pourquoi ne me l'avez-vous pas dit tout de suite ?

Stacy se retourna pour regarder derrière eux.

— Il faut y retourner. Je veux lui parler.

— C'est inutile, elle m'a déjà dit tout ce qu'elle savait.

— Faites demi-tour tout de suite ! Je veux lui parler.

La colère de Stacy le frappa de plein fouet. Il serra plus le volant plus fort, comme si elle allait le lui arracher des mains.

— Est-ce que lui parler va vous faire du bien ou seulement vous bouleverser un peu plus ? questionna-t-il du ton le plus gentil possible. Cela ne vous suffit pas de savoir que nous sommes sur la bonne voie ?

Elle s'affaissa contre le siège.

— Rien ne me suffira tant qu'il ne sera pas en sécurité. Mais si je pouvais juste parler à cette femme…

Elle regarda de nouveau en arrière en se tordant les mains.

Le bon sens et toute sa formation disaient à Patrick que faire demi-tour ne serait qu'une perte de temps, un temps qu'ils auraient pu mettre à profit pour localiser le ranch de l'oncle. Mais le désir ardent de Stacy de se raccrocher à ce contact ténu avec son fils l'émut. Il ralentit, se rangea sur le bord de la route et repartit dans l'autre sens.

Quand il s'arrêta devant le bâtiment, Stacy défit sa ceinture et ouvrit la portière avant même qu'il ait coupé le moteur. Il la suivit dans la boutique, où un jeune homme au visage empâté leva les yeux derrière le comptoir.

— Où est la femme qui était ici il y a quelques minutes ? demanda Stacy.

L'homme secoua la tête.

— Aucune femme ne travaille ici.

— Son nom est Marne, dit Patrick en s'approchant du comptoir et en exhibant sa carte. Elle effectuait des heures supplémentaires. Nous avons parlé plusieurs minutes.

— Vous devez faire erreur, dit l'employé. Je ne connais aucune Marne et je suis le seul à travailler ici aujourd'hui. J'ai pris mon service à 7 heures ce matin.

— Vous mentez !

Stacy agrippa le bord du comptoir et se dressa sur la pointe des pieds pour se rapprocher du jeune homme.

— Nous étions là tout à l'heure et il y avait une Marne. Si vous croyez faire une plaisanterie, ce n'est pas drôle.

— Je vous jure qu'il n'y a personne de ce nom ici. Il n'y a personne d'autre que moi.

Patrick jeta un coup d'œil à la caméra montée au-dessus de la porte d'entrée.

— Vous avez des vidéos de sécurité. Je veux les voir.

— Il faudra en parler au gérant. Et il voudra un mandat, dit le jeune homme en levant le menton, mais sans croiser le regard de Patrick.

— Où est le gérant ? demanda Stacy. Je veux lui parler.

— Il n'est pas là. Il ne viendra pas avant demain. Mais si vous voulez laisser votre nom et votre téléphone, je lui dirai de vous appeler.

Patrick prit gentiment le bras de Stacy.

— Nous perdons notre temps ici, dit-il. Allons-y.

— Mais il ment ! Je sais que cette femme était là. Je l'ai vue. Vous lui avez parlé. Pourquoi ment-il ?

— Venez, la pressa Patrick en l'entraînant vers la porte. Nous éclaircirons cela, je vous le promets.

De retour à la voiture, il verrouilla les portières, de

crainte que Stacy ne se rue dans la boutique pour agresser physiquement le garçon.

— Il ment, répéta-t-elle en adressant un regard meurtrier à l'employé qui les regardait d'un air maussade sur le pas de la porte.

— Oui, sans doute.

Patrick démarra et recula sur le parking.

— Où allons-nous ? demanda-t-elle. Vous allez le laisser s'en sortir comme ça ? Il retient peut-être Marne en otage dans l'arrière-boutique. Elle a peut-être des problèmes parce qu'elle vous a parlé.

— Je pense que Marne va très bien, répondit-il. Bien que son nom ne soit sans doute pas celui-là.

Il sortit son téléphone et pressa la touche de numérotation rapide.

— Qui appelez-vous ? demanda encore Stacy. Qu'allez-vous faire ?

— Passez-moi l'agent spécial Sullivan.

Il arrêta la voiture à environ un kilomètre et demi de la station.

— Je vais tirer ça au clair, dit-il à Stacy. Laissez-moi quelques instants.

— Sullivan.

La voix du lieutenant était vive et alerte.

— Ici Thompson. J'ai besoin que tu envoies une équipe à la boutique de la station-service de Lakeside, dans le Colorado, à environ deux heures de Durango, sur la 50. Demande un mandat pour les vidéos de surveillance. Je veux connaître tous les détails sur les employés qui y ont travaillé hier et aujourd'hui, ainsi que sur tous ceux qui sont entrés dans le magasin. Je m'intéresse surtout à une employée d'un certain âge, qui a dit s'appeler Marne, et à un homme qui est peut-être venu avec l'enfant que nous recherchons, Carlo Giardino. Pendant que tu y es, envoie aussi une équipe sur la 7N dans la même zone. Il y a eu une fusillade avec deux types qui essayaient d'enlever Stacy.

— Des victimes ?

— Deux.

Sullivan jura entre ses dents.

— Qu'est-ce qui se passe dans cette affaire ?

— C'est ce que nous essayons de découvrir. Concentre-toi d'abord sur la station-service, les types du canyon n'iront nulle part.

— Naturellement, répliqua Sullivan. D'autres infos ?

— J'ai parlé à la caissière il y a quelques minutes, et elle m'a dit qu'elle était à son poste quand un homme avait amené Carlo aux toilettes. Mais quand Stacy Giardino est revenue lui parler, il y avait un autre caissier — sans badge — qui lui a juré qu'il n'y avait personne du nom de Marne, et qu'il était le seul à être de service.

— Tu penses que quelqu'un vous a tendu un piège ?

— Oui. Vois ce que tu peux découvrir et tiens-moi au courant.

— Où seras-tu ?

— Nous nous dirigeons vers Crested Butte. Je suis de plus en plus convaincu que le garçon est là-bas.

— Ça pourrait aussi être un piège, commenta Sullivan.

— Je serai prudent. Il se passe quelque chose d'énorme et je veux savoir quoi.

— Je m'y mets tout de suite.

Patrick acheva la conversation et remit le téléphone dans sa poche, puis se tourna vers Stacy.

— Vous auriez dû menacer le caissier, dit-elle. Le forcer à vous dire où se trouvait Marne.

— Je suis sûr que c'est ce que Sammy aurait fait.

Elle croisa les bras sur la poitrine.

— Ça aurait marché. Il aurait parlé.

— Peut-être. Ou peut-être que quelqu'un dans l'arrière-boutique aurait ouvert le feu et nous aurait tous tués.

Stacy pressa ses mains sur son front et gémit :

— Je ne comprends pas ce qui se passe !

— Je n'en suis pas certain, reprit Patrick, mais je pense que Marne était un appât. Quelqu'un lui a ordonné de nous dire qu'elle avait vu Carlo et l'un des ravisseurs. Une fois son rôle joué, elle a été payée et envoyée autre part.

— Mais pour quoi faire ?

— Je ne sais pas. Peut-être pour s'assurer que nous continuions dans la bonne direction. Pour nous leurrer. Tout semble orchestré pour nous attirer vers Crested Butte.

— Mais cela n'a aucun sens. Les hommes du canyon ont essayé de nous tuer ; ils avaient préparé une embuscade. Et avant cela, nous avons eu cet appel qui nous ordonnait de faire demi-tour.

— C'est moi qu'ils ont essayé de tuer. Vous, ils vous voulaient vivante. Ils ont essayé de vous enlever. Et cet avertissement n'était peut-être destiné qu'à m'éloigner. C'est vous qu'ils veulent, et ils devaient trouver un moyen de nous séparer.

— Ils m'ont menacée. L'homme aux yeux pâles voulait me torturer.

— Les hommes comme ça pensent que les menaces sont efficaces pour rendre les captifs plus obéissants et plus faciles à manipuler. Je dois le reconnaître, je suis impressionné que vous ayez réussi à leur échapper.

— Je ferais n'importe quoi pour sauver mon fils, déclara Stacy en remuant sur son siège et en détournant le regard.

— Comme ils ont échoué à me tuer et à vous enlever, leur plan de rechange est peut-être de nous attirer là où ils pourront faire une nouvelle tentative.

— Vous êtes en train de dire qu'ils veulent que nous les trouvions ?

— Je pense qu'ils veulent que nous allions là où ils pourront nous coincer et nous faire taire, répondit-il. Que Carlo soit détenu ou non au ranch, une propriété isolée dans une zone rurale est l'endroit idéal pour se débarrasser de deux personnes.

Stacy se pinça l'arête du nez.

— Vous pensez que la femme mentait aussi, qu'elle n'a pas vu Carlo ?

— Je l'ignore. Peut-être, peut-être pas. Son rôle était de nous faire croire que Carlo et son ravisseur étaient passés par là afin que nous suivions leurs traces.

— Et nous allons les suivre ?

— Je crois qu'il le faut, mais je voudrais d'abord des informations.

— Quel genre d'informations ?

— Je voudrais savoir qui est derrière tout cela, pour commencer.

— Je croyais que nous avions décidé que c'est l'oncle Abel. N'est-ce pas pour cela que nous allons à Crested Butte ?

— Mais pourquoi Abel voudrait-il Carlo ? Il n'a pas besoin de lui pour prendre le contrôle des affaires des Giardino. C'est le seul survivant masculin de la famille. Il lui suffirait de se montrer et de donner des ordres.

— Je me fiche de savoir pourquoi il fait cela, je veux seulement récupérer mon fils.

— Moi aussi. Mais nous ne pouvons pas nous précipiter la tête la première dans une embuscade. Nous avons besoin d'en savoir davantage sur ceux à qui nous avons affaire.

— Vous avez affaire à un vieil homme qui n'a plus de lien avec la famille depuis des années.

— Mais vous m'avez dit que Sam menaçait de lui confier les affaires en court-circuitant Sammy. Cela pourrait vouloir dire que les deux frères ont été en contact.

Stacy changea de position.

— Peut-être. Ou bien nous raisonnons à l'envers, et ce n'est pas du tout Abel qui tire les ficelles.

— Alors qui cela pourrait-il être, à votre avis ? questionna Patrick.

— Je ne sais pas. Peut-être la vieille… sa mère.

— Vous pensez que l'arrière-grand-mère de Carlo pourrait l'avoir kidnappé ?

— Je crois que cette femme est capable de tout.

Elle frissonna.

— La seule fois où je l'ai vue, elle m'a terrifiée. C'était une vraie sorcière : elle donnait des ordres à tout le monde, y compris à Sam, comme si ce n'étaient que des esclaves.

— Mon instinct me dit qu'il y a quelqu'un de plus important derrière tout ça.

Un trente-huit tonnes fila sur la route, secouant leur voiture au passage.

— Que voulez-vous dire par « plus important » ?

— Réfléchissez. Quelqu'un a pris la peine d'infiltrer un faux témoin, de nous traquer… Cela demande des ressources humaines, des véhicules, des armes… Tout cela finit par coûter beaucoup d'argent.

— Abel et sa mère en ont les moyens, j'en suis sûre.

— Pas à ce point.

— Alors qui soupçonnez-vous ?

— Vous vous rappelez que je vous ai questionnée sur le sénateur Nordley ?

— Vous pensez que le sénateur est le cerveau de toute cette affaire ? Pourquoi ?

— Pour le pouvoir ? Pour l'argent ? Parce qu'il veut garder ses secrets ?

Patrick secoua la tête.

— Je ne sais pas. Mais on dit que c'est Nordley qui a organisé l'évasion de Sam l'année dernière. Et Anne — Elizabeth Giardino — nous a dit qu'elle l'avait vu dans la maison juste avant notre descente.

— Si Sam était en cheville avec le sénateur, il a emporté ses secrets dans la tombe.

— Sans doute. Peut-être cela n'a-t-il rien à voir avec des secrets mais plutôt avec l'argent. La politique coûte très cher. Si un homme aussi ambitieux que Nordley voulait, disons, se présenter aux élections présidentielles, il aurait besoin de sommes faramineuses. Les Giardino possèdent ce genre de fortune. S'il a rendu service à la famille, ils voulaient certainement le récompenser.

Stacy réfléchit à cela. Patrick était content d'avoir soulevé la question. Il craignait au début qu'elle ne pique une crise ou sombre dans le désespoir, mais il n'aurait pas dû s'inquiéter. Stacy était intelligente et lui parler l'aidait à organiser ses idées.

— Donc vous pensez que Nordley a organisé l'enlèvement de Carlo pour Abel ? Mais pourquoi ? Cela n'a toujours aucun sens.

— C'est vrai, reconnut-il. Mais je vais continuer à y réfléchir jusqu'à ce que je trouve la solution. Ensuite nous saurons quoi faire.

Il enclencha la marche avant.

— Où allons-nous ? demanda Stacy.

— Nous devons trouver un endroit où nous terrer quelque temps et planifier notre prochain mouvement.

— Non !

L'intensité de son objection — ce soudain passage du calme à la colère — déstabilisa Patrick. Oui, elle avait enduré beaucoup de choses et elle avait les nerfs à vif, mais il n'avait jamais décelé d'hystérie chez elle. La main sur le levier de vitesse, il hésita.

— Plus nous tardons, plus Carlo est en danger, dit-elle. Il faut aller le chercher tout de suite.

— Nous ne savons pas avec certitude s'il est au ranch — ni où se trouve exactement le ranch d'ailleurs, dit-il. Nous lui ferons courir un danger encore plus grand si nous nous précipitons sans préparation. Et nous nous mettrons aussi en danger.

Il reporta son attention sur la chaussée pour s'y engager.

— Stop !

Il grogna. Il ne voulait pas se disputer avec elle. Qu'était-il arrivé à la femme raisonnable qu'il admirait quelques secondes auparavant ?

— Ecoutez, Stacy…

Il se tourna vers elle et les mots moururent sur ses lèvres. Elle braquait le pistolet à deux mains sur lui.

— Je ne vous laisserai pas m'écarter de mon fils, martela-t-elle.

9

Patrick avait affronté un bon nombre d'hommes et de femmes armés, mais la vue de Stacy avec ce pistolet le fit frémir des pieds à la tête. Les mains de la jeune femme tremblaient si fort qu'elle avait du mal à garder l'arme immobile. Il ne craignait pas tant qu'elle presse la gâchette que le coup de feu parte accidentellement. A cette distance, elle ne le raterait pas.

— Stacy, posez ce pistolet, dit-il en articulant soigneusement.

— Non. Pas tant que nous ne sommes pas arrivés à Crested Butte. Conduisez.

— Nous sommes encore à des heures de distance. Vous allez me garder en joue tout ce temps ?

— Si nécessaire, oui.

Elle croisa son regard d'un air de défi, mais il discerna la peur derrière sa bravade.

— Stacy, je ne crois pas que vous vouliez vraiment me tuer. Je suis de votre côté, vous vous en souvenez ?

— Vous dites ça, mais pourquoi ne voulez-vous pas m'emmener là où vous savez qu'est Carlo ?

Sa lèvre inférieure se mit à trembler.

— Pourquoi m'éloignez-vous de mon fils ?

— Nous ne savons pas où il est. Il faut encore trouver le ranch et déterminer si Carlo est là. Nous ne pouvons pas faire irruption comme ça. Il pourrait être blessé. Je sais que ce n'est pas ce que vous voulez.

— Je veux seulement mon fils !

Sa phrase s'acheva dans les pleurs et le canon du pistolet sombra. Génial ! Maintenant, si elle faisait feu, elle lui exploserait l'entrejambe.

Il remua sur son siège.

— Je veux retrouver votre fils, dit-il. Je veux vous mettre tous les deux en sécurité. Mais je ne veux pas mettre sa vie en danger. Ni la vôtre.

— Au moins, à Crested Butte, nous serions plus près. Nous pourrions le trouver, le voir dans la rue peut-être !

— Crested Butte est encore au moins à deux heures de route. Nous sommes tous les deux sales et épuisés, nous avons froid et vous êtes blessée.

— Je vais très bien.

— Vous avez des écorchures et des bleus partout. Vos vêtements sont dégoûtants et aucun de nous n'a dormi plus de quelques heures durant les dernières quarante-huit heures. Pour aider Carlo, nous devons être reposés et alertes.

Elle détourna le regard, en abaissant un peu plus l'arme. Patrick continua de la dévisager, attendant.

— Quand est-ce que je le verrai ? demanda-t-elle.

— Peut-être pas plus tard que demain. Cela dépendra de ce que nous apprenons.

— Alors pourquoi ne pouvons-nous aller à Crested Butte tout de suite et le chercher ?

— C'est ce que les gens à qui nous avons affaire veulent que nous fassions. Je pense qu'il est plus prudent de nous arrêter quelque part. Nous pourrons nous reposer et élaborer un plan, un plan pour récupérer Carlo sain et sauf.

Stacy releva le pistolet.

— Je veux seulement que tout ça soit terminé, dit-elle doucement.

— Moi aussi. Mais me tirer dessus ne ramènera pas votre fils. Je peux vraiment vous aider, si seulement vous me faites confiance.

Elle s'humecta les lèvres.

— Je n'ai pas rencontré beaucoup de gens à qui je pouvais me fier. Vous êtes policier. Pourquoi seriez-vous différent ?

D'après ce qu'elle lui avait dit, son père comme son mari l'avaient trahie. Il n'ajouterait pas son nom à cette liste.

— Vous pouvez me faire confiance parce que je ne vous ai pas laissée tomber jusqu'ici. Vous ai-je menti ou ai-je fait quelque chose pour vous nuire ?

Elle se mordit la lèvre et secoua la tête.

Il tendit la main.

— Vous me donnez le pistolet ?

Elle hésita un peu avant d'acquiescer. Ce fut seulement quand il lui prit l'arme des mains qu'il sentit la tension le quitter, faisant place à l'épuisement. Il dut faire un effort pour ranger le pistolet sous son siège et remettre la voiture en route.

— Ça va ? demanda-t-il.

— Oui.

Elle ferma les yeux et oscilla un peu sur son siège. Elle était si pâle que les écorchures et les bleus se détachaient nettement sur sa peau ivoire.

Vingt minutes plus tard, Patrick ralentit en apercevant le panneau en néon bleu d'un motel. Le bâtiment consistait en une longue rangée de chambres aux portes turquoise donnant sur un parking non-goudronné. Patrick paya une chambre en liquide à un vieil homme portant bretelles et chemise à carreaux. Il n'était plus question d'exhiber sa carte à moins d'une nécessité absolue ; Stacy et lui devaient se faire aussi discrets que possible.

— Si v'voulez des glaçons, c'est un quart de dollar, dit le vieil homme.

Patrick pêcha un quarter dans sa poche et le fit glisser sur le comptoir. Le réceptionniste passa dans la pièce de derrière en traînant les pieds et revint quelques minutes plus tard avec un seau en plastique plein de glace. Il le leur tendit par-dessus le comptoir et jeta un regard inquisiteur à Stacy, qui avait insisté pour entrer avec Patrick.

— Z'êtes sûre que ça va, ma p'tite dame ? questionna-t-il.

Elle lui adressa un sourire épuisé.

— Je suis seulement fatiguée.

— On dirait que quelqu'un vous a frappée, déclara l'employé en lançant un regard noir à Patrick.

— J'ai eu un accident de voiture, s'empressa de dire Stacy.

Elle prit le bras de Patrick et s'appuya contre lui.

— Tout ira bien. Mon mari va s'occuper de moi.

Elle continua à presser son corps chaud contre celui de Patrick le temps qu'ils regagnent la voiture. Ayant redémarré, celui-ci se gara devant la chambre et y transporta les valises et les armes, ces dernières enveloppées dans les couvertures afin de les soustraire à la vue d'observateurs éventuels.

— Pourquoi avez-vous dit au réceptionniste que j'étais votre mari ? questionna-t-il.

— Je me suis dit qu'il aurait moins de soupçons s'il nous croyait mariés. Il vous regardait comme s'il avait envie d'appeler la police. Il fallait que je fasse quelque chose.

— Un accident de voiture, c'était une bonne idée.

— Je suis désolée de ce qui s'est passé, dit-elle. D'avoir braqué le pistolet sur vous. J'ai perdu la tête. Je…

— Ça ne fait rien. Vous en avez vu des dures. Venez ici et asseyez-vous, lui ordonna-t-il en lui indiquant le lit.

Elle prit l'air méfiant.

— Pourquoi ?

— Parce que je veux examiner vos plaies. J'ai trouvé une trousse de secours dans le coffre.

Stacy s'assit au bord du matelas, et il orienta l'abat-jour de manière à mieux voir son visage offert. Une croûte s'était formée sur son entaille à la tête mais la plaie était légèrement enflée et entourée d'un hématome jaune et violet. Il la nettoya avec un morceau de coton trempé dans une solution antiseptique puis l'enduisit de pommade antibiotique avant de la recouvrir d'un morceau de gaze fixé à l'aide de sparadrap.

— J'aurais dû le faire avant, remarqua-t-il.

— Nous n'avions pas vraiment de temps à perdre, répliqua-t-elle.

Il désinfecta également les dizaines d'autres écorchures qu'elle portait aux joues et à la mâchoire.

— On dirait que vous êtes tombée dans un rosier, commenta-t-il en ôtant une épine plantée derrière son oreille.

— Je ne me suis pas arrêtée pour admirer la flore locale. C'était peut-être un buisson d'églantine.

Il mit de la pommade sur les coupures les plus profondes, puis, d'un doigt sous le menton, lui tourna la tête pour examiner le bleu qui s'étalait sur le côté de son visage.

— Qui vous a fait ça ? demanda-t-il.

Elle ferma les yeux et avala sa salive.

— L'homme aux yeux clairs. Il m'a menacée de me couper la langue.

Sans faire de commentaire, Patrick se força à desserrer les dents et continua à s'occuper des blessures de Stacy. Il savait contenir sa colère, mais les souvenirs d'une autre chambre et d'une autre femme blessée pesaient lourdement sur son cœur. Sa sœur allait bien depuis qu'elle s'était libérée de son bourreau, mais ces années de souffrances et d'impuissance avaient aussi laissé leur marque sur lui.

— Est-ce qu'il y a aussi un cours de premiers secours dans la formation de marshal ? demanda Stacy.

— J'étais boy-scout.

Il se pencha pour étudier son travail. Le visage de Stacy était toujours en mauvais état mais, avec un peu de chance, aucune des blessures ne s'infecterait et elle pourrait guérir sans cicatrice visible.

— Laissez-moi deviner… Vous étiez un Aigle.

— Oui.

Elle prit un air triomphant.

— Je le savais ! Boy-scout Aigle, puis marshal des Etats-Unis. Logique…

— Il y a eu un petit séjour en Irak entretemps. Et l'université, bien sûr.

— A l'époque, vous vous imaginiez jouer un jour les baby-sitters pour une veuve de la mafia ?

— C'est un peu plus que ça, vous ne croyez pas ?

Les yeux de Stacy cherchèrent les siens et il sentit un courant électrique vibrer entre eux. Repoussant le poids d'émotions qu'il n'osait examiner, il recula et commença à ranger la trousse de secours.

— Pourquoi ne prenez-vous pas une douche ? Je vais voir ce que je peux trouver pour le dîner. Il me semble que nous sommes passés devant un restaurant avant d'arriver.

Il sentit le regard de Stacy s'attarder un long moment sur lui avant qu'elle ne se lève pour aller dans la salle de bains. Ce fût seulement en entendant la porte se refermer qu'il osa relever les yeux.

Il avait l'impression de marcher sur des œufs. Au cours de sa carrière de marshal, il avait dû coacher une demi-douzaine de femmes dans le programme de protection des témoins. Une poignée d'entre elles étaient belles, vulnérables et célibataires, mais il n'avait jamais franchi la ligne séparant le professionnel du personnel. Avec Stacy, cette ligne semblait s'être évanouie, et il se demandait jusqu'où les choses iraient avant d'atteindre le point de non-retour.

La douche revigora un peu Stacy. Elle s'enveloppa ensuite dans une serviette et contempla le triste état de ses vêtements. Entre la boue, les ronces et le sang, ce n'était plus que des haillons. N'ayant rien d'autre à mettre, il ne lui restait plus qu'à les laver. Elle versa le reste du flacon de shampoing de l'hôtel dans la baignoire et fit couler plusieurs centimètres d'eau chaude avant de jeter sa tenue dedans.

Patrick était sorti — chercher à manger, supposait-elle — quand elle émergea de la salle de bains. Elle lança un coup d'œil aux valises restées près de la porte et hissa l'une d'elles sur le lit. Les voyous n'avaient sans doute rien qui lui aille, mais un simple T-shirt ou un caleçon lui suffiraient pour dormir. Heureusement, Yeux-pâles ou son acolyte ne s'étaient pas donné la peine de fermer la valise à clé. Elle tira la fermeture Eclair et poussa un soupir de soulagement en avisant des chaussettes et des caleçons propres. Pas de T-shirt, mais elle trouva une chemise pliée dans un emballage en plastique.

Le temps que Patrick revienne avec deux sacs, elle avait enfilé les vêtements et était assise en tailleur sur le lit, fouillant dans le reste de la valise. Le marshal fit halte sur le seuil.

— Vous vous sentez mieux ?

— Bien mieux. J'ai lavé mes vêtements, alors j'en ai emprunté à nos amis défunts. Il y a probablement des choses qui vous iront là-dedans.

— Bonne idée.

Il posa les sacs sur la table près de la fenêtre.

— Quelque chose d'intéressant ?

— L'un d'eux aimait les romans de science-fiction.

Elle jeta un livre de poche sur le lit.

— Et portait un dentier, dit-elle en pointant l'appareil dentaire. Qui l'aurait cru ?

— Et l'autre valise ? questionna Patrick.

— Je n'ai pas encore regardé dedans.

— Nous y jetterons un coup d'œil après avoir mangé. J'ai acheté des hamburgers. Il n'y avait pas beaucoup de choix.

— J'ai tellement faim que je pourrais manger n'importe quoi.

Elle le suivit jusqu'à la table où il déballa la nourriture empaquetée dans l'un des sacs.

— Qu'est-ce qu'il y a dans l'autre sac ? demanda Stacy.

— Comme nous avons dû tout laisser, j'ai acheté quelques articles de toilette : brosses à dents, dentifrice, rasoirs…

Elle jeta un coup d'œil dans le sac, puis y plongea la main et en sortit un tube de rose à lèvres et un poudrier.

— Je suppose que ceci ne vous est pas destiné.

Les oreilles de Patrick devinrent aussi roses que le rouge à lèvres, bien que son visage restât impassible. Stacy réprima l'envie de pouffer : il y avait quelque chose de touchant à ce qu'un homme aussi coriace rougisse d'avoir acheté du maquillage à une fille.

— J'ai remarqué que vous faisiez très attention à votre apparence, dit-il. J'ai pensé que ça vous aiderait à vous sentir mieux.

— Vous avez bien pensé. Merci.

Elle résista à l'envie de l'embrasser sur la joue pour le remercier. Cela aurait été pousser les choses un peu loin.

Ils s'assirent à la petite table, face à face, et mangèrent les hamburgers et les frites en buvant de l'eau. La nourriture était bonne mais, à mesure que la fringale de Stacy diminuait, son angoisse concernant l'avenir revenait.

— Qu'allons-nous faire ensuite ? demanda-t-elle.

— Demain matin, j'appellerai le bureau pour savoir s'ils ont trouvé l'adresse d'oncle Abel.

Il essuya de la moutarde au coin de ses lèvres avec une serviette en papier.

— Je veux aussi savoir s'ils ont découvert quelque chose concernant les testaments de Sam et Sammy.

— Donc vous pensez toujours que l'enlèvement de Carlo est lié à l'héritage ?

— Les gens commettent des crimes pour de nombreuses raisons, mais la plupart du temps, ce sont les bénéfices qu'ils comptent en tirer qui les motivent : argent, pouvoir ou vengeance. Un enfant de trois ans ne dispose d'aucun pouvoir. C'est à vous qu'on a fait du mal en le kidnappant. Avez-vous réfléchi à qui voudrait se venger de vous en se servant de Carlo ?

Elle secoua la tête.

— La seule personne qui me détestait assez pour ça est morte.

— Vous parlez de Sammy ?

— Ne me dites pas qu'un mari ne peut pas haïr sa femme à ce point, parce que ça existe.

— Et vous aviez les mêmes sentiments envers lui ?

— Parfois, oui…

Elle contempla les restes de son hamburger, l'appétit coupé.

— D'autres fois… Au début, ça allait bien entre nous. Sammy était gentil pendant notre lune de miel. Il semblait vraiment m'aimer et nous nous amusions ensemble. Mais plus tard, après la naissance de Carlo…

Elle secoua la tête. Rien de ce qu'elle faisait ne plaisait à son mari. Au bout d'un moment, il lui avait paru plus sûr de cesser de faire des tentatives.

— Il vous frappait ?

Patrick avait parlé à voix basse, mais il la transperçait du regard comme si la réponse à cette question était d'une importance vitale pour lui.

— Non. Il en était fier. Il me disait toujours : « Tu ne peux pas m'accuser de violence. » Mais il y a des choses pires que d'être frappée. Les bleus, et même les fractures, peuvent guérir, mais les choses qu'on vous dit… Ces blessures-là sont beaucoup plus profondes.

Elle souffrait encore de ces traumatismes, dont certains ne guériraient sans doute jamais.

Elle attendit qu'il l'interroge là-dessus mais il s'en abstint. Peut-être était-ce par respect ou peut-être s'en fichait-il. Pourquoi aurait-il dû s'en émouvoir ? Il semblait se soucier de son bien-être mais c'était seulement une part de son travail. M. le Scout Aigle n'aurait jamais négligé son devoir.

Elle repoussa les restes de son hamburger.

— Pourquoi ne regardons-nous pas dans l'autre valise ? demanda-t-elle. Il y a peut-être des vêtements qui vous iront.

Patrick jeta un coup d'œil à son jean et son T-shirt tachés de boue.

— Vous croyez que j'ai besoin de me changer ?

— Je crois que c'est un miracle si le réceptionniste n'a pas appelé la police. Vous avez l'air d'une épave.

Il se frotta le menton et le crissement de sa barbe naissante fit frissonner Stacy.

— Cela me ferait sans doute du bien de me rafraîchir un peu.

Il se pencha en avant et saisit la poignée de la deuxième valise.

— Voyons voir quelles sont les options, dit-il en s'emparant de la poignée du bagage.

Mais celui-ci ne bougea pas.

— Je me souviens qu'elle était lourde.

Il dut se lever et l'empoigner à deux mains pour la poser sur le lit. Stacy le rejoignit tandis qu'il tirait la fermeture Eclair. Quand il replia le rabat, elle laissa échapper un cri et se couvrit la bouche.

— Qu'est-ce que c'est que ça ? murmura-t-elle.

La valise était remplie de liasses de billets. Patrick en prit une.

— Ils ont l'air vrai, dit-il. Il doit y avoir des milliers de dollars là-dedans. Mais que faisaient ces deux brutes avec ça ?

10

Stacy regardait fixement l'argent, doutant de sa réalité, tant il y en avait.

— Combien croyez-vous qu'il y ait ? demanda-t-elle.

Patrick éparpilla quelques liasses.

— Ce sont des billets de vingt en paquet de cinquante. Je dirais qu'il y a cinquante mille dollars.

Stacy s'assit lourdement sur le lit.

— Qu'est-ce que ces types faisaient avec autant d'argent ?

Patrick tâta les bords de la valise et fouilla les poches.

— Il n'y a rien d'autre, pas de note ou de papiers.

— C'est le genre de choses qu'on voit dans les séries policières, commenta Stacy. Un sac de billets anonyme, déposé dans un parc pour payer une rançon. Mais une rançon pour qui ? Ont-ils enlevé quelqu'un d'autre en dehors de Carlo ?

Patrick sortit son téléphone.

— Voyons si le quartier général sait quelque chose.

Pendant qu'il patientait en attendant de parler à Dieu sait qui, Stacy fouilla l'autre valise — celle qui contenait les vêtements. Elle trouva un deuxième roman de science-fiction, un chargeur de téléphone (mais pas de téléphone) et une boîte de préservatifs entamée. Rien de très compromettant. En dehors de leurs armes, les deux malfrats auraient pu faire figure d'hommes d'affaires en déplacement.

— Tenez-moi au courant de ce que vous découvrez. Je rappellerai dans la matinée.

Patrick mit fin à son appel et rangea le téléphone dans sa poche.

— Ils vont se renseigner sur la disparition de grosses sommes, mais je n'ai pas beaucoup d'espoir qu'on découvre quoi que ce soit. Une équipe est en route pour le canyon, pour essayer d'identifier les deux types.

Stacy étudiait la valise ouverte.

— On pourrait peut-être échanger l'argent contre Carlo.

— Ce serait une possibilité si nous savions comment entrer en contact avec ceux qui le détiennent.

Patrick referma la valise et la reposa sur le sol.

— Je vais prendre une douche. Vous devriez essayer de dormir un peu. Nous aurons peut-être d'autres informations demain matin.

Il prit quelques vêtements dans l'autre valise et les emporta avec le sac d'articles de toilette dans la salle de bains. Quelques minutes après, Stacy entendit l'eau couler.

Elle s'allongea sur le lit, au-dessus des couvertures. Il n'y avait qu'un seul lit, mais ce n'était pas un problème. Elle avait aimé dormir avec Patrick la nuit précédente, même s'ils n'avaient fait que dormir. Elle n'avait jamais rencontré un homme comme lui. Il pouvait se montrer dur et même brutal — il n'avait pas hésité à tuer trois hommes pour lui sauver la vie —, mais il faisait aussi preuve de douceur en la soignant ou en la tenant dans ses bras pendant qu'elle pleurait.

C'était le genre d'homme qu'elle aurait voulu que Sammy soit. Mais son mari ne l'avait jamais regardée comme Patrick le faisait, comme une personne intelligente dont les opinions comptaient. Comme si *elle* comptait.

Et elle n'aurait jamais pu penser à Sammy comme elle pensait à Patrick : un homme bien qui méritait son respect et son admiration. Les méfaits de Sammy avaient corrompu ce qui restait de bon en lui, tandis que plus elle découvrait Patrick, plus elle trouvait de bonté en lui.

Elle ferma les yeux, bercée par le martèlement liquide de la douche sur le carrelage. Elle rêva qu'elle était sur une plage, étendue sur le sable chaud avec Patrick, qui lui souriait et la prenait dans ses bras…

Patrick la souleva dans ses bras et la serra contre lui, nichant sa tête contre sa poitrine, où son cœur battait sur un rythme régulier. Elle sentit ses mains lui caresser le dos et elle lui passa les bras autour du cou en se blottissant contre lui. Ses seins se pressèrent contre sa poitrine nue, ses mamelons tendant le tissu de son T-shirt.

Patrick s'immobilisa, le cœur battant.

— Je ne voulais pas vous réveiller, dit-il doucement. J'essayais seulement de vous mettre sous les couvertures.

Elle ouvrit les yeux et le regarda. Les brumes du sommeil se dissipèrent quand elle vit l'angle de sa mâchoire et la surface très masculine de sa joue. Sa peau chaude sentait le savon et la crème à raser. Ce n'était pas un rêve : il la tenait réellement dans ses bras. Et l'idée qu'il allait la relâcher et s'éloigner d'elle embrasa ses sens.

— Je me mettrai sous les couvertures si vous vous y mettez avec moi, marmonna-t-elle.

Elle fit glisser sa paume sur les muscles durs de sa poitrine et de son estomac, s'arrêtant juste au-dessus du caleçon.

Patrick lui saisit les avant-bras pour l'écarter gentiment.

— Je ferais mieux de dormir par terre ce soir, dit-il.

Elle le regarda au fond des yeux, avec une audace qu'elle n'avait pas ressentie depuis longtemps. Peut-être parce qu'elle était arrivée au point où elle n'avait plus rien à perdre. Elle avait renoncé à tout : son nom, sa dignité et même son enfant. Elle ne possédait plus rien, sauf le besoin d'être honnête avec elle-même et, en cet instant, elle désirait Patrick de toutes ses forces.

— Ne dormez pas par terre, dit-elle. Je veux que vous dormiez avec moi. Je veux que vous me fassiez l'amour.

— Je ne crois pas que ce soit une bonne idée.

Il lui frotta les bras de haut en bas en une caresse qui démentait ses paroles.

— Parce que vous pensez que ce ne serait pas professionnel ?

Elle fit traîner ses doigts le long de sa mâchoire, prenant plaisir à la douceur de sa peau fraîchement rasée.

— Je suis censé vous protéger, fit-il.

— Personne ne me fera du mal puisque vous êtes là.

Elle l'embrassa sous l'oreille puis piqua des baisers tout le long de la ligne qu'elle venait de tracer.

— Stacy, non ! s'exclama-t-il en posant la main sur sa joue.

— Ne me dites pas que vous ne ressentez pas cette… attirance, entre nous, insista-t-elle.

Elle retint son souffle, dans l'attente qu'il mente.

— Je la ressens, avoua-t-il d'une voix rauque d'émotion.

Elle se renversa en arrière pour mieux le contempler. Elle voulait voir son visage, y lire ses émotions.

— Nous avons passé des moments très difficiles ces derniers jours, dit-elle. Je peux difficilement imaginer pire. J'ai été blessée, terrifiée, et ma vie ressemble à un cauchemar. Je ne peux pas imaginer l'avenir et je ne veux pas revivre le passé. Tout ce que je peux faire, c'est me cramponner au moment présent pour espérer durer jusqu'au jour suivant.

— Vous devriez dormir, objecta Patrick. Nous devrions dormir tous les deux.

— Ou bien nous pourrions nous allonger sur le lit et tout oublier en nous occupant l'un de l'autre. Nous pourrions céder au désir et nous fabriquer au moins un bon souvenir dans cette pagaille.

— Vous m'attirez, c'est vrai, concéda-t-il en laissant sa

main glisser sur son épaule, effleurant du même coup le sein de Stacy qui en fut toute retournée. Mais mon devoir ne me permet pas toujours de faire ce dont j'ai envie.

Le ciel la préserve des hommes logiques et inébranlables ! Elle avait entendu dire que les hommes aimaient les femmes qui se faisaient désirer, mais l'inverse semblait tout aussi vrai : plus Patrick lui résistait et plus elle le voulait.

— Vous serez avec moi, reprit-elle, déterminée à le convaincre. Vous avez dit vous-même que nous ne pouvions rien faire jusqu'au matin. Nous sommes coincés ici, dans cette chambre, dans ce lit.

Elle lui prit la main et en embrassa la paume.

— S'il vous plaît ! Je ne veux pas vous supplier, mais j'ai besoin de vous cette nuit. Et je pense que vous aussi.

— Et quid de la protection ?

Elle se mit à rire. Même à l'instant de céder, il demeurait calme et pragmatique.

— Il y a une boîte de préservatifs dans la valise. Il y en a plus qu'assez, croyez-moi.

— Alors j'imagine que nous avons tout ce qu'il faut.

Il la regarda droit dans les yeux et la plaqua contre les oreillers. L'intensité de son regard coupa le souffle de Stacy.

— Si vous êtes sûre que c'est ce que voulez, ajouta-t-il. Parce qu'une fois qu'on aura commencé, je ne sais pas si je pourrai m'arrêter.

Il s'arrêterait si elle le lui demandait, car c'était un homme bien. Mais elle ne le lui demanderait pas.

— Je le veux, dit-elle. Je vous veux, Patrick.

Penché sur elle, il prit possession de ses lèvres et pressa son corps de tout son long sur le sien, se retenant toutefois de trop peser sur elle. Mais cette sensation était délicieuse et Stacy se tortilla pour mieux épouser son corps, tout en ouvrant la bouche pour accueillir son baiser et se délecter de sa langue qui la caressait et la réclamait.

Patrick était un tel nœud de contradictions : muscles

durs et tendres caresses, pression insistante et murmures d'encouragement. Il l'aida à enlever son caleçon et son T-shirt pour qu'elle repose nue à son côté. Elle aurait pu se sentir vulnérable et exposée, mais en percevant son reflet dans les yeux de Patrick, elle se sentit plus belle que jamais.

Il enveloppa un de ses seins de la main et passa son pouce sur le mamelon gonflé, lui arrachant un soupir de plaisir.

— Tu es vraiment magnifique, tu sais ?

Sans attendre de réponse, il inclina la tête et couvrit son sein de sa bouche.

Elle ferma les yeux et s'abandonna aux ondes de plaisir qu'il provoquait en elle, une sensation qu'elle avait presque oubliée. Puis Patrick passa à l'autre sein avant de descendre sur son ventre, plantant au passage des baisers sur ses flancs.

Elle arqua le dos et le sentit sourire contre sa cuisse.

— Ne sois pas impatiente, dit-il en la plaquant sur le matelas.

— J'ai l'impression d'avoir attendu si longtemps, dit-elle.

— Ça vaut la peine d'attendre encore un peu.

Comme pour lui administrer la preuve de ses paroles, il fit courir sa langue sur les plis sensibles de son sexe. Elle réprima un grognement et le sentit de nouveau sourire. Il était si solennel d'habitude, elle aimait l'idée d'être à l'origine de sa joie.

Un des anciens superviseurs de Patrick l'avait qualifié d'opiniâtre — tellement concentré sur son travail qu'il ne remarquait rien d'autre. Ce n'était pas un compliment dans sa bouche, mais Patrick considérait parfois cette tendance comme un don.

A cet instant, il ne voulait rien d'autre que se concentrer sur la femme qui était dans ses bras, sur la peau soyeuse de ses cuisses, son odeur enivrante et le goût délicieux qu'elle laissait sur sa langue. Il voulait se perdre en elle pendant des minutes ou des heures, et consacrer toute son attention à lui donner du plaisir et à en recevoir.

Elle soupira et remua sous lui, arquant le dos en une supplique silencieuse. Il posa la main sur son ventre pour l'apaiser. Il avait très envie de la faire jouir tout de suite, mais leur plaisir en aurait été écourté. Il s'écarta donc, la laissant inassouvie.

— Où vas-tu ? demanda-t-elle.

Il sourit et retira son caleçon, exposant son érection. Si elle avait le moindre doute concernant son désir, cela le dissiperait sûrement. Puis il fouilla la valise pour y trouver la boîte de préservatifs. Quels qu'aient été les projets des malfrats, l'un d'eux au moins avait prévu de se donner du bon temps.

Stacy se redressa et tendit la main.

— Laisse-moi le faire.

— Je ne crois pas que ce soit une bonne idée.

Le regard de Stacy suffisait presque à lui faire perdre son contrôle ; qu'elle le touche et il exploserait comme une fusée, les laissant tous deux frustrés.

Il déroula le préservatif avec soin puis s'agenouilla sur le lit près d'elle.

— Tu es si belle, dit-il en lui caressant la poitrine.

Son corps menu était parfaitement proportionné.

— Les flatteries ne te mèneront nulle part. Viens par là, beau gosse !

Elle tendit la main et il se plaça entre ses jambes. Il ne lui demanda pas si elle était sûre ou si elle se sentait prête ; la réponse à ces questions se lisait dans tous ses gestes.

Patrick avait l'habitude de se contrôler en tout. Sa survie et la survie de ses protégés reposaient sur sa vigilance. Il devait toujours être sur ses gardes, toujours alerte. Mais avec Stacy, il pouvait s'abandonner, se perdre dans la passion et le plaisir.

Elle réagit par un abandon similaire en s'ouvrant à lui,

en enroulant ses jambes autour de sa taille et en venant à sa rencontre. Tout cela sans cesser de le regarder au fond des yeux, de le retenir avec son regard, de lui laisser voir ses émotions, une offrande aussi intime que le don de son corps.

Sentant monter la tension en elle, il l'attendit et fit tout son possible pour l'amener au summum du plaisir. Quand elle jouit enfin avec un grand cri, il se laissa aller en la berçant contre lui, dans une fusion sans limites de leurs corps.

Mais quand il se retira pour s'allonger à côté d'elle, elle le surprit en éclatant en sanglots.

— Stacy, qu'est-ce qu'il y a ?

Il se pencha sur elle, alarmé.

— Je t'ai fait mal ? Qu'est-ce qui se passe ?

— Je suis désolée. Je ne voulais pas…

Elle secoua la tête et tenta de le repousser.

— Je suis une idiote, je…

— Tu n'es pas une idiote du tout.

Il prit des mouchoirs en papier dans la boîte posée sur la table de chevet et les lui tendit.

— Que s'est-il passé qui t'a bouleversée ? J'aimerais vraiment le savoir.

— Ce n'était pas toi, je te le promets.

Elle se moucha.

— Je suis une vraie loque.

Peut-être était-ce le chagrin d'avoir perdu son mari qui la rattrapait soudain. Ou le souvenir d'autre chose. L'esprit était une chose étrange et les émotions pouvaient faire irruption en une fraction de seconde.

— Cela t'aidera peut-être d'en parler, suggéra-t-il.

Elle hocha la tête en se tamponnant les yeux, puis le regarda entre ses cils mouillés.

— C'est d'avoir été avec toi, c'était merveilleux. J'avais peur qu'aucun homme ne me touche plus jamais.

Sa voix se brisa sur un autre sanglot.

Il lui caressa la joue.

— C'était merveilleux pour moi aussi. Je te désirais depuis la première nuit à l'hôtel.

Les épaules voûtées, elle se détourna pour ne pas croiser son regard.

— Mon mari… Sammy ne m'a pas touchée pendant au moins deux ans. Il me disait qu'aucun homme ne voudrait d'une femme comme moi, que c'était pour ça que mon père avait dû me vendre aux Giardino, parce qu'il savait que personne ne voudrait de moi.

— S'il n'était pas déjà mort, je lui ferais regretter ses paroles, gronda Patrick.

Il ferma les yeux pour réprimer une vague de colère, une rage presque physique qui lui échauffait le sang et ébranlait son corps.

— Il mentait. Et c'était un imbécile.

Il respira profondément pour se calmer. Sammy n'était plus et il ne pouvait rien faire pour le punir ; mieux valait se concentrer sur Stacy. Il l'attira dans ses bras et l'embrassa sur le crâne, sur la tempe et sur le bout du nez, avant de s'attarder sur ses lèvres, pour tenter de lui dire sans mots combien elle méritait l'amour que son horible de mari lui avait refusé.

Elle se remit à pleurer, laissant couler les larmes silencieusement sur ses joues. Il les goûta : elles étaient douces et salées, tout comme ses propres émotions, mêlées d'ardeur et de regret.

Il la fit descendre à côté de lui et la tint dans ses bras, les couvertures remontées sur eux, la tête de Stacy sur sa poitrine, jusqu'à ce que ses larmes s'arrêtent et qu'elle soupire de nouveau.

— Je suis désolée, dit-elle. Ce n'est pas la réaction qu'un homme espère après avoir fait l'amour à une femme.

— Je préfère que tu sois honnête plutôt que de faire semblant, répondit-il.

— C'est une des choses que j'aime chez toi. Tu ne mens pas, même quand ce serait plus facile.

— Tu as entendu assez de mensonges. Y compris ceux que Sammy t'a dits. Ne les crois pas.

— J'essaie. Mais parfois, c'est difficile.

Il lui pressa l'épaule.

— Quand tout sera terminé, ce serait peut-être une bonne idée de parler à quelqu'un. A un thérapeute. Je pourrais te recommander quelqu'un.

— Oui. Ce serait sans doute une bonne chose.

Elle se blottit plus étroitement contre lui.

— Merci, pour tout.

— Essaie de dormir, maintenant, dit-il. Une dure journée nous attend demain.

— Je verrai peut-être Carlo.

— Peut-être.

Et peut-être trouverait-il une manière de lui dire adieu qui ne les déchirerait pas tous deux.

Des tambourinements à la porte les réveillèrent. Dans la chambre d'un noir d'encre, Patrick chercha à tâtons son téléphone sur la table de chevet. Il était 5 heures.

— Qui est-ce ?

Stacy se dressa à côté de lui, les couvertures remontées jusqu'au menton.

Patrick s'empara de son pantalon, tandis que les coups reprenaient à la porte.

— Ouvrez ! ordonna une voix grave. C'est la police.

11

Le cœur battant, Stacy regarda fixement la porte. Avait-elle bien entendu ?

— Que fait la police ici ? murmura-t-elle à Patrick.

— Je ne sais pas.

Il remonta sa braguette et enfila un T-shirt.

— Une minute, j'arrive ! cria-t-il.

— Je ferais mieux de m'habiller aussi, dit Stacy.

Elle chercha autour d'elle le T-shirt qu'elle portait la veille, puis s'aperçut que c'était Patrick qui l'avait mis.

— Reste où tu es, lui conseilla-t-il pendant que les coups faisaient trembler l'encadrement de la porte.

— Ouvrez ou nous forçons la porte !

Patrick s'exécuta et un robuste agent en uniforme fit irruption dans la chambre. Patrick fit un pas en arrière, gardant les mains bien en vue.

— En quoi puis-je vous aider ?

Un deuxième agent, plus âgé, suivit le premier.

— C'est vous qui conduisez la berline noire garée devant la chambre ? interrogea-t-il.

— Il y a un problème ? demanda Patrick.

Le policier âgé plissa les yeux.

— Je voudrais voir vos papiers, m…

— Patrick Thompson, marshal des Etats-Unis.

Il tendit sa carte.

L'agent haussa les sourcils en l'étudiant, puis jeta un coup d'œil à Stacy.

— Et qui est cette femme ?

— Un témoin essentiel dans une enquête fédérale.

Du regard, l'officier survola le lit défait et les vêtements éparpillés.

— Bien sûr, dit-il d'un ton traînant.

Stacy sentit son visage brûler et se hérissa intérieurement. C'était les policiers qui auraient dû avoir honte de faire irruption de cette manière et non elle.

— Nous allons vous demander de nous suivre au commissariat pour un interrogatoire sur le meurtre de deux hommes sur la route 7N hier après-midi, dit l'agent âgé.

Il rendit sa carte à Patrick.

— C'est moi qui les ai tués, dit ce dernier. Ils nous ont pris en embuscade dans le canyon et ont tenté d'enlever cette jeune femme.

Le policier le plus jeune parla pour la première fois.

— Pourquoi ne l'avez-vous pas signalé au commissariat ?

— Il s'agit d'une affaire fédérale. Je l'ai signalé à mes supérieurs et ils ont mandaté des enquêteurs. Comment avez-vous eu vent de cette histoire ?

Le visage de Patrick était impassible mais sa voix glaciale, et Stacy sentit la température chuter de plusieurs degrés dans la pièce.

— Un couple qui faisait une promenade en raquettes est tombé sur les corps, dit le plus vieux. Ensuite le propriétaire de l'hôtel nous a appelés pour signaler des clients suspects.

Il regarda de nouveau Stacy. Elle tira les couvertures plus haut, non parce qu'elle avait honte, mais parce que le courant d'air en provenance de la porte était glacial.

Le policier se tourna de nouveau vers Patrick.

— Si vous voulez bien vous habiller et venir avec nous, je suis certain que nous pourrons éclaircir tout ça.

— Ce ne sera pas nécessaire ! lança une voix autoritaire derrière les agents.

Ceux-ci reculèrent, révélant un homme mince vêtu d'un costume sombre et d'un pardessus.

— Enquêteur spécial Tim Sullivan, annonça-t-il en exhibant son badge.

Il salua Patrick et Stacy d'un signe de tête, comme s'il trouvait tous les jours des femmes nues dans le lit de ses collègues.

— Agent Sullivan…, commença le policier le plus vieux.

— Merci pour votre aide , messieurs, dit Sullivan. Nous prenons le relais à partir de maintenant. Je vous promets de vous envoyer un rapport complet sur l'enquête.

— Mais le crime a été commis dans notre juridiction, protesta le plus jeune. Je crois…

— Je crois que vous ne voulez pas être accusé d'inter-férence avec une enquête fédérale, le coupa l'agent du FBI.

Son ton et ses mots firent pâlir le policier. Il se tourna vers son compagnon.

— Vaut mieux y aller.

— Bien.

Quand la porte se fut refermée sur eux, l'agent Sullivan se tourna vers Patrick et Stacy.

— Je pense qu'il faudrait nous donner quelques expli-cations, marshal Thompson.

— Et moi je pense que vous devriez continuer la discus-sion dehors, pour que je puisse m'habiller, déclara Stacy.

Sullivan pencha la tête, comme s'il réfléchissait à la question. Stacy était certaine qu'il allait faire une remarque de mauvais goût, mais le regard noir de Patrick le fit appa-remment changer d'avis.

— Bien sûr, dit-il.

Il lança un regard aux pieds nus de Patrick et à sa chemise déboutonnée.

— Je t'attends dehors.

Patrick retrouva ses chaussures, prit une paire de chaus-settes propres dans la valise et s'assit au bord du lit pour les mettre. Stacy observa son dos, tentant de déduire ses pensées d'après la tension qu'elle y lisait.

— Que va-t-il se passer ? demanda-t-elle.

— Il a peut-être découvert quelque chose sur le ranch ou sur Carlo.

Il replia une jambe pour attacher ses lacets.

— Ils ne vont pas te retirer l'affaire, n'est-ce pas ?

Il s'immobilisa.

— Ils le devraient peut-être.

— Non !

Elle se pencha pour poser une main sur son épaule.

— J'ai transgressé pratiquement toutes les règles et j'ai manqué à mon devoir. Les justifications ne manquent pas pour me retirer l'enquête.

— Je ne les laisserai pas faire, riposta Stacy. Pas alors que nous avons fait tout ce chemin. Tu me connais et tu connais l'affaire. Je te fais confiance.

Il tourna enfin la tête pour croiser son regard.

— Nous avons franchi la ligne jaune. Tu n'es plus seulement une inconnue que j'ai le devoir de protéger.

— Est-ce que ça va t'empêcher de m'aider ?

— Ça signifie que j'ai perdu mon objectivité. Cela pourrait affecter mon jugement.

— Je ne les laisserai pas t'enlever à moi. Pas question.

Il lui tourna de nouveau le dos et finit d'attacher ses chaussures.

— Ce sera à Sullivan de décider, dit-il en se relevant. Tu ferais mieux de t'habiller.

Il marcha jusqu'à la porte et sortit sans la regarder.

Sullivan se tenait dans la lumière de l'ampoule d'un escalier, à plusieurs portes de là. Patrick s'approcha de lui, tout en remontant la fermeture Eclair de sa veste.

— On dirait que quelqu'un t'a traîné dans la boue,

remarqua Sullivan en désignant du menton les taches sur sa manche.

— Ces deux types nous ont pris en embuscade dans le canyon. Je voulais les surprendre par-derrière, mais ils sont descendus et ils ont essayé d'enlever Stacy.

— Et tu les as abattus.

— Oui.

— Quelle galanterie de ta part !

— Je faisais mon boulot. Tu aurais fait la même chose.

— Peut-être.

— Comment se fait-il que tu sois ici ? demanda Patrick. Tu es tombé à pic, d'ailleurs. Les flics allaient nous embarquer.

— Quelqu'un surveillait le scanner de la police. Nous avons intercepté l'appel.

— Tu devais être dans les parages.

— Nous étions à l'épicerie de la station-service. Personne ne sait rien sur une femme appelée Marne.

— Et les bandes du système de surveillance ?

— Pas de pot, la caméra est tombée en panne la veille.

Patrick grogna et fourra les mains dans ses poches. Les deux hommes ne parlèrent pas pendant un long moment. Un poids-lourd passa sur la route et aborda la descente en faisant grincer ses freins.

— Tu peux me dire ce qui se passe entre la femme Giardino et toi ? demanda enfin Sullivan.

— Non.

Patrick souffla.

— Je sais que j'ai commis une erreur. C'est… arrivé, c'est tout.

— Ça arrive. Est-ce que cela va affecter tes capacités à faire ton boulot ?

— Non.

Il se tourna vers l'autre homme, surpris de la sympathie qu'il lui témoignait.

— Je ne suis plus un gamin. Je sais me maîtriser.

— Et elle ? dit Sullivan en inclinant la tête vers la chambre. Les femmes accordent parfois plus d'importance à ce genre de choses.

— Stacy s'inquiète pour son fils. Elle sait ce qui s'est passé entre nous… Elle sait qu'il n'y aura pas de suite.

— Vraiment ?

— Elle est beaucoup plus forte qu'elle n'en a l'air. Plus forte que quiconque. Tu vas le signaler ?

— Je ne travaille pas au bureau des marshals, que je sache.

Son regard glissa derrière Patrick.

— Bonjour, Mme Giardino. Comment allez-vous ?

Stacy hocha la tête et s'arrêta près de Patrick, en laissant toutefois un écart entre eux.

— Vous avez découvert quelque chose sur mon fils ?

— Nous devrions peut-être rentrer pour en discuter. Il fera plus chaud.

Ils reprirent silencieusement la direction de la chambre. En l'absence des hommes, Stacy avait fait le lit et ramassé leurs vêtements. Patrick se détendit un peu. C'était plus facile d'affronter Sullivan sans avoir à contempler les preuves de leur indiscrétion.

Stacy s'assit au bord du lit et les deux hommes prirent place à la table.

— Vous avez retrouvé mon fils ? répéta-t-elle. Vous avez retrouvé Carlo ?

Sullivan secoua la tête.

— Le marshal Thompson nous a demandé de repérer le ranch appartenant à Abel Giardino. Nous avons trouvé un endroit qui semble être le bon et nous l'avons mis sous surveillance.

— Qu'avez-vous vu ? Vous avez aperçu un enfant ?

— Nous n'observons les lieux que depuis quelques heures et jusqu'ici, nous n'avons rien vu.

— Où est-ce ? demanda Stacy. Pouvons-nous y aller ?

— Ce ne serait pas une bonne idée, intervint Patrick. S'ils retiennent Carlo et que nous faisons une descente, ils pourraient lui faire du mal — ou l'emmener dans un endroit encore plus isolé.

— Du moment qu'il n'y a aucun signe de danger pour l'enfant, mieux vaut poursuivre la surveillance et décider du moment où intervenir, dit Sullivan. La première chose à faire est de s'assurer que Carlo est bien là.

— C'est tout ce que vous pouvez me dire ? s'exclama Stacy. Qu'il faut attendre ?

— Nous en saurons plus demain, quand les habitants du ranch se réveilleront et circuleront. L'un de nos guetteurs apercevra peut-être quelque chose.

— Vous me le direz tout de suite ?

— Nous vous le ferons savoir dès que possible.

Patrick aurait voulu presser la main de Stacy et lui offrir un peu de réconfort mais il n'osa pas le faire sous le regard de Sullivan.

— Tu as des informations sur le reste ? demanda-t-il.

— Nous en avons appris un peu plus sur les testaments de Sam et Sammy, répondit Sullivan.

Il tira un petit calepin de sa poche et le feuilleta.

— Nous avons pu obtenir qu'un juge décachette les documents et ils se sont révélés très intéressants.

— Comment cela ? demanda Patrick, sentant les poils se dresser sur sa nuque, ce qui était le signe que les nouvelles étaient bonnes.

— Sammy et son père ont tout laissé à Carlo. Mais l'argent est transmis par fidéicommis. Le curateur du fonds administrera l'argent jusqu'à la majorité de Carlo.

— Et qui est le curateur ? questionna Stacy.

— C'est vous. Sullivan referma son calepin et le rempocha. Vous ne le saviez pas ?

Elle secoua la tête.

— Pourquoi Sam, ou même Sammy en l'occurrence, m'auraient-ils confié la gestion de leur argent ?

— Vous êtes la mère du garçon, dit Sullivan. N'est-ce pas le choix le plus logique ?

— Dans la famille Giardino, les femmes ne gèrent jamais l'argent, insista Stacy.

— N'est-ce pas une manière pour Sam d'infliger une autre rebuffade à Sammy ? suggéra Patrick. Il était logique qu'il meure avant son fils, et Sammy aurait été forcé de voir son fils hériter, avec Stacy comme curatrice.

— Sammy aurait détesté ça, approuva Stacy. Mais il avait également un testament. Pourquoi le sien ne désigne-t-il pas quelqu'un d'autre comme curateur ?

— Sam l'a peut-être forcé à s'aligner sur ces conditions, dit Patrick. J'ai l'impression que Sammy faisait ce que Sam lui disait, au moins une partie du temps.

— Il a épousé Stacy parce que son père le voulait, non ?

Stacy hocha la tête.

— Mais ce…

— Il avait peut-être autre chose à l'esprit, intervint Sullivan.

Patrick et Stacy le regardèrent. Il attendit, jouissant visiblement du suspense.

— Les termes du fidéicommis indiquent clairement que le curateur peut tout faire avec le fonds, y compris le transférer à une autre partie. Sammy pensait peut-être qu'il vous persuaderait — ou vous forcerait — à le lui transmettre après la mort de son père. Et s'il mourait le premier, son père aurait pu faire de même.

— Qu'arrive-t-il au fonds si je meurs ? questionna Stacy.

— C'est le tuteur légal de Carlo qui l'administrera.

— Tu as fait un testament ? demanda Patrick. Tu as désigné un tueur au cas où tu mourrais ?

Elle secoua la tête.

— J'ai seulement vingt-quatre ans. Je n'ai jamais pensé…

Emu par sa détresse, Patrick lui toucha la main.

— C'est normal, dit-il. Bien sûr que tu n'y as pas pensé.

— En l'absence d'un tuteur désigné, ce serait au tribunal d'en nommer un, déclara Sullivan.

— Le tribunal ne confierait-il pas l'enfant à son parent le plus proche ? interrogea Patrick.

— Peut-être, dit Sullivan. De qui s'agirait-il ?

— Pas de l'oncle Abel, répondit Stacy. Je pense que ce serait Elizabeth. C'est la tante de Carlo.

— Cela expliquerait pourquoi les ravisseurs avaient besoin de toi vivante, poursuivit Patrick. Abel en savait peut-être assez sur le testament pour savoir que c'était Carlo qui recevrait tout. Plus tard, il a compris qu'il avait besoin de toi pour lui transmettre l'argent, alors il a envoyé ses hommes te chercher.

— Mais pourquoi se donner tant de peine ? questionna Stacy. Abel a de l'argent. Et le gouvernement est susceptible de saisir tous les biens de Sam, non ?

— Il ne peut saisir que les biens liés à des crimes, précisa Sullivan. Et seulement l'argent dont il a connaissance et auquel il peut accéder. Bien que l'enquête ne soit pas terminée, nous soupçonnons que Sam avait une fortune considérable, dont une grande partie est dissimulée sur des comptes en Suisse et aux îles Caïmans.

— Alors, en mettant la main sur le fonds, Abel pourrait s'approprier cet argent, conclut Patrick.

— Ou quelqu'un qui manipule Abel pourrait mettre la main dessus, ajouta Sullivan.

— Mais ils ont besoin que Carlo et moi soyons en vie pour cela, dit Stacy.

Elle ne sourit pas vraiment, mais ses yeux s'éclairèrent, et Patrick sentit une partie de sa tension la quitter.

— C'est pourquoi nous pouvons être raisonnablement sûrs que le garçon est en bonne santé, conclut Sullivan.

Ce qui nous donne plus de temps pour faire le lien entre Giardino et notre suspect numéro un.

— Le sénateur Nordley, dit Patrick.

Sullivan fronça les sourcils et jeta un coup d'œil à Stacy. Visiblement, il n'approuvait pas qu'elle soit au courant de la direction que prenait leur enquête.

— Oui, nous aimerions en savoir davantage sur son implication là-dedans.

— Attendez une minute !

Stacy se rapprocha de lui, une lueur ardente dans le regard.

— Qu'est-ce que vous êtes en train de dire ?

Les mains sur les genoux, Sullivan se tourna vers elle et répondit d'une voix un peu condescendante :

— Je suis en train de dire que nous pensons que votre fils est en sécurité avec son grand-oncle pour le moment. Le mieux à faire pour vous est de rentrer chez vous et d'attendre. Nous vous ferons savoir quand il pourra vous rejoindre.

12

Stacy connaissait l'expression « voir rouge », mais elle n'avait jamais fait l'expérience concrète du voile rouge que la colère jetait devant ses yeux.

— Mon fils n'est en sécurité avec *personne* en dehors de moi ! Et vous êtes fou si vous pensez que j'irai où que ce soit en attendant que le gouvernement décide de me le rendre !

— Il n'est pas en danger, répliqua Sullivan. Du moment qu'il est sain et sauf…

— Comment le savez-vous ? Vous m'avez dit tout à l'heure que vous ne l'aviez pas vu. Ou bien était-ce un mensonge pour me faire taire ?

Elle se leva, et Patrick fit de même pour l'empêcher de se jeter sur Sullivan.

— Il est séparé de sa mère, avec des gens qu'il ne connaît pas. Il est seul et effrayé, et vous n'allez pas le laisser là une *seconde* de plus que nécessaire !

— Mme Giardino, nous parlons d'une enquête majeure dont les ramifications affectent la sécurité des Etats-Unis, déclara Sullivan.

— Qu'est-ce que Nordley a à voir avec la sécurité nationale ? s'étonna Patrick.

— Il dirige la commission sénatoriale sur la sécurité du territoire.

— Même si c'était le meilleur ami du chef des talibans,

ça ne me ferait ni chaud ni froid, déclara Stacy. Vous pourrez enquêter sur lui *après* avoir sauvé mon fils.

— Ce n'est pas possible, contra Sullivan en regardant Patrick. Explique-lui l'importance de tout ceci.

— Je ne peux pas, répondit Patrick en croisant les bras. Rien ne justifie qu'on laisse un enfant de trois ans dans une situation dangereuse pour l'utilité d'une enquête.

— Il n'est pas en danger.

— Je ne suis pas d'accord. Et je ne participerai à aucun plan qui retarde son sauvetage.

— Alors c'est aussi bien que la décision ne t'appartienne pas, jeta Sullivan en se levant et en gagnant la porte.

— Où allez-vous ? demanda Stacy.

— Je retourne travailler. Je vous tiendrai au courant.

— C'est tout ce que tu as à dire ? s'irrita Patrick.

— C'est tout ce que vous avez besoin de savoir.

— Avez-vous vu Carlo ? insista Stacy. Est-il vraiment en bonne santé ?

Sullivan les regarda l'un après l'autre.

— Je ne discuterai pas plus avant de cette enquête avec vous. Maintenant, si vous voulez bien m'excuser, j'ai du travail.

— Je travaille aussi sur cette enquête, dit Patrick. Ce n'est pas le Bureau qui la dirige.

— Maintenant, si. Mais ne t'inquiète pas, tu as encore un rôle à jouer, en protégeant Mme Giardino. Manifestement, tu prends cette tache très au sérieux, acheva Sullivan avec un rictus suffisant.

Il ouvrit la porte.

— Je t'appellerai.

Patrick s'approcha de la fenêtre et regarda l'agent monter dans un 4x4 noir et démarrer.

— Tu n'essaies pas de l'arrêter ? lui demanda Stacy qui l'avait rejoint.

— Je ne peux pas.

Il se détourna de la fenêtre.

— Cette pique était sa façon de me dire qu'il ne dira rien à mes superviseurs sur nous aussi longtemps que je ne lui mettrai pas des bâtons dans les roues. Si je fais des vagues, il me fera retirer l'enquête. Tu auras un autre officier traitant, à qui on aura donné l'ordre de ne pas te laisser approcher.

— Je n'arrive pas à y croire. Qu'allons-nous faire ?

— Au moins, si je reste avec toi, nous pouvons collaborer.

Il lui entoura les épaules d'un bras et l'attira à lui.

— Nous retrouverons Carlo.

— Mais il t'a ordonné de rester à l'écart !

— Ce ne sera pas la première fois que je transgresse les règles pour aider quelqu'un que j'ai juré de protéger.

Il avait fait remettre un revolver à Elizabeth Giardino, bien que ce soit interdit. Désobéir à des ordres directs pour chercher Carlo était une transgression encore plus grave ; cela pouvait lui coûter sa carrière.

— Tu risquerais ton travail pour moi ? s'exclama Stacy.

— Ce qui compte le plus, c'est de retrouver Carlo.

— Comment allons-nous faire ? Nous ne savons même pas où est le ranch.

— Nous ferons comme Sullivan ; nous parlerons aux gens et nous écouterons ce qu'ils ont à dire. Nous le retrouverons, Stacy, je te le promets, l'assura-t-il en lui pressant l'épaule.

Et quand ils le trouveraient, il ferait tout ce qui était en son pouvoir pour réunir la mère et l'enfant, même s'il devait défier ses supérieurs et le gouvernement pour cela.

Stacy remit les vêtements qu'elle portait le jour précédent. Ils étaient un peu plus propres après leur lavage et leur séchage sur une chaise. Patrick portait les vêtements qui avaient appartenu à l'homme aux yeux clairs, même si la chemise était un peu étroite d'épaules. Ils rangèrent leurs maigres possessions dans la valise et se préparèrent à partir.

Ils étaient sur le point de franchir la porte quand Stacy se souvint de l'autre valise. Elle posa une main sur le bras de Patrick.

— Attends. Et l'argent ?

Il hocha la tête et alla tirer l'autre bagage de dessous le lit. Puis, l'ouvrant, il inspecta les liasses de billets comme pour s'assurer qu'elles étaient toujours là.

— Nous n'en avons pas parlé à Sullivan, remarqua Stacy.

— Je ne l'ai pas signalé au bureau non plus.

Cette omission n'était pas délibérée ; il avait tout simplement oublié avec tout ce qui s'était passé. Il referma la valise.

— Je veillerai à le signaler la prochaine fois que Sullivan prendra la peine de nous joindre. Dans l'intervalle, l'argent pourra nous servir à négocier.

— Avec les fédéraux ou avec oncle Abel ? demanda Stacy.

— Avec les deux, peut-être.

Il porta la valise dans la voiture et verrouilla le coffre. Il ignorait si cinquante mille dollars seraient suffisants pour persuader ceux qui étaient impliqués dans cette affaire de changer de comportement, mais l'argent pourrait au moins servir à prendre contact. Les deux malfrats étaient-ils censés livrer ou recevoir cet argent ? Qui l'avait mis dans cette valise ? Il ajouta ces questions à la liste croissante de toutes celles qui n'avaient pas de réponse.

Une neige légère se mit à tomber tandis qu'ils roulaient vers Crested Butte. Stacy ne demanda pas ce qu'ils feraient une fois là-bas. Elle se fiait à Patrick ; il devait sûrement avoir un plan. Tout ce qu'elle pouvait faire, c'était se concentrer sur Carlo et prier pour qu'il soit effectivement sain et sauf. Peut-être Abel et Willa aimaient-ils les enfants et se montraient-ils gentils avec lui pour apaiser sa peur. Ce n'était pas la même chose que d'avoir sa mère, mais elle espérait que Carlo se sentait en sécurité. Savoir que quelqu'un se préoccupait de vous et voulait vous protéger n'était-il pas la meilleure sûreté de toutes ?

— Tu crois que Sullivan a raison quant au mobile de l'enlèvement de Carlo ? demanda-t-elle. Que c'est pour mettre la main sur l'argent ?

— La cupidité est à l'origine de bien des crimes. Mais tu m'as dit qu'Abel a lui-même de l'argent ?

— Sam disait toujours que oui. Il l'appelait « mon richard de frère ».

— Quel genre de ranch possède-t-il ? Il élève du bétail ?

— Des chevaux, je crois. Peut-être du bétail aussi, je n'en sais rien. Sam disait qu'Abel « jouait au cow-boy » et qu'il avait de l'argent plein les poches.

— C'était peut-être ironique.

— Peut-être. Un éleveur honnête n'a sans doute pas autant d'argent qu'un gangster.

— Rien ne dit qu'il est honnête, objecta Patrick.

— L'enlèvement n'est pas honnête, concéda-t-elle. Et si c'est lui qui nous a envoyé ces deux brutes dans le canyon, comment aurait-il pu les engager si Sam et lui n'avaient pas été en contact tout ce temps ?

— Je me demande si l'argent de la valise était destiné à leur paiement ou s'ils étaient censés le livrer à Abel de la part de quelqu'un d'autre.

— De la part du sénateur Nordley ? demanda-t-elle. A-t-il avancé de l'argent à Abel parce qu'il compte obtenir l'héritage ?

Patrick secoua la tête.

— Ce ne sont que des suppositions. Si ça se trouve, nous faisons fausse route. Nous ne savons même pas si Abel détient Carlo.

Stacy s'enfonça dans son siège.

— J'espère que oui. Au moins, nous saurons où il est. S'il n'est pas avec Abel et Willa, alors c'est qu'il a disparu.

Cette pensée lui coupa le souffle. Patrick lui pressa la main.

— Nous le retrouverons, je te le promets.

Elle hocha la tête, trop émue pour parler. Elle savait qu'il pensait ce qu'il disait, mais il n'y avait aucune garantie que Carlo soit encore en vie. Elle n'aurait pas de repos tant que son fils ne serait pas dans ses bras, loin de ceux qui voulaient se servir de lui ou lui faire du mal.

Après deux heures de route, un panneau routier annonça les faubourgs de Crested Butte. Quittant la route principale, Patrick s'engagea dans une zone industrielle.

— Nous allons à l'aéroport, dit-il avant que Stacy puisse le questionner. Il faut nous débarrasser de cette voiture.

— Parce que les hommes d'Abel pourraient la reconnaître ?

Il lui lança un regard.

— Oui, et parce que les fédéraux la connaissent.

Elle s'adossa à son siège. Bien sûr : si Sullivan et consorts comprenaient que Patrick et elle s'approchaient un peu trop près de leur précieuse enquête, ils feraient tout ce qu'ils pouvaient pour les arrêter.

Patrick arrêta la voiture dans le parking du minuscule aérodrome de Crested Butte, doté d'un seul terminal et de deux portes d'embarquement. Transportant les valises à l'intérieur du bâtiment, il alla directement au comptoir d'une agence de locations de voitures et loua une Jeep Cherokee jaune équipée d'un porte-skis.

— La neige est excellente en ce moment, lui dit l'employée en lui tendant les clés. Passez de bonnes vacances.

— Merci.

Ses yeux croisèrent ceux de Stacy et elle détourna le regard. Elle aurait tant voulu qu'ils soient un couple heureux en vacances, au lieu de deux personnes jetées dans une quête désespérée pour retrouver son fils.

De l'aéroport, ils firent route vers le centre de Crested Butte. C'était un hameau pittoresque sur fond de montagnes enneigées, peuplé de maisons de bois de l'ère victorienne peintes de couleurs vives et serrées les unes contre les autres. Patrick découvrit le tribunal civil, se gara devant et entra dans le bureau de la réceptionniste.

— Nous faisons des recherches et nous aimerions consulter les registres fiscaux, dit-il à la rouquine entre deux âges derrière le comptoir.

— Vous pouvez vous servir de cet ordinateur.

La femme les conduisit à un petit poste de travail et ouvrit le programme fiscal du comté.

— Vous pouvez chercher par nom ou par adresse, dit-elle.

Elle se mit à taper un exemple, quand le téléphone sonna.

— Je ferais mieux de prendre cet appel, dit-elle. Si vous avez des questions, n'hésitez pas.

Stacy s'assit devant le terminal, tandis que Patrick approchait une chaise.

— J'imagine que mieux vaut commencer par le plus évident, dit Stacy.

Elle tapa le nom Giardino et pressa Entrée.

— Aucun résultat, lut Patrick.

En succession rapide, elle essaya, Abel, Willa, Sam et même Carlo. Mais aucun dossier ne correspondait même de loin au ranch qu'Abel était censé posséder.

— Essaie Nordley, suggéra Patrick.

Rien.

Il s'adossa à son siège.

— Cela ne nous mène nulle part. Même dans un comté aussi petit, il doit y avoir des milliers de propriétés. On ne peut pas les passer toutes en revue.

— Tu as raison.

Stacy revint à la page d'accueil et repoussa sa chaise.

— J'ai une idée. Donne-moi une minute.

Arborant son sourire le plus aimable, elle s'approcha de l'employée.

— Vous pourriez peut-être m'aider, dit-elle. J'écris une thèse universitaire sur les ranchs historiques du comté de Gunnison. Savez-vous s'il existe une liste des ranchs dans cette région ?

La femme plissa le front.

— La société historique pourrait peut-être vous renseigner, dit-elle.

— Donc vous n'avez pas de liste des ranchs ou quelque chose d'approchant chez vous ?

— Nous avons une carte mise au point par l'association des éleveurs il y a quelques années, mais elle ne vous dira pas si les ranchs sont historiques ou non.

— Pourrais-je la voir ? Ce serait un bon début.

— Je pense que j'en ai une copie par là.

Elle battit en retraite dans une pièce du fond et revint quelques minutes plus tard avec un rouleau jauni.

— Voilà. N'oubliez pas de me le rendre quand vous aurez fini.

Résistant à l'impulsion de dérouler la carte et de l'examiner sur-le-champ, Stacy rapporta sa prise au poste de travail.

— Cette carte est censée répertorier les ranchs de la région, expliqua-t-elle à Patrick.

Celui-ci saisit l'extrémité du rouleau et l'aida à étaler le document. Il s'agissait d'une représentation artistique du comté, avec des chaînes de montagnes, des forêts, du bétail et de minuscules skieurs minutieusement dessinés. Stacy survola les noms des ranchs : Red Hawk, Powderhorn Creek, Pogna Ranch, et s'arrêta sur un nom accolé à une parcelle proche de la ville.

— Willing and Able[1], lut-elle. C'est sûrement ça. C'est un jeu de mots avec leurs prénoms, Willa et Abel.

1. C'est-à-dire : Capable et Résolu (N.d.T.)

Patrick tira un calepin de sa poche et nota la situation générale du ranch. Stacy, quant à elle, tapa le nom de la voie à l'ordinateur et obtint une liste de propriétés dans le voisinage. La troisième à partir du sommet indiquait « A.G. Holdings ».

— Abel Giardino, énonça-t-elle.

Patrick approuva de la tête et remit son calepin dans sa veste.

— Allons y jeter un coup d'œil.

Stacy rendit la carte à l'employée.

— Vous avez trouvé ce que vous cherchiez ? demanda celle-ci.

— Je crois. Je vous remercie infiniment.

Elle ne pouvait réprimer un large sourire. Dans peu de temps, elle allait sans doute revoir son fils.

— Dépêchons-nous, dit-elle à Patrick en se ruant vers la Jeep.

Il la suivit plus lentement. Une fois qu'ils eurent attaché leurs ceintures, il se tourna vers elle tout en mettant le contact.

— Pour le moment, nous allons passer devant pour nous assurer que c'est le bon endroit et pour repérer les guetteurs du FBI. Je doute que nous les verrons, ils sont très bons. Mais nous n'allons ni nous arrêter ni nous attarder. Et nous n'allons pas rouler jusqu'à la porte d'entrée pour demander à voir Carlo.

— Bien sûr que non, dit-elle, alors qu'une part d'elle-même visualisait précisément ce scénario.

— Je sais que c'est dur d'être aussi près du but et de devoir attendre, ajouta-t-il. Mais pour récupérer Carlo sans encombre, il nous faut un plan. J'espère que ce trajet nous donnera une idée pour approcher la maison sans nous faire voir des fédéraux ou des gardes d'Abel. Ce n'est qu'une mission de reconnaissance.

— D'accord, acquiesça-t-elle en pressant le verrouillage des portières.

Elle se conformerait à ses ordres pour l'instant, mais si elle voyait Carlo, elle ignorait ce qu'elle ferait.

Après avoir consulté la carte donnée par l'agence de locations de voitures, Patrick sortit de la ville et s'engagea sur un chemin de terre qui filait entre les champs enneigés, entourés de fils barbelés. Ils dépassèrent des troupeaux de vaches. Les sabots dans la neige, les animaux broutaient du fourrage dont la couleur vert sombre tranchait sur ce tapis d'un blanc immaculé.

D'autres champs vides déroulaient un manteau de neige aussi lisse qu'un glaçage de gâteau de mariage, pas même foulé par des animaux sauvages. Stacy songea de nouveau à l'isolement de la campagne.

— Je ne pourrais jamais vivre ici, dit-elle. C'est trop loin de tout.

— Certaines personnes aiment ça, je pense, dit-il. Pas de voisins pour épier vos faits et gestes.

Pas de voisins pour remarquer un petit garçon surgi de nulle part.

— Nos voisins à New York étaient sûrement au courant de tas de choses, dit-elle. Mais ils avaient la sagesse de se taire.

— J'imagine.

Patrick rétrograda pour aborder une pente plus raide.

— Le ranch Willing and Able devrait se trouver juste au sommet, après le tournant.

Stacy se pencha en avant pour survoler les champs déserts et clôturés. Ils roulèrent encore cinq minutes avant qu'un chemin apparaisse, fermé par un portail en fer forgé surmonté d'un simple W&A. La neige accumulée montrait toutefois des signes d'un récent passage.

Stacy tendit le cou mais ne vit qu'un rideau d'arbres masquant le chemin.

— Je croyais qu'on verrait au moins la maison.

Une maison avec le visage d'un petit garçon pressé contre la vitre, attendant sa mère.

— Les habitations sont bâties à l'écart de la route, en général, dit Patrick. Je pensais que le mieux serait de nous faire une idée de la disposition des lieux et de repérer la position des agents fédéraux.

— Et qu'as-tu décidé ?

— Je crois qu'ils surveillent sans doute le portail. Il y a un autre chemin qui croise celui-ci. Ils sont probablement postés dans les arbres.

— Tu crois qu'ils nous ont reconnus ? questionna-t-elle l'estomac noué.

— J'ai baissé la tête et la tienne était tournée. Ils vont sans doute vérifier la plaque d'immatriculation, mais ils découvriront que c'est une location et je me suis servi d'une fausse carte.

Un rire de surprise échappa à Stacy.

— Tu as une fausse carte d'identité ?

Patrick rougit légèrement.

— C'est pratique parfois.

— Et moi qui pensais que tu étais d'une droiture à toute épreuve !

— Je fais ce qu'il faut pour protéger ceux qui me sont confiés.

Elle lui pressa la main.

— Merci de me protéger. Et merci d'être resté avec moi après que Sullivan nous a surpris ensemble. Je sais que tu n'y étais pas obligé.

— Je ne te quitterai pas tant que tu ne seras pas en sécurité.

Mais il la quitterait à ce moment-là. Cette certitude fit poindre la peine au fond de sa poitrine. Quand cet homme, qu'au début elle détestait et dont elle avait même peur, était-il devenu si important pour elle ? Ses sentiments envers lui s'étaient modifiés bien avant qu'ils ne couchent ensemble. Une part d'elle-même avait accepté l'idée que le marshal Patrick Thompson était quelqu'un sur qui elle pouvait compter. A qui elle pouvait confier ses secrets les mieux gardés.

Confier son cœur.

Elle repoussa cette idée. Elle devait penser à Carlo à présent, rien qu'à lui. Tout le reste, y compris les soucis futurs, était secondaire par rapport à la nécessité de libérer son fils.

— Comment allons-nous faire pour arriver jusqu'à la maison et chercher Carlo ? demanda-t-elle.

— Il faudra trouver un chemin par-derrière. J'ai une idée. Mais d'abord, filons d'ici.

Il tourna dans un autre chemin, marqué d'un panneau vert du Service des Forêts. Après avoir roulé pendant presque une heure, ils émergèrent sur la grand-route, au sud de la ville.

— Nous allons prendre une chambre d'hôtel, dit Patrick. Nous pourrons y discuter sans être entendus et faire des plans.

— D'accord.

Louer une chambre représentait encore un délai, mais argumenter avec Patrick aussi. Et quand ils auraient trouvé Carlo, ce serait bon d'avoir un lieu confortable où le ramener.

Ils trouvèrent une chambre libre dans un petit motel du centre et ne prirent pas la peine de transporter leurs bagages à l'intérieur. Mais ils emportèrent la carte, que Patrick étala sur une table près de la fenêtre.

— Voilà la route que nous avons prise, lui indiqua-t-il en la suivant du doigt.

— Et là, c'est le ranch.

Elle pointa le virage à proximité du portail de la propriété.

— Oui. Maintenant, voyons voir...

Il pressa quelques touches sur son téléphone, puis tourna l'écran vers elle pour le lui montrer.

Stacy contempla l'image de plusieurs toitures groupées entre des arbres.

— Qu'est-ce que c'est ?

— C'est l'image Google Earth du ranch d'Abel.

— Tu plaisantes !

Il secoua la tête.

— Pas besoin de satellite gouvernemental. Tout le monde peut regarder ça en ligne.

— Je me demande si Abel le sait.

— Même s'il le sait, il ne peut rien faire pour l'empêcher.

Il posa le téléphone à côté de la carte et fit un zoom avant.

— Cette photo a été prise en été. Tu vois le chemin qui serpente derrière la maison puis repart dans l'autre sens ?

Il pointait une ligne très fine sur la carte.

— C'est cette route-là.

— Ce n'est pas vraiment une route, dit-elle. Plutôt un sentier.

— Mais c'est une voie d'accès.

— Sauf qu'il n'est sans doute pas déneigé l'hiver.

— S'il l'est, les fédéraux ont dû le placer sous surveillance. Si non, ils ne se sont sans doute pas donné la peine de l'inspecter de près.

— Mais ça ne nous sert à rien. Même avec une Jeep, on ne peut pas passer sur une route enneigée. Tu as vu la hauteur de la neige !

— On ne peut pas rouler, mais on peut marcher. Où plutôt marcher avec des raquettes.

— Abel va nous repérer à des kilomètres. Et on ne peut pas courir avec des raquettes.

— Nous attendrons qu'il fasse nuit. Ils ne nous verront pas et nous n'aurons besoin pas de courir.

— Carlo ne pourra pas aller loin dans la neige, et il est trop lourd pour que je le porte.

— Je pourrai le porter.

Elle contempla l'image des toits. Son fils se trouvait-il vraiment là ?

— Je ne sais pas. Tu crois qu'on peut y arriver ?

— On peut. Je pense que c'est le meilleur moyen d'approcher sans nous faire voir. Une fois que nous aurons déterminé où il se trouve dans la maison, nous entrerons et ressortirons en faisant le moins de bruit possible.

Elle le dévisagea.

— A t'entendre, tu as fait ce genre de choses toute ta vie.

— J'ai fait mon service militaire dans les Forces spéciales.

— Je vais de surprise en surprise avec toi !

— Avant longtemps, tu connaîtras tous mes secrets, dit-il.

Il ne souriait pas exactement, mais son regard déclencha une onde de chaleur dans le ventre de Stacy.

— Comment pourrais-je dire non quand tu le présentes comme ça ?

Elle inspira profondément.

— Et ensuite ?

— Nous avons besoin de vêtements chauds, de raquettes et de quelques autres articles. Allons faire des courses.

Bonne idée, elle s'y connaissait en courses. En outre, faire les magasins fournirait un répit bienvenu dans son inquiétude pour Carlo et les chances de succès de ce plan insensé.

Dans un petit magasin non loin de leur hôtel, ils firent l'emplette de caleçons longs, de pantalons et d'anoraks, de bonnets, de moufles et de raquettes.

— Celles-ci ont un profil étroit qui rend la marche — et même la course — encore plus facile, souligna le vendeur tout en aidant Stacy à attacher les raquettes en aluminium. Vous aurez aussi besoin de piquets.

Il fit coulisser une paire de piquets en aluminium et les lui tendit.

Debout au milieu de la boutique, elle planta les piquets

de chaque côté d'elle et regarda Patrick. Il s'affairait à ranger leurs achats dans un grand sac à dos.

— Je pense que je pourrai y arriver, dit-elle.

— Croyez-moi, il n'y a rien de plus facile, affirma le vendeur.

En sortant du magasin, ils longèrent une enfilade de boutiques qui vendaient de tout, depuis des T-shirts jusqu'à des ustensiles de cuisine.

— Nous avons besoin d'autre chose ? demanda Stacy.

— C'est seulement pour passer le temps, répondit Patrick. Si tu as envie d'entrer quelque part, dis-le.

Elle s'arrêta devant une vitrine exposant une luge et des jeux vidéo.

— Entrons ici.

Le magasin était rempli de toutes sortes de jouets qui auraient ravi Carlo, mais Stacy arrêta son choix sur un gros nounours brun orné d'un ruban bleu autour du cou.

— Je crois que ça va lui plaire.

Quand ils ramèneraient son fils à l'hôtel — et elle priait pour que ce soit bien le cas —, elle lui offrirait le nounours pour le réconforter et le distraire.

— Je suis sûr que oui, approuva Patrick en sortant son portefeuille pour payer.

Ils déjeunèrent d'une pizza dans un restaurant au bout de la rue.

— Tu crois que Sullivan a raison de dire que Carlo va bien ? demanda-t-elle en grignotant un morceau de pepperoni.

— Je crois qu'il ne veut pas que tu saches qu'ils l'ont trouvé, mais je suis sûr qu'il va bien. Abel a besoin de lui pour récupérer l'argent.

— Et quel est le rôle du sénateur là-dedans ?

— Les rumeurs disent qu'il veut se présenter aux présidentielles. Cela demande beaucoup d'argent. Abel

La détresse d'une mère

152 *La détresse d'une mère*

lui a peut-être promis une part de l'héritage s'il l'aide à mettre la main dessus.

— En ce qui me concerne, il peut tout avoir. Je veux seulement récupérer mon fils. Je ne veux pas de l'argent sale des Giardino.

— Tu as pourtant gagné ta part de leur fortune, selon moi, objecta Patrick. Cela pourrait vous rendre la vie plus facile, à toi et à Carlo.

— Je peux m'occuper de mon fils moi-même, rétorqua-t-elle. Je préfère être pauvre et ne rien devoir à cette famille. Je pense même changer de nom, une fois que tout sera fini.

— Tu reprendras ton nom de jeune fille ?

Elle fit la grimace.

— C'est le nom de mon père, et on ne peut pas dire qu'il m'ait rendu service. Je préfère prendre un autre nom et un nouveau départ.

— Si tu intégrais le programme de protection des témoins, tu pourrais choisir un nom à ta guise.

Devant son froncement de sourcils, il leva la main.

— Je sais que tu ne veux pas le faire, mais je voulais juste souligner que ça implique automatiquement un nouveau départ.

— J'y réfléchirai.

Peut-être ne serait-ce pas une mauvaise idée, après tout, de laisser le gouvernement la prendre en charge. Et cela voudrait dire qu'elle pourrait continuer à voir Patrick, au moins de temps en temps.

Après le déjeuner, ils remontèrent lentement le trottoir opposé. Quand ils furent de retour à l'hôtel, Stacy se laissa tomber sur le lit.

— Cette attente me tue. Quand pourrons-nous y aller ?

— La nuit tombe assez tôt en ce moment. On pourra se mettre en route vers 16 h 30.

Elle jeta un coup d'œil au réveil.

— Il est 15 heures.

— Essaie de dormir un peu. La nuit va être longue.

— Qu'est-ce que tu vas faire ?

— Ranger l'équipement.

Il avait déjà étalé les achats sur la table et déballait certains articles : une lampe de poche, des barres de céréales, des bouteilles d'eau, une trousse de premiers secours, une couverture de survie et d'autres choses encore.

— Tu peux t'allonger sur le lit, je te promets que je ne sauterai pas dessus, lança-t-elle.

Patrick eut l'air surpris.

— Quoi ?

— Je sais que tu te sens coupable d'avoir couché avec moi. Tu penses que tu as négligé ton devoir, trahi ton serment ou quelque chose comme ça.

— Tu as tort.

Il continua à défaire l'emballage d'une petite paire de jumelles.

— Je devrais sans doute me sentir coupable, mais je ne regrette pas d'avoir fait l'amour avec toi.

— Alors pourquoi est-ce que tu évites de me toucher ?

Il posa les jumelles et la regarda.

— Parce que si je te touche — si je m'allonge à côté de toi —, je ne me pourrais pas me contenter de faire la sieste.

— Oh !

Ces paroles — et le regard brûlant qui les accompagnait — la firent frissonner jusqu'aux orteils.

— Tu dois être épuisée, poursuivit-il. Tu te fais du souci pour ton fils et tu es nerveuse à propos de ce soir. Le sexe est sans doute la dernière chose dont tu as envie. J'essaie de me conduire en gentleman.

Elle était effectivement soucieuse et nerveuse, mais ce n'était pas ce qui prédominait en elle à cet instant.

— Ce n'est pas d'un gentleman que j'ai besoin, déclara-t-elle. C'est de toi.

Le silence de Patrick lui fit l'effet d'un étau autour de la poitrine. Peut-être n'aurait-elle pas dû se montrer si franche et directe. Peut-être n'avait-il pas envie d'elle et essayait-il de trouver une façon polie de dire non.

Mais, soutenant toujours son regard, il se leva et commença à déboutonner sa chemise.

— Je n'ai jamais été doué pour jouer les gentlemen de toute façon.

13

Si leurs premiers ébats amoureux avaient été marqués par l'incertitude et l'hésitation propres aux nouveaux amants, Stacy avait entretemps gagné en confiance et en audace. Quand ils furent nus sous les couvertures, elle s'offrit le luxe d'explorer le corps de Patrick, admirant les muscles qui jouaient sous sa peau, se délectant de sa sensibilité aux chatouilles et s'enchantant de la barbe qui ombrait sa mâchoire.

— Qu'est-ce que c'est ? demanda-t-elle en passant le doigt sur une cicatrice toute plissée en travers de sa cuisse.

— Le tir d'un sniper.

— Et ça ? continua-t-elle en désignant une trace violette sur son biceps.

— Une balle.

Il couvrit sa main de la sienne.

— Si tu commences à faire l'inventaire de mes cicatrices, nous y serons encore demain matin.

Il étouffa sa réponse sous un baiser qui était en soi une réponse suffisante. Stacy n'avait jamais connu de tels baisers, à la fois doux et profonds, tendres et insistants. Ils lui donnaient le vertige, lui coupaient le souffle et la laissaient avec le sentiment d'être... chérie. Elle ouvrit les yeux et croisa son regard.

— J'aime que tu me regardes quand nous faisons l'amour, dit-il.

— Je ne veux rien manquer, dit-elle.

Avec Sammy — avant leur éloignement définitif —, elle gardait les yeux fermés pour éviter de lire sur son visage le dédain qu'il lui vouait. Les yeux de Patrick ne recelaient aucun mépris, rien que du désir, de l'ardeur et quelque chose qui ressemblait à de l'admiration.

Ce jour-là, ils firent l'amour avec langueur, s'offrant mutuellement du plaisir et faisant durer les choses jusqu'aux limites de l'épuisement. Quand Patrick l'eût pénétrée, Stacy le renversa sur le dos afin de le chevaucher. Il posa les mains sur ses hanches pour la guider et, très vite, sa respiration précipitée et l'expression vaporeuse de ses yeux lui dirent qu'il était près de perdre tout contrôle. Mais il renversa les rôles en la caressant entre les jambes et elle jouit avec un cri de délice.

Ensuite, ils restèrent allongés côte à côte, blottis dans une douce satisfaction. Le rai de lumière qui passait entre les rideaux vira lentement du doré au gris.

— Pas de larmes, cette fois, dit-il.

— Pas de larmes.

Les motifs pour pleurer ne manquaient pas, mais Patrick n'en faisait pas partie. Elle sangloterait peut-être quand il la quitterait, mais pas maintenant. Elle ne voulait pas gâcher cet instant avec du chagrin.

Patrick n'avait pas eu l'intention de s'endormir, mais il avait dû dériver dans le sommeil sans s'en rendre compte. Quand il s'éveilla, il faisait tout à fait noir et seule la lumière du parking filtrait par la fenêtre. Stacy était recroquevillée contre lui ; il la secoua gentiment.

— Stacy, c'est l'heure de partir.

Elle remua et cacha la tête sous les couvertures. Il la secoua plus fort.

— C'est l'heure d'aller chercher Carlo.

— Carlo !

Elle entrouvrit les yeux et se redressa en rejetant les couvertures.

— Quelle heure est-il ?

Il jeta un coup d'œil au réveil.

— 18 heures passées.

— Oh non ! Nous sommes en retard.

Sautant du lit, elle se mit à ramasser ses vêtements.

— Tout va bien, la rassura Patrick en s'approchant de la table et en fouillant dans les achats. Nous avons tout notre temps. Cela vaut peut-être mieux de partir plus tard. N'oublie pas de t'habiller chaudement.

— Je suis nerveuse tout à coup, dit-elle. Et si nous ne le trouvons pas ? Et si les fédéraux nous arrêtent ? Ou les hommes d'Abel ?

— Stacy, arrête, lui dit-il en lui posant une main sur l'épaule. Tout ira bien. Tu peux y arriver.

Elle croisa son regard et sa panique diminua un peu. Elle hocha la tête.

— Tu as raison. Ensemble, nous y arriverons.

Une demi-heure plus tard, ils quittèrent la ville à la lueur des phares de la Jeep. Patrick emprunta l'itinéraire repéré sur la carte, afin d'éviter les guetteurs postés par le FBI. Mais cela impliquait de rouler lentement sur des routes étroites et sinueuses. Tendue, Stacy ne disait rien et se cramponnait au tableau de bord pour amortir les cahots du véhicule.

Après plus d'une heure de trajet, ils dépassèrent un trou dans la clôture. Patrick s'arrêta, recula et manœuvra de façon à éclairer l'ouverture. Les phares illuminèrent les plis presque imperceptibles d'un sentier recouvert de neige. Il vérifia les coordonnées GPS sur son téléphone.

— C'est ici que nous descendons.

— On laisse la Jeep ici ? s'étonna Stacy.

— Je vais la garer sous les arbres là-bas. Je doute que

quiconque passe par ici à cette heure. Il n'y a aucune trace dans la neige.

Il rangea le véhicule et, sortant leurs raquettes, ils se mirent en devoir de les attacher. Stacy fit quelques pas hésitants.

— Qu'est-ce que tu en penses ? lui demanda Patrick.

— Pas mal. J'espère que ça ira dans la neige épaisse.

Elle renversa la tête en arrière pour contempler le ciel. Les nuages présents dans la matinée s'étaient dispersés, découvrant un ciel d'un noir d'encre, piqueté d'un million d'étoiles et d'un mince croissant argenté.

— C'est beau, dit-elle en regardant son haleine former un petit nuage.

— Beau mais froid.

Il s'approcha et lui tendit une paire de chaufferettes chimiques.

— Mets ça dans tes gants.

— Merci.

Elle plaça les sachets à l'intérieur de ses moufles, puis alluma la torche qu'il lui tendait aussi.

— Il y a environ un kilomètre et demi jusqu'à la maison, dit-il. On y va doucement et on ne parle pas. Je ne pense pas qu'il y ait des oreilles à proximité, mais mieux vaut prévenir que guérir.

— Et s'ils ont des chiens ?

— Ils ne rôderont pas autour de la maison par ce froid. Nous serons vigilants. Tu es prête ?

— Oui. Allons-y.

Il s'enagea sur le sentier enneigé. Leurs traces étaient clairement visibles pour quiconque passait par là, mais il n'y avait aucun moyen de les dissimuler. Il adopta une allure vive, mais ralentit bientôt en voyant Stacy traîner en arrière. Il s'arrêta et attendit qu'elle le rattrape.

— Je suis désolée, murmura-t-elle. Je…

Il mit un doigt sur ses lèvres en secouant la tête et lui

tendit une bouteille d'eau. Elle but et il fit de même avant de replacer la bouteille dans son sac et de lui tapoter l'épaule. *Tu te débrouilles bien*, aurait-il voulu lui dire, mais au lieu de cela, il leva les pouces et lui fit signe de se remettre en marche.

Il raccourcit ses enjambées et Stacy put se maintenir à sa hauteur. Emergeant des bois, le sentier se poursuivait au milieu des prés. Les congères étaient plus profondes et leurs raquettes s'enfonçaient dans la neige molle. Visiblement, personne n'était passé par là depuis un bon moment, signe que les fédéraux avaient négligé cette voie d'accès.

Au bout d'une demi-heure, ils virent apparaître des lumières, et après un détour du sentier, se trouvèrent face à une maison entourée d'une demi-douzaine de dépendances — écuries, garage et remises. Patrick fit halte et Stacy s'arrêta derrière lui, assez près pour qu'il entende son souffle.

Il tendit l'oreille en quête d'aboiements de chiens, de ronflements de moteur, de cris ou de voix indiquant qu'ils avaient été repérés. Tirant les jumelles de son anorak, il survola la zone, en pensant avec nostalgie aux lunettes de vision nocturne dont il se servait dans l'armée. Mais les lumières extérieures fournissaient assez de clarté pour qu'il ait la certitude que les abords étaient déserts.

Ils allaient devoir s'approcher beaucoup plus près pour trouver le petit garçon. Il toucha l'épaule de Stacy et lui fit signe qu'ils devaient déchausser leurs raquettes.

Une fois leur équipement mis de côté, ils reprirent leur progression vers la maison, en restant autant que possible dans l'ombre. La neige leur montait jusqu'aux genoux et Stacy marchait littéralement sur ses traces. Mais si le manteau glacé ralentissait leur allure, il étouffait aussi le bruit de leur avancée. La maison demeura silencieuse, ses habitants inconscients de leur présence.

Ils firent de nouveau halte à une centaine de mètres de

la maison, d'où ils avaient vue à la fois sur la façade et sur l'arrière. Rien ne bougeait ; les seuls bruits perceptibles étaient un ronflement provenant sans doute d'une chaudière et le léger râle de leurs propres respirations.

Stacy lui tira le bras et il se pencha vers elle. Collant sa bouche à son oreille, elle lui chuchota :

— Les rideaux sont tirés à toutes les fenêtres. Comment savoir où se trouve Carlo ? Et comment arriver jusqu'à lui ?

Le plan initial de Patrick était de se dissimuler et d'observer la maison et ses habitants pour comprendre la disposition des pièces. Cependant, vue l'heure avancée, ils pourraient y passer la nuit sans en apprendre davantage. Et plus ils s'attardaient, plus le risque augmentait que quelqu'un remarque la Jeep et leurs traces.

Il fit demi-tour et entraîna Stacy assez loin sur le sentier pour être certain qu'on ne les entendrait pas.

— Il faut entrer, dit-il.

— Comment ? Les portes sont sûrement verrouillées et il y a sans doute des gardes.

— Je peux crocheter les serrures. Mais je ne pense pas qu'il y aura des gardes.

— Sam avait toujours des gardes du corps, objecta Stacy.

— Mais Abel n'est pas Sam. C'est un éleveur, pas un gangster. Et il n'y a pas assez de véhicules. Le garage ne peut contenir que deux voitures et dehors, il n'y a qu'un vieux camion. Il est recouvert de neige, comme s'il n'avait pas servi depuis des semaines.

— Ils se sont peut-être garés ailleurs.

— Peut-être, mais pourquoi se donner tant de peine ? Abel est chez lui, il se sent en sécurité. S'il a des gardes, ils sont sans doute au portail principal, le seul accès à cette époque de l'année.

— Mais on prend quand même un risque énorme.

— Tu préfères t'en aller et laisser Carlo ici ?

— Non, bien sûr que non.

— Bon, alors suis-moi. Reste derrière moi et ne fais pas de bruit. D'après ce que j'ai pu voir, il y a une porte devant, une porte de côté qui ouvre sur le garage et une porte derrière, qui donne sans doute dans la cuisine ou dans un débarras.

— C'est ce que j'ai vu aussi.

— Nous allons d'abord essayer la porte de derrière. S'il y a du bruit, on passera à une autre porte.

— Qu'est-ce qu'on fera quand on trouvera Carlo ?

— S'il est seul, on l'emmène par le même chemin. S'il n'est pas seul, je m'occupe de celui qui le garde et toi, tu t'occupes de lui. Si on est séparés, on se retrouve à la Jeep.

— D'accord.

Elle hésita puis se hissa sur la pointe des pieds pour l'embrasser sur la joue.

— Merci, murmura-t-elle. Pour tout.

Elle aurait dû attendre que son fils soit en sécurité pour le remercier, mais il ne le lui dit pas et se contenta de lui tapoter l'épaule avant de se remettre en marche. Il avait délibérément sous-évalué les risques afin de ne pas l'effrayer, mais lui-même ne se faisait aucune illusion. Il leur faudrait tout son savoir-faire — et une bonne dose de chance — pour s'en sortir indemnes.

Emergeant de l'ombre, Stacy suivit Patrick à travers le champ de neige immaculée derrière la maison. Leurs pas creusaient des trous sombres, en une ligne oblique qui traversait la cour. Ils firent halte au bas du perron et tendirent l'oreille. La chaudière s'arrêta brusquement. Quelque part à l'intérieur de la maison, des voix s'élevèrent, suivies du bourdonnement de rires préenregistrés : la télévision.

Patrick s'essuya les pieds et brossa le bas de son pantalon, s'efforçant d'enlever le plus de neige possible. Stacy fit de même. Leus yeux se rencontrèrent et il hocha la tête avant de gravir les marches.

La poignée de la porte tourna sans difficulté. Peut-être avait-il raison et Abel ne raisonnait-il pas comme un criminel, songea Stacy. Sam n'aurait jamais laissé une porte ouverte, surtout la nuit.

Son cœur se mit à battre douloureusement tandis que Patrick entrouvrait la porte et se glissait à l'intérieur avec grâce malgré son volumineux sac à dos. Quelques secondes plus tard, il lui fit signe de le suivre.

Une lampe au-dessus de la cuisinière projetait une faible lueur sur un sol en lino rouge éraflé et des surfaces en formica blanc. Un égouttoir contenant quatre assiettes, quatre fourchettes, trois verres et une tasse trônait près de l'évier. Stacy eut un sursaut d'allégresse en comptant les couverts. Si l'un d'eux appartenait à Carlo, cela voulait dire qu'il n'y avait que trois adultes dans la maison.

Une des portes de la cuisine menait dans une salle à manger obscure. Patrick s'immobilisa sur le seuil et l'attira près de lui. De là où ils se trouvaient, ils pouvaient voir dans le salon, où un homme et une vieille femme étaient assis dans des fauteuils, devant un grand écran plat de télévision. Stacy survola la pièce en quête de Carlo, en vain.

Ils battirent en retraite dans la cuisine et s'approchèrent de la deuxième porte, qui débouchait sur un couloir exigu et un escalier. Patrick commença à le gravir en restant près de la rampe. Stacy lui emboîta le pas, s'efforçant de peser le moins possible sur les marches.

Au sommet de l'escalier, ils s'immobilisèrent de nouveau pour écouter. Le son d'une publicité pour une chaîne de fast-food leur parvint.

— Il reste de la glace ? demanda une voix d'homme.

— Dans le freezer, répondit une femme. Apporte-m'en aussi.

Prise de vertige, Stacy se cramponna à la rampe. Le

plancher se mit à grincer en dessous, tandis que l'homme entrait dans la cuisine où, quelques secondes plus tôt, il les aurait trouvés. La lumière inonda la pièce quand l'homme pressa l'interrupteur et Stacy retint son souffle. Allait-il remarquer quelque chose ? Avaient-ils laissé des traces de neige malgré leurs efforts ?

La main de Patrick sur son bras la força à ramener son attention sur lui. Il lui fit signe de prendre le couloir à gauche de l'escalier. Elle le suivit sur la pointe des pieds, en direction d'une porte sous laquelle brillait de la lumière.

Le plafonnier s'éteignit dans la cuisine quand ils atteignirent une porte qui devait donner sur une chambre. Patrick colla l'oreille au panneau et, le contournant, elle fit de même.

Une femme parlait. Stacy ouvrit la bouche en reconnaissant *Max et les Maximonstres*, un des livres préférés de Carlo.

— Oh, s'il te plaît, ne t'en va pas — on veut te manger, on t'aime tellement !

— C'est le passage que je préfère, dit un petit garçon.

Stacy se mordit le pouce pour s'empêcher de crier. Patrick posa une main apaisante sur son épaule. Elle hocha la tête, bien qu'il lui fallût toute sa force de volonté pour ne pas se précipiter dans la pièce et s'emparer de son fils. Elle regarda Patrick avec des yeux suppliants.

— Qu'est-ce qu'on fait maintenant ? articula-t-elle silencieusement.

Il lui fit signe de patienter.

Les minutes s'écoulèrent tandis qu'elle écoutait la femme achever l'histoire. L'album était-il si long quand c'était elle qui le lisait ? Quand Max fut finalement revenu sain et sauf chez lui, la femme déclara :

— Fin.

— Encore une fois, supplia Carlo de la même manière qu'il le faisait avec Stacy.

— C'est l'heure de dormir, répondit la femme.

— Quand est-ce que maman va arriver ? questionna le petit garçon.

Stacy laissa échapper un gémissement sans pouvoir s'en empêcher. Patrick lui serra l'épaule plus fort.

— Ta maman viendra peut-être demain, dit la femme. Maintenant ferme les yeux et endors-toi.

— Je veux un verre d'eau.

Patrick se raidit et se déplaça de l'autre côté de la porte. Stacy recula dans l'ombre du même côté.

Des pas traversèrent la chambre, puis la poignée tourna et un rai de lumière tomba sur le plancher du couloir. Une petite femme entre deux âges avec de longs cheveux gris sortit de la chambre. En un clin d'œil, Patrick lui plaqua une main sur la bouche et l'entraîna dans la salle de bains de l'autre côté du couloir. Stacy se faufila dans la pièce.

— Maman ! cria Carlo.

— Chut ! Chut !

Un doigt sur les lèvres, elle se précipita vers lui.

— Ne fais pas de bruit. Je ne veux pas qu'oncle Abel sache que je suis là.

Le petit garçon fronça les sourcils.

— Pourquoi ?

— C'est une surprise.

Elle l'enveloppa dans le couvre-lit et le prit dans ses bras. Il portait un pyjama en flanelle bleue imprimée de petits camions de pompiers, et elle sentit le dentifrice dans son haleine.

— Tu m'as tellement manqué, murmura-t-elle en le serrant très fort.

— Toi aussi, tu m'as manqué. Où tu étais ?

— Chut ! On ne peut pas parler maintenant. Promets-moi de ne pas faire de bruit du tout. Avec un ami, on va t'emmener faire des raquettes dans les bois. Ce sera bien, non ?

— Mais il fait noir !

Il regarda par la fenêtre.

— Et il fait froid.

— S'il te plaît, mon chéri, tout ira bien, je te le promets. Ne dis rien et fais juste ce que maman te dit.

— Oncle Abel et grand-mère Willa ne vont pas aimer ça, dit-il.

Elle hésita. Comment pouvait-elle expliquer le danger à un enfant de trois ans ?

— Non, ils ne vont pas aimer ça. Et s'ils attrapent maman ici avec toi, ils pourraient nous faire du mal. Alors c'est très important qu'on s'en aille sans qu'ils s'en aperçoivent.

Malheureusement, ses explications ne firent qu'ajouter à la confusion du petit garçon.

— Mais oncle Abel m'a dit que tu allais bientôt venir me voir. Et il m'a promis de m'emmener faire une promenade à cheval.

— Tu pourras le faire bientôt.

Elle enroula plus étroitement la couverture autour de lui.

— Tu as des bottes de neige ?

— Elles sont en bas.

Ils n'avaient pas le temps d'essayer de les trouver. Elle choisit de lui enfiler une paire de chaussettes.

La porte de la chambre s'ouvrit et Patrick y passa la tête.

— Il faut y aller, murmura-t-il.

— Carlo, c'est mon ami, Patrick, dit Stacy. Il va venir faire des raquettes avec nous.

Les yeux de Carlo s'agrandirent.

— Il est grand.

— Bonjour, Carlo, dit Patrick. Tu me laisses te porter ? Carlo secoua la tête et se cramponna à sa mère.

— Mieux vaut que je le porte pour l'instant, fit celle-ci.

Patrick ouvrit la porte plus largement et lui fit signe de passer la première.

La cuisine était toujours plongée dans l'obscurité et la télévision continuait à brailler quand ils descendirent l'escalier. Carlo gigota et enfouit son visage dans le cou de

Stacy mais ne dit rien. Elle tira la courtepointe par-dessus sa tête et descendit les dernières marches avec précaution. Encore quelques pas et ils seraient dehors, à mi-chemin du salut.

Au pied de l'escalier, Patrick prit la tête, une main dans la poche de son anorak. Stacy était certaine qu'il tenait son arme. Elle se demanda ce qu'il avait fait de la baby-sitter, mais il lui faudrait attendre pour le savoir.

Ils traversèrent silencieusement la cuisine. Mais quand Patrick tenta d'ouvrir la porte extérieure, elle refusa de céder. Il tourna la poignée dans tous les sens, sans résultat.

— J'ai pensé à la fermer cette fois-ci, dit une voix derrière eux. Maintenant, retournez-vous lentement et laissez vos mains en vue.

— Oncle Abel, fallait pas que tu nous voies !

La voix enfantine de Carlo rompit le silence, rappelant aux adultes l'enjeu de la situation.

— Ton oncle Abel est plus malin que certains le pensent, rétorqua le vieil homme.

Il était fait sur le même moule que Sam, avec le même nez en lame de couteau et le même menton flasque. Mais il était plus gros et plus vieux que son frère, qui avait fait appel à la chirurgie esthétique et à des cures de thalasso hors de prix pour garder une apparence de jeunesse.

Abel agita son pistolet.

— Jeune homme, posez votre arme sur le comptoir.

Patrick fit ce qu'on lui demandait.

— Je ne vous laisserai pas prendre mon fils ! déclara Stacy en mettant Carlo à califourchon sur son autre hanche et en lançant un regard noir au vieil homme.

— Votre fils est un Giardino. Il appartient à cette famille, fit une voix âgée.

La vieille femme pénétra lentement dans la cuisine, poussant un déambulateur devant elle.

Ses cheveux gris clairsemés étaient coupés court comme ceux d'un homme, et elle était courbée par l'âge, mais sa voix était forte et ses yeux luisaient de détermination.

— Il appartient à sa mère, riposta Stacy.

La bouche de la vieille femme esquissa un rictus de dégoût.

— Sam n'aurait jamais dû vous laisser épouser son fils. Dès que je vous ai vue, j'ai compris que vous n'aviez aucun respect pour la famille. Il n'aurait jamais dû se donner la peine de vous sortir du ruisseau.

Stacy se redressa, les yeux étincelants. Si elle n'avait pas eu l'enfant dans les bras, elle se serait jetée sur la vieille, pensa Patrick.

— Votre famille ne mérite aucun respect, lança-t-elle.

La vieille balaya sa remarque d'un geste et se tourna vers son fils.

— Débarrasse-toi de l'homme et on s'occupera d'elle plus tard.

— Je veux d'abord savoir qui il est, dit Abel en enfonçant son pistolet dans les côtes de Patrick. Qui vous a envoyé ici ?

— Personne, répondit Patrick. J'ai accepté d'aider Stacy à retrouver son fils.

— Je vous l'ai dit, je ne suis pas stupide.

Il agita son arme d'un air menaçant.

— Vous êtes le marshal chargé de la protéger. Thompson.

Patrick s'efforça de ne pas trahir sa surprise. Personne n'était censé savoir où se trouvait Stacy depuis la mort de Sammy, ni avec qui. Abel avait peut-être entendu des spéculations dans les médias.

— Mon travail est de veiller sur sa sécurité et celle de son fils, dit-il. Le reste ne m'intéresse pas.

— Comme si j'allais vous croire ! Vous travaillez avec les fédéraux. Même si vous avez plus d'audace qu'eux, pour vous introduire comme ça chez moi !

— Il vous dit la vérité, intervint Stacy. Il n'est ici que pour m'aider. Laissez-nous partir et nous vous laisserons tranquilles.

— Taisez-vous, aboya la vieille femme. Je vous l'ai dit, on s'occupera de vous plus tard.

— J'ai quelque chose qui vous appartient, déclara

Patrick. Nous pouvons peut-être nous mettre d'accord pour faire l'échange.

— Qu'est-ce que vous avez qui m'appartient ?

— Cinquante mille dollars.

Le vieil homme haussa un sourcil.

— Cinquante mille dollars qui m'appartiennent ? Et où êtes-vous allé chercher ça ?

— Les deux hommes que vous avez envoyés au canyon les avaient.

— Les imbéciles ! J'avais dit à Abel que c'était une mauvaise idée. Il pensait que nous devions nous débarrasser de vous et amener Stacy ici. Vous seriez bien arrivé ici sans que ces deux-là s'en mêlent. Mais il n'écoute jamais sa mère.

Stacy dévisagea la vieille femme. Ses pensées se lisaient sur son visage : la vieille sorcière était-elle réelle ?

— Vous pensez sans doute que cinquante mille dollars représentent beaucoup d'argent pour quelqu'un comme moi, repartit Abel.

— C'est beaucoup d'argent pour la plupart des gens, rétorqua Patrick.

— Pas pour mon frère. Si vous aviez offert cinquante mille dollars à Sam, il l'aurait pris comme une insulte.

— Ce n'est pas à votre frère que je les offre, dit Patrick. C'est à vous.

— Qu'en penses-tu, Mère ? Ces deux-là valent-ils cinquante mille dollars ?

— Elle ne vaut pas un centime pour moi, et elle n'aura l'enfant à aucun prix.

— Carlo est mon fils, affirma Stacy. Vous n'avez aucun droit sur lui.

— Stacy, articula Patrick en lui jetant un regard d'avertissement.

Ils n'avaient rien à gagner dans une confrontation directe avec ces gens.

Elle se mordit la lèvre et fit un signe de tête indiquant qu'elle avait compris, puis posa la tête sur celle de Carlo. L'enfant lui murmura quelque chose et elle répondit en lui caressant le dos.

— Donnez-moi l'argent, exigea Abel d'une voix soudain tranchante.

— Il n'est pas ici, dit Patrick. Laissez Stacy et Carlo partir et, une fois qu'ils seront en sécurité, je vous l'apporterai.

— Et qu'est-ce que je ferai de vous ? se moqua Abel en découvrant une incisive manquante. Je vous tuerai ? Je pourrais le faire tout de suite, de toute façon.

— Patrick, non ! s'exclama Stacy. Je ne partirai pas sans toi.

— Alors c'est ça ? commenta Abel d'un air sinistre. Mon neveu n'est pas encore refroidi dans sa tombe que vous couchez déjà avec un flic ?

Willa lança une insulte obscène. Stacy plaqua une main sur l'oreille de Carlo.

— Je crois que je vais vous tuer, dit Abel.

— Pas devant l'enfant, l'admonesta Willa, comme s'il s'agissait d'un péché mineur.

— Non, pas devant l'enfant, approuva Abel.

Il fit de nouveau signe à Patrick.

— Prenez votre sac et tournez-vous vers la porte, mains derrière le dos.

Patrick s'exécuta aussi lentement que possible sans toutefois provoquer l'ire du vieil homme. Stacy le dévisageait, oscillant entre la peur et la colère.

— Alors vous vous fichez de l'argent ? lança Patrick, une fois face à la porte.

— Je me demandais ce qui lui était arrivé, mais il y en a plein là d'où il vient. Cinquante mille ne sont rien comparés à ce que j'aurai dès que Stacy aura signé quelques papiers pour moi.

— Je ne signerai rien du tout à moins que vous ne relâchiez Carlo, dit-elle.

— Le petit sera très bien avec Mère et moi. Nous l'aimerons comme le fils et le petit-fils que nous n'avons jamais eu.

Il ouvrit un tiroir et en sortit un rouleau d'adhésif.

— Tu aimes être ici, n'est-ce pas, Carlo ? Tu vas apprendre à monter à cheval comme un cow-boy ?

Le petit garçon ne dit rien. Il fit la moue et regarda son grand-oncle enrouler des longueurs d'adhésif autour des poignets de Patrick.

L'esprit de ce dernier était en ébullition. Il devait faire tout son possible pour rester avec Stacy et Carlo. Dès qu'Abel l'aurait isolé, il le tuerait sûrement. Les mains ligotées, il aurait peu de chances de maîtriser le vieil homme. Des années de travail au ranch avaient développé les muscles de celui-ci, et l'arme mettait toutes les chances de son côté.

— Même si Stacy signe les papiers qui vous donnent le contrôle de l'héritage, vous n'aurez pas la garde légale de Carlo, dit-il.

— Quoi, vous êtes aussi avocat ?

Abel déchira une dernière bande d'adhésif, la mit en place et recula.

— Nous nous sommes occupés de ça.

— Stacy va nous remettre la garde de Carlo, déclara Willa.

— Certainement pas, lança Stacy.

— Vous le ferez parce que vous ne voulez pas qu'on fasse du mal au petit, riposta Willa en souriant d'un horrible sourire, que l'éclat d'un dentier entre ses lèvres fanées rendait encore plus affreux.

— Maman, ne les laisse pas me faire du mal, pleurnicha Carlo en se cramponnant étroitement à Stacy.

— Je ne les laisserai pas faire.

Si les regards pouvaient tuer, Willa serait morte sur le coup.

La vieille femme regarda autour d'elle.

— Où est Justine ?

Personne ne répondit.

— Où est Justine ? répéta-t-elle.

— Qu'avez-vous fait de la nourrice ? interrogea Abel.

— Elle va bien, dit Patrick. Elle est dans la salle de bains à l'étage, ligotée.

— Va la détacher, Abel, ordonna Willa.

— Je suis occupé, Mère.

— Oh ! tue-le et qu'on en finisse ! Mais dehors. Pas question de tout salir ici.

Patrick n'arrivait pas à décider si la grand-mère était folle ou si elle faisait semblant pour les désarçonner. Il soupçonnait que c'était la deuxième hypothèse. La vieille dame avait l'air frêle, mais son regard et sa langue avaient une vivacité mordante.

Abel pressa le pistolet sur les reins de Patrick, rappelant à ce dernier les dégâts que pouvait faire une balle à cette distance, et tourna la poignée de la porte. Elle ne bougea pas.

— Elle est fermée, dit Patrick.

Abel le récompensa en lui enfonçant le canon plus fort dans le dos, avant de déverrouiller la porte et de l'ouvrir.

— Non ! cria Stacy en se précipitant vers eux, Carlo toujours dans les bras.

Patrick se retourna à temps pour voir Abel braquer son arme sur elle. Les yeux de la jeune femme s'agrandirent d'horreur et l'enfant se mit à pleurer.

— Stacy, couche-toi ! hurla Patrick.

Elle se laissa tomber à terre, couvrant Carlo de son corps, tandis que Patrick balançait un puissant coup de poing dans le dos d'Abel. Le vieil homme s'affala par terre en lâchant le pistolet. Le coup de feu partit et une balle fracassa le chambranle de la porte du couloir. Stacy hurla, Carlo gémit et Willa laissa échapper une bordée de jurons.

Patrick enjamba le vieil homme pour récupérer l'arme. Mais Abel lui agrippa les chevilles et Willa se rua sur lui à une vitesse surprenante malgré son déambulateur. Stacy se hissa sur ses pieds en tirant Carlo après elle.

— Le pistolet ! lui cria Patrick. Prends le pistolet.

Elle regarda autour d'elle sans voir l'arme. Patrick s'élança, pensant qu'il pourrait la rapprocher d'elle d'un coup de pied, mais Willa l'intercepta en lui balançant son déambulateur dans les tibias. Patrick se plia en deux pour la repousser, mais un coup de poing dans le dos lui fit perdre l'équilibre. Il se retourna et Abel lui flanqua un solide direct dans le menton. Patrick tituba.

Il entendit Stacy arriver avant de la voir.

— Non ! clama-t-elle en sautant sur le dos d'Abel et en battant l'air pour lui griffer les yeux et le nez.

Le vieil homme se mit à tourner sur lui-même comme un taureau de rodéo essayant de se débarrasser de son cavalier. Carlo, toujours enveloppé dans la couverture, se blottit contre le mur, les yeux grands ouverts et le pouce dans la bouche.

— Carlo, sauve-toi ! hurla Stacy. Sauve-toi et cache-toi !

L'enfant hésita, puis sauta sur ses pieds et franchit en courant la porte ouverte, la couverture flottant derrière lui comme une cape.

Stacy enfonça un pouce dans l'œil d'Abel. Avec un hurlement de rage, le vieil homme la prit par le bras et la jeta à terre, où il lui martela les côtes à coups de bottes, produisant un son écœurant.

Patrick hurla et se précipita sur lui. Les mains toujours attachées dans le dos, il ne pouvait guère éviter les poings d'Abel mais, au moins, ce dernier s'écarta de Stacy. La jeune femme rampa à l'autre bout de la pièce et s'adossa au mur en gémissant et en se tenant le flanc.

— Arrêtez ! Arrêtez ça tout de suite ! cria Willa.

Personne ne lui prêta attention. Abel frappa Patrick sur le nez et le sang jaillit de ses narines. Il cilla, s'efforçant d'éclaircir ses pensées. Il fallait qu'il réfléchisse. Si Abel s'emparait de nouveau de l'arme, tout était perdu, car le vieil homme aurait de nouveau toutes les chances en sa faveur.

Abel se rua derechef sur lui. Patrick esquiva le coup, mais le vieil homme lui décocha tout de même un crochet oblique. Il chancela en arrière.

— Ne le laisse pas sortir ! cria Willa.

Du coin de l'œil, Patrick vit Stacy bouger. Elle glissait le long du mur, toujours pliée en deux de douleur ou faisant semblant. Mais elle se rapprochait avec lenteur du pistolet qui gisait au seuil de la salle à manger.

— On devrait sortir, dit Patrick d'une voix forte. Détachez-moi et réglons ça en hommes !

— Comme si les insultes d'un flic pouvaient m'atteindre !

Abel lui administra un direct sur la tempe qui lui fit tourner la tête.

— Cesse de jouer avec lui, Abel, dit Willa. Où est le pistolet ?

Elle regarda autour d'elle et remarqua les mouvements de Stacy.

— Que croyez-vous être en train de faire ?

Stacy s'immobilisa.

— Je crois que j'ai les côtes cassées.

Elle jeta des regards autour d'elle, comme si elle prenait soudain conscience de son environnement.

— Où est Carlo ? Qu'avez-vous fait de mon fils ?

— Abel, où est le garçon ? cria la vieille femme.

— On le trouvera plus tard, répliqua Abel. Quand j'en aurai fini avec ce flic.

— Abel, il faut le retrouver maintenant, insista Willa.

— Il a trois ans. Il ne peut pas conduire et il ne peut pas aller bien loin dans la neige. On le retrouvera.

— Si on le perd, c'en est fini de nous, gémit sa mère. Tu le sais bien, Abel.

Son fils secoua la tête, l'air plus irrité qu'autre chose. Patrick s'adossa au comptoir de la cuisine, cherchant fébrilement à tâtons une bouteille ou une poêle à frire, n'importe quoi qui puisse lui servir d'arme.

Des pas lourds résonnèrent sur les marches du perron. Tous se figèrent et regardèrent par la porte toujours ouverte. Une silhouette sombre se profila dans l'encadrement et pénétra dans la pièce, suivie de deux hommes massifs.

— Qu'est-ce qui se passe ici ?

Le regard du sénateur Gary Nordley survola tour à tour les deux hommes essoufflés, la jeune femme à terre et la grand-mère appuyée sur son déambulateur.

— On les a surpris en train de voler l'enfant.

Abel se redressa et essuya le sang qui lui tachait la joue.

— Où est-il maintenant ? questionna Nordley.

— Il s'est échappé et il se cache quelque part, répondit Abel en agitant la main en direction de la porte. On le retrouvera. Il n'a pas pu aller bien loin.

Nordley secoua la tête.

— Abel, vous m'aviez dit que vous pouviez vous en occuper. Ai-je eu tort de vous faire confiance ?

Abel alla ramasser son arme au seuil de la salle à manger.

— Je gère la situation. Vous n'avez pas de souci à vous faire.

Nordley lança un regard noir à Patrick que les gardes avaient mis en joue.

— Vous devez être Thompson. Mes hommes m'ont dit que vous leur donniez du fil à retordre.

— Bonsoir, sénateur. Mes collègues m'ont dit qu'ils vous soupçonnaient d'être à l'origine de tout cela. J'ai eu du mal à le croire.

— Pourquoi ? Vous ne me croyez pas capable de diriger un projet comme celui-ci ?

— Un enlèvement n'est pas un projet, lança sèchement Stacy. L'assassinat n'est pas un projet, espèce d'ordure.

Nordley se tourna vers elle avec une expression affable.

— Mme Giardino… Ce n'est pas une façon de s'adresser à un homme à qui votre famille doit tant.

Stacy se releva péniblement en s'appuyant au mur. Elle était pâle et avait visiblement mal, mais la méfiance ne quittait pas ses yeux.

— Je ne vous dois rien.

— Si je n'étais pas intervenu, Sam Giardino aurait passé le restant de ses jours en prison.

— Cela ne m'aurait fait ni chaud ni froid, dit Stacy.

— Peut-être. Mais c'était beaucoup mieux comme ça. Il a eu l'occasion de mettre ses affaires en ordre avant de mourir et de léguer ses biens à son petit-fils. Grâce au fidéicommis, nous pourrons conseiller l'enfant sur la meilleure manière d'utiliser ces fonds avant sa majorité.

— C'est bien cela, n'est-ce pas ? lança Patrick. Vous voulez mettre la main sur la fortune de la famille Giardino.

— Pas dans un but égoïste, rectifia Nordley, mais pour le bien de ce pays.

— Bien sûr, vous êtes un authentique patriote ! railla Stacy.

Nordley eut l'air offensé.

— Il faut des millions de dollars pour financer une campagne électorale. Par le passé, j'ai dû m'en remettre à la générosité de particuliers et d'entreprises, mais avec l'argent des Giardino, je ne devrai rien à personne. Je bénéficierai d'une liberté totale et je pourrai faire ce qu'il faut, sans avoir à prendre les intérêts particuliers en compte. Et la beauté de la chose, c'est que je me servirai de l'argent de la mafia pour faire du bien au peuple américain. J'espère que Sam Giardino se retourne dans sa tombe à cette idée.

— Vous êtes fou, lui dit Stacy.

— On confond souvent le génie avec la folie, commenta

Nordley. Les pères fondateurs étaient prêts à faire des sacrifices pour réaliser leurs idéaux, moi aussi.

— Nous tuer n'a rien de noble, martela Stacy. C'est seulement un meurtre.

— Qui parle de vous tuer ? Vous m'êtes toujours utile.

Il se tourna vers Patrick.

— Mais j'ai peu d'usage d'un marshal qui se mêle de ce qui ne le regarde pas.

— Vous ne croyez pas qu'avoir du sang sur les mains serait gênant vis-à-vis des électeurs ? questionna Patrick.

— Je ne me salirai pas les mains. En fait, vous serez un héros, un agent tué dans l'exercice de son devoir.

— Qu'avez-vous l'intention de faire ? demanda Stacy.

Le sénateur l'ignora.

— Abel, vous et Stevie allez emmener le marshal dans l'écurie et vous occupez de lui.

— Pas dans l'écurie, intervint Abel. Ça perturberait les chevaux.

Nordley le regarda de travers.

— Ce sont des animaux sensibles, insista le vieil homme.

— Emmenez-le à Pétaouchnock si ça vous chante, gronda le sénateur. Je ne veux plus le voir.

— Ne parlez pas comme ça à mon fils ! aboya Willa.

Nordley lui fit un signe de tête.

— C'était sans offense.

— Vous ne pouvez pas le tuer ! protesta Stacy.

— Je l'ai dit, je ne tuerai personne, répliqua Nordley.

— Vous ne pouvez pas laisser quelqu'un d'autre le tuer non plus !

— Pourquoi pas ?

Nordley haussa un sourcil d'un air sceptique.

— Vous m'avez amenée ici pour que je renonce au contrôle de l'héritage de Carlo. Mais je l'ai déjà transmis à Patrick, au marshal Thompson.

Nordley plissa les yeux, ce qui accentua ses rides.

— Pourquoi auriez-vous fait ça ?

— Parce que j'allais intégrer le programme de protection des témoins, expliqua-t-elle. Avec une nouvelle identité, je ne pouvais pas administrer les fonds, alors je me suis désistée en sa faveur. Il gérera l'argent et veillera à ce que Carlo et moi ne manquions de rien.

Patrick n'en croyait pas ses oreilles. C'était une idée insensée, mais Stacy faisait merveille pour les en convaincre.

Nordley se tourna vers lui.

— C'est vrai ?

— Oui, mentit-il.

— Et si vous mourez ? s'enquit Abel.

— Un autre agent prendra le contrôle du fonds au nom de Carlo.

Était-ce la bonne réponse ?

— Vous allez passer des années au tribunal à démêler tout ça, dit Stacy. Le temps que vous y arriviez, Carlo sera majeur et vous serez trop vieux pour une campagne présidentielle.

— Je crois que vous mentez, siffla Nordley.

— Vous voulez prendre le risque ?

Le sénateur fit la grimace, perdu dans ses pensées.

— Stevie, Ray et toi, emmenez ces deux-là dans l'écurie et enfermez-les, dit-il enfin. Ensuite, venez nous aider à chercher l'enfant. Je vais appeler mon équipe juridique pour éclaircir cette histoire.

Un des malabars saisit rudement le bras de Patrick et l'entraîna vers la porte. L'autre lui emboîta le pas avec Stacy.

Patrick tenta de croiser le regard de la jeune femme pour la rassurer, mais ce furent ses yeux à elle, brillants de triomphe, qui lui remontèrent le moral.

Il aurait cependant voulu lui dire de ne pas pécher par excès de confiance. Leur chance ne pourrait durer et, quand Nordley découvrirait qu'on lui avait menti, il reporterait sans doute sa fureur sur eux. Mais il était inutile d'ajouter aux soucis de Stacy. Il préférait la laisser savourer cette petite victoire : elle n'avait eu que peu de choses à célébrer ces derniers jours, et ce petit répit ne pouvait que l'aider à se préparer aux dangers qui les attendaient.

15

Malgré son envie instinctive de lutter, Stacy s'obligea à se détendre. Son flanc était douloureux après les coups de pied d'Abel. S'il lui avait cassé une côte, se débattre ne ferait qu'aggraver les choses. En outre, Patrick ne faisait pas mine de résister à son gardien. Il avait l'expérience de ces situations, il valait mieux l'imiter.

L'air glacial de la nuit lui gifla le visage. Un frisson la secoua et elle serra les dents pour les empêcher de claquer. Pendant que les deux malfrats les poussaient dans la neige vers l'écurie, elle sonda l'obscurité en se demandant où était Carlo. Il n'aurait pas dû être dehors par ce froid. Elle pria pour qu'il ait trouvé un refuge où se cacher et que ces gens ne puissent toucher à un seul cheveu de sa tête.

Faiblement éclairée, l'écurie sentait le foin et la sueur animale. Un des chevaux poussa un hennissement dans une stalle qui bordait le passage central. Des ampoules à faible voltage brillaient au sol, mais l'un des gorilles — celui que le sénateur avait appelé Stevie — poussa un interrupteur et un néon fixé au plafond inonda l'espace d'une lueur éblouissante. Plusieurs chevaux s'agitèrent et firent sonner leurs sabots sur le sol.

— Où on les met ? demanda Ray.

— Là-dedans, répondit son acolyte en désignant du menton un box dont la porte était ouverte.

Une demi-balle de foin était répandue sur le sol. Stevie poussa Patrick vers un anneau fixé dans le mur et tira dessus.

— Ça devrait faire l'affaire.

Il fit pivoter Patrick et passa une attache en plastique autour de ses poignets déjà ligotés. Puis il enroula une grosse corde par-dessus et attacha celle-ci à l'anneau métallique.

Ray lia de même les poignets de Stacy et lui attacha les chevilles.

— Asseyez-vous sur le foin, conseilla-t-il. Ça sera plus confortable.

Elle en doutait mais fit ce qu'il disait.

— Je l'attache aussi au mur ? demanda-t-il à Stevie.

Celui-ci était occupé à lier les chevilles de Patrick.

— Elle ira nulle part, ficelée comme un poulet, répondit-il.

Il resserra les liens et se releva.

— On les bâillonne ? demanda encore Ray.

— Qui pourrait bien nous entendre ? intervint Stacy.

Stevie chercha autour de lui de quoi les faire taire, puis haussa les épaules.

— Oublie ça. Faut qu'on aille chercher le gosse.

Ils quittèrent le box en refermant la porte derrière eux. Stacy tendit l'oreille et entendit le bruit de leurs pas diminuer. Le plafonnier s'éteignit, puis la porte de l'écurie s'ouvrit et se referma en grinçant sur ses gonds. De l'autre côté de l'allée, un cheval rua dans sa stalle et fit entendre un hennissement.

Stacy regarda Patrick. Sa lèvre et un de ses yeux étaient enflés et sa joue striée de sang séché. Il devait souffrir, mais les yeux qui croisèrent les siens étaient calmes et pensifs. S'il n'avait pas peur, alors elle non plus.

— Et maintenant ? demanda-t-elle.

— On se libère, on trouve Carlo et on fiche le camp, répondit-il.

— Bien sûr. Un véritable jeu d'enfant !

Elle tira sur les liens qui lui sciaient les poignets.

— Mais comment ?

Patrick posa le regard sur ses chevilles attachées.

— Ce sont des colliers de serrage, probablement pris dans le garage d'Abel. Je vais t'expliquer comment t'en débarrasser, puis tu me libéreras. Comment vont tes côtes ?

Elle remua prudemment sur les bottes de foin.

— Ça fait un peu mal, mais je ne crois pas qu'elles soient cassées, seulement meurtries.

En regardant le visage tuméfié de Patrick, elle eut honte de se plaindre.

— Dis-moi juste ce que je dois faire.

— Ça sera plus facile si tu t'assoies.

Elle lui obéit. Le béton était glacial et un frisson la parcourut.

— Et maintenant ?

— Il faut que tu fasses passer tes bras sous tes jambes pour les ramener devant. Tu devrais pouvoir y arriver parce que tu es petite. Tu es souple ?

— Plutôt. Je fais du yoga.

— Alors pas de problème. Vas-y lentement.

Mais manœuvrer lentement aggravait la douleur, aussi se contorsionna-t-elle le plus vite possible. Se penchant en arrière, elle fit passer ses poignets sous ses fesses, puis enroula sa colonne vertébrale pour les amener à l'arrière de ses cuisses. Les genoux sous le menton, elle se fit aussi petite que possible. Elle se débarrassa de ses chaussures et étira les bras vers ses pieds en ignorant les protestations de ses côtes et de ses articulations. Enfin, elle prit une inspiration et fit passer ses bras sous ses pieds.

A partir de là, le reste était facile. Elle ramena ses poignets devant elle à hauteur de la taille.

— C'est bien, dit Patrick. Maintenant, tout ce que tu as à faire, c'est de casser les attaches.

Elle en sanglota presque.

— Mais comment vais-je faire ça ?

— Tu es beaucoup plus forte que tu ne le penses. Lève

les bras à hauteur de poitrine et écarte-les autant que tu peux en sortant les coudes.

Elle suivit ses instructions, puis en attendit de nouvelles.

— Maintenant, donne une secousse de toutes tes forces. Respire bien et… vas-y !

Rassemblant toute son énergie, Stacy tira sur ses bras d'un coup sec. Le plastique sauta. Elle retint de justesse un cri de surprise et de triomphe, au cas où leurs ravisseurs auraient été encore à proximité de l'écurie.

— Ça a marché !

— Bon, maintenant essaie de me détacher. Si tu n'y arrives pas, il faudra trouver quelque chose de coupant.

Les chevilles toujours ligotées, elle se releva en s'appuyant au mur et sautilla maladroitement vers lui.

— Je peux le faire, dit-elle en tâtant la corde. Ils ne l'ont pas attachée très serrée.

— Ils se sont sans doute dit que c'était inutile avec l'adhésif.

Il se mit de profil pour lui donner plus d'espace. Stacy se mordit la lèvre et se concentra pour défaire le nœud.

— Voilà, dit-elle en tirant sur le bout. Et maintenant, qu'est-ce que je fais pour le reste ?

— Prends une de tes boucles d'oreilles.

— Une boucle d'oreille ? dit-elle en portant la main à ses fins anneaux dorés.

— Juste une. Je te promets que cela ne la cassera pas.

— Ce n'est qu'une babiole.

Elle la détacha et la lui tendit.

— Introduis le crochet entre la bande en plastique et le petit cliquet.

Il lui tourna le dos pour lui tendre ses poignets liés.

— C'est sûrement étroit, mais tu dois pouvoir l'insérer.

Elle prit sa main pour la stabiliser et glissa le crochet de son anneau dans l'interstice.

— Je ne peux pas la faire entrer sans la tordre.

— Continue à l'enfoncer petit à petit.

Elle reprit son souffle et fit une nouvelle tentative. Cette fois, elle put insérer la pointe métallique sur un bon centimètre.

— Et maintenant ?

— Tire sur le plastique. Vois s'il se desserre.

Stacy secoua l'attache jusqu'à ce qu'elle commence à glisser à partir du cliquet et finalement s'ouvre assez pour qu'elle puisse la retirer.

— Et le chatterton ? dit-elle en observant les couches de ruban argenté qui lui entouraient les poignets.

— Trouve l'extrémité et arrache-le.

Elle souleva le ruban de l'ongle, remarquant au passage qu'elle avait besoin d'une manucure. Cette pensée saugrenue la fit presque rire.

— Qu'est-ce qui te fait sourire ?

Levant les yeux, elle croisa son regard. L'affection et la tendresse qui s'y lisaient la réchauffèrent. Dire qu'elle l'avait détesté lors de la première rencontre, qu'elle avait même eu peur de lui. Elle détourna les yeux.

— Je me disais seulement que tout est très différent de la vie que je menais. J'étais très protégée.

— Tu t'es débrouillée comme une championne. Je ne crois pas avoir rencontré quelqu'un de plus courageux que toi, homme ou femme.

Son compliment lui donna l'impression d'avoir grandi de vingt centimètres. Elle arracha le reste de l'adhésif autour de ses poignets. Patrick se les frotta en grimaçant.

— Maintenant, les chevilles. Détache les tiennes d'abord.

A présent qu'elle savait comment se servir de sa boucle d'oreille pour débloquer le cliquet, délier leurs chevilles fut un jeu d'enfant. Elle put même remettre son anneau une fois la tache achevée. Patrick se frottait toujours les poignets. Elle prit une de ses mains dans les siennes et en caressa la peau à vif, toujours collante.

— Ça fait très mal ?

— Je survivrai.

Elle embrassa son poignet, sentant le pouls de Patrick battre sous ses lèvres. Le jeune homme mit ses mains en coupe autour de son visage et le releva vers lui. Fermant les yeux, elle s'abandonna à son baiser, toute pensée d'enfant, de danger et d'avenir repoussée pour profiter de cet instant de douceur.

Un moment qui s'acheva trop tôt. Patrick s'écarta, sans lâcher pourtant son visage.

— Quoi qu'il arrive, je veux que tu saches que tu es la femme la plus stupéfiante que j'ai jamais rencontrée, dit-il.

— C'est seulement parce que je suis avec toi.

Elle posa les mains à plat sur sa poitrine, à l'endroit du cœur.

— Grâce à toi, je me sens capable de tout.

Personne — ni ses parents, ni ses anciens petits amis, ni son mari — n'avait jamais eu autant foi en elle. A elle seule, cette confiance aurait suffi à lui faire aimer Patrick.

— C'est parce que tu l'es.

Il lui embrassa le front et se tourna vers la porte.

— Allez, il faut retrouver Carlo avant eux.

Il saisit la poignée, qui tourna assez facilement sans pour autant libérer la porte. Patrick donna un coup d'épaule, sans réussir à ébranler le lourd panneau de bois.

— Qu'est-ce qu'il y a ? demanda Stacy derrière lui. Qu'est-ce qui ne va pas ?

Il se retourna avec une expression sombre.

— La porte est barricadée de l'extérieur. On ne peut pas sortir.

Carlo avait froid. L'air nocturne s'infiltrait dans son pyjama et ses chaussettes étaient trempées. La neige était froide sur ses mains, mais lui brûlait les pieds. Comment pouvait-elle être à la fois chaude et froide ?

Il se blottit entre les barils alignés le long de la maison et sonda l'obscurité du regard. Il avait peur du noir. Même dans la journée, il ne s'était jamais éloigné de l'habitation. Oncle Abel disait qu'il y avait des animaux sauvages dehors, des coyotes et des ours qui mangeaient les petits garçons.

Il entendit des gens crier son nom : oncle Abel et d'autres hommes qu'il ne connaissait pas. Il ne répondit pas et se fit encore plus petit. Il avait décidé de se cacher là car, à la lumière de la cour, il pouvait voir l'écurie, les voitures et d'autres choses familières.

Il avait tellement froid. Ses dents claquaient et son corps était secoué de tremblements. Même avec les genoux remontés sous son menton et les bras autour de ses jambes, il avait toujours froid. Il avait perdu la couverture pendant qu'il courait ; il ne se souvenait pas où. Quand il expirait, son haleine produisait de petits nuages blancs devant lui.

Les voix s'étaient déplacées derrière la maison à présent. Allaient-elles venir par ici ? Que feraient oncle Abel et les hommes s'ils le trouvaient ? Oncle Abel était gentil d'habitude, mais ce soir-là, il avait l'air en colère. Il s'était mis très en colère avec maman et l'homme qui était avec elle. Carlo n'aimait pas que les gens soient en colère.

Son père se mettait souvent en colère aussi, et il criait sur maman. Parfois, il la faisait pleurer, et ça rendait Carlo triste, effrayé et en colère tout à la fois.

Où était maman maintenant ? Elle n'avait pas été là pendant longtemps et puis elle était finalement arrivée, mais elle lui avait dit de s'enfuir. Tout ça n'avait aucun sens.

Il posa la tête sur ses genoux et ferma les yeux. S'il s'endormait, peut-être qu'il rêverait d'un endroit chaud.

L'écurie était chaude, avec les chevaux. C'étaient de grands animaux qui l'effrayaient un peu, mais il aimait les regarder de loin. L'autre jour, oncle Abel l'avait posé sur la selle devant lui et avait fait avancer le cheval en rond autour du corral. Carlo ne s'était jamais trouvé aussi haut auparavant. Il adorait la sensation du cheval qui bougeait sous lui. Oncle Abel avait promis de lui apprendre à monter quand il serait grand. Carlo aurait son propre poney et apprendrait à être un cow-boy.

Il pourrait aller dans l'écurie et se cacher. Il aurait plus chaud et s'il ne pouvait pas dormir, il pourrait regarder les chevaux.

Il se releva et passa la tête entre les barils. La cour était vide et silencieuse. Il s'élança dans le noir en direction de l'écurie. Quand il atteignit l'ombre noire qui bordait le bâtiment, il était hors d'haleine et il avait un point de côté. Ses pieds brûlaient toujours, mais il avait un peu plus chaud au corps.

Il tâtonna le long du mur jusqu'à la porte de la remise à fourrage. Se haussant sur la pointe des pieds, il saisit de justesse le loquet. Il le souleva et entra. La porte entre la remise et l'écurie était grande ouverte. De faibles ampoules éclairaient l'allée centrale, entre les box des chevaux. La chatte de l'écurie, Matilda, apparut et se frotta contre ses jambes. Il passa la main sur la douce fourrure de son dos et sourit.

— Gentil chat, murmura-t-il.

Il ne voulait pas réveiller les chevaux, qui devaient sûrement dormir.

Il prit une couverture de selle sur une pile près de la porte et l'étendit sur une balle de foin près des mangeoires. La chatte se blottit contre lui. Il avait plus chaud maintenant et le sommeil le reprenait. Il verrait peut-être sa maman le lendemain matin.

16

Patrick étudiait la porte du box. En bois massif et équipée de gonds métalliques, elle était conçue pour contenir des animaux de plusieurs centaines de kilos. Mais il ne pouvait se faire à l'idée qu'il n'y ait pas de solution.

— Recule, ordonna-t-il à Stacy.

Quand elle eut obéi, il prit quelques pas d'élan et se rua contre la porte. L'impact se répercuta dans son corps déjà endolori, brouillant sa vision et faisant claquer ses dents. Le panneau n'avait pas bougé.

— Ce n'est pas possible ! gémit Stacy. Il faut qu'on sorte d'ici pour trouver Carlo !

Sa phrase se termina presque sur un cri de frustration. Patrick avait aussi envie de hurler mais il regarda autour de lui, espérant trouver un outil avec lequel il pourrait abattre ou arracher la porte.

— Maman ? Maman, où tu es ?

Patrick s'immobilisa et regarda Stacy, dont les yeux étaient braqués sur les siens.

— Carlo ?

Elle courut à la porte et se haussa sur la pointe des pieds, pour essayer de jeter un regard par l'ouverture rectangulaire.

— Carlo, maman est là, dans le box des chevaux.

Le bruit de petits pieds se rapprocha sur le béton.

— Maman, je veux te voir !

— Je suis là, chéri. Quelqu'un a fermé la porte et je ne peux pas sortir. Il faut que tu m'aides.

Des petits poings martelèrent le bois.

— Sors, maman.

Stacy s'agenouilla pour se mettre à la hauteur de son fils.

— Je vais sortir, chéri. Mais il faut que tu m'aides. Regarde au-dessus de toi. Tu vois la barre ?

— Hon-hon.

— Tu peux monter sur quelque chose et arriver jusqu'à la barre ? Il y a un seau à fourrage quelque part ?

— Il y a en un dans l'autre pièce.

— Alors va le chercher et apporte-le près de la porte.

L'enfant ne répondit pas et Patrick comprit qu'il s'était éloigné. Stacy ferma les yeux et pressa le front contre la porte. Il s'approcha d'elle pour lui poser une main sur l'épaule. Elle devait être épuisée, mais ils allaient bientôt sortir de là.

Quelque chose racla sur le béton.

— Ça y est ! cria Carlo.

— C'est bien. Maintenant mets-le à l'envers et pousse-le contre la porte. Grimpe dessus, mais fais attention.

— Ne t'inquiète pas, maman. Je sais grimper.

— Je sais, mais fais attention.

Patrick osait à peine respirer. La dernière chose qui leur fallait, c'était que l'enfant tombe et se cogne la tête sur le sol en béton. Le seau racla de nouveau et le petit garçon tapa du poing sur le bois.

— J'ai réussi !

— Formidable ! dit Stacy. Maintenant tends les bras et soulève la barre.

— Il faut que je me mette sur la pointe des pieds.

Il y eut des bruits de tâtonnements, accompagnés de petits grognements.

— C'est dur !

— Tu es fort. Vas-y, pousse !

Un *clang* métallique retentit, annonçant le déplacement de la barre.

— Ça y est ! exulta Carlo. J'ai ouvert la porte.

— C'est merveilleux, chéri. Maintenant, descends du seau et écarte-toi pour que je puisse sortir.

Encore des raclements et des tâtonnements.

— Ça y est, tu peux sortir, maman.

Stacy poussa la porte et Carlo se jeta dans ses bras.

— Qu'est-ce que tu faisais là-dedans ? lui demanda-t-il, les bras autour de son cou. Tu te cachais ?

— C'est ça, chéri.

Elle lui caressa les cheveux et l'embrassa.

— Nous nous cachions, mais pas de toi.

L'enfant ouvrit de grands yeux en voyant Patrick par-dessus l'épaule de sa mère.

— Moi aussi, je me cachais, dit le petit garçon. Mais j'avais froid, alors je suis venu dans l'écurie.

— Tu as très bien fait.

Elle hissa son fils sur la hanche et se tourna vers Patrick.

— On peut y aller ?

— Dans une seconde.

Il inspecta le passage entre les stalles, puis se glissa dans la remise à fourrage, cherchant quelque chose qui pourrait lui servir d'arme. Il trouva un couteau à lame courte sur une étagère et l'empocha. Il prit aussi une couverture de cheval et l'apporta à Stacy.

— Enveloppe Carlo dedans.

Elle s'exécuta, tout en disant à son fils :

— Quand on arrivera à la voiture, tu auras beaucoup plus chaud, tu verras.

Une main posée avec légèreté sur l'épaule de Stacy, Patrick se pencha pour s'adresser au petit garçon.

— On va éviter ton oncle et ses gardes et aller à ma voiture, qui est garée sur la route de l'autre côté du bois. C'est un long trajet pour que ta mère porte un grand garçon comme toi. Tu me laisseras te porter ?

Carlo mit le pouce dans sa bouche et regarda sa mère.

— Tout va bien, dit-elle. Je serai là, tout près de toi.

L'enfant hocha la tête et tendit les bras à Patrick. Ce simple geste lui mit une boule dans la gorge. Il pressa le petit garçon sur sa poitrine avec un sentiment de gratitude. Stacy croisa son regard par-dessus la tête de son fils et lui adressa un sourire las.

— Merci, murmura-t-elle.

C'était lui qui aurait dû la remercier. Avant de rencontrer Stacy, sa vie tournait autour du travail et du devoir. Ces notions avaient toujours de la valeur pour lui, mais la jeune femme lui avait fait entrevoir d'autres choses, des choses qui pouvaient être aussi importantes.

— Allons-y, dit-il. Reste près de moi et autant que possible dans l'ombre.

Une fois qu'il eut vérifié les abords, ils quittèrent l'écurie. La cour était silencieuse et déserte. Pas un papillon ne tournait dans la lumière de l'ampoule placée au-dessus de la porte de derrière. Personne n'appela Carlo ni ne traversa la cour en courant. Avaient-ils renoncé aux recherches ou les avaient-ils étendues aux champs ?

Contournant la flaque de lumière, Patrick les guida vers le bois, le couteau serré dans la main, prêt à s'en prendre à quiconque s'approcherait d'eux. Quand ils eurent atteint le pré plongé dans l'obscurité, ils retrouvèrent leurs raquettes et purent se déplacer plus vite. Ils n'allaient plus s'arrêter jusqu'à la voiture. Dans une demi-heure, ils prendraient la route de Denver, où il trouverait un refuge pour Stacy et son fils, jusqu'à la capture du sénateur Nordley, d'Abel et de tous ceux qui étaient impliqués dans cette affaire.

Ils avaient atteint la clôture du pré quand un hurlement de femme déchira le silence de la nuit. Patrick pivota sur lui-même et la vit courir dans la cour, un homme à ses trousses. L'homme l'agrippa par la chevelure et l'entraîna vers la maison.

— C'est la baby-sitter, murmura Stacy.

— Pourquoi il fait du mal à Justine ? demanda Carlo.

— Je ne sais pas, chéri.

Stacy frotta le dos de son fils et lança un regard inter-rogateur à Patrick.

— C'est un des sbires de Nordley, dit celui-ci. Elle a peut-être paniqué et les a menacés d'aller voir la police.

— Peut-être.

Elle continua à frictionner le dos de Carlo.

— Justine était gentille avec moi, mon lapin ?

— Très gentille. Et oncle Abel et Grand-mère aussi.

Sa lèvre inférieure tremblait.

— Quand est-ce que je vais revenir les voir ? Oncle Abel m'a promis un poney.

Avant que Stacy puisse répondre, la porte arrière de la maison s'ouvrit à toute volée. Cette fois, un homme dévala les marches, suivi par un des hommes de main.

— C'est Abel ? demanda Stacy.

C'était bien lui. Il se battait avec l'autre individu, plus jeune et plus massif que lui. Puis trois coups de feu écla-tèrent *pan ! pan ! pan !* déchirant le silence hivernal. Abel s'effondra sur le sol et une tache sombre se forma sur la neige. Patrick pressa la tête de Carlo contre son épaule et se retourna, afin que l'enfant ne puisse pas voir.

— Qu'est-ce qui se passe ? chuchota Stacy en recouvrant la tête de son fils avec la couverture.

— Mamaaan ! Qu'est-ce que tu fais ?

Il essaya de repousser la couverture, mais elle la main-tint en place.

— Tu n'as pas de bonnet. Je ne veux pas que tu prennes froid, dit-elle.

L'homme traîna Abel à l'intérieur de la maison. Patrick n'aurait su dire s'il était vivant ou mort.

— Tu crois que Nordley s'est retourné contre lui ? questionna Stacy. Il faut qu'on fasse quelque chose.

— Tu veux vraiment aider ces gens ?

— Ils ont été gentils avec Carlo. Et ce sont les seuls parents qui lui restent. Si le sénateur s'en est pris à eux…

Elle avait raison. Ils ne pouvaient abandonner les deux personnes âgées et la baby-sitter aux gorilles de Nordley.

— Laisse-moi d'abord vous amener tous les deux à la voiture et ensuite je reviendrai.

— Non. Je ne te quitte pas. Et puis mieux vaut être deux contre Nordley.

Ce n'était pas évident quand l'un des deux était une femme qui devait veiller sur un enfant, mais il ne prit pas la peine de l'énoncer. Il connaissait assez Stacy à présent pour savoir qu'il ne pourrait pas la convaincre de partir.

— Il faut réussir à les attirer dehors, dit-il. Si on essaie de prendre la maison d'assaut, ils auront l'avantage.

— Cherchons un endroit où laisser Carlo, dit-elle en survolant les bâtiments du regard. Je voudrais qu'il ait chaud.

— C'est ça !

Patrick sentit poindre la vague d'excitation qui accompagne les idées fructueuses.

— On va allumer un feu. Ça va les attirer hors de la maison et alerter les agents qui la surveillent.

— Comment vas-tu faire ? demanda-t-elle. On n'a pas d'allumettes.

— Ne t'en fais pas.

Le bâtiment le plus éloigné de la maison principale était une grange à claire-voie remplie de foin. S'il pouvait l'enflammer, cela produirait un grand feu clair avec beaucoup de fumée, idéal pour sonner l'alarme. Il retourna fouiller la remise à fourrage et s'empara d'une lampe électrique. De plus amples recherches sur les étagères révélèrent une boule de paille de fer.

— Qu'est-ce que tu vas faire avec ça ? interrogea Stacy.

— Je vais allumer un incendie. Viens. Allons à la grange à foin.

Quelques secondes plus tard, ils étaient accroupis dans

l'ombre épaisse de la grange. Patrick arracha des poignées de foin aux balles et en empila cinquante centimètres sur une surface dégagée au bout du hangar. Puis il dévissa la lampe torche et nicha les deux piles au milieu du foin. Il arracha un morceau de paille de fer.

— Emmène Carlo à l'autre bout, dit-il à Stacy. Juste au cas où.

Quand la mère et l'enfant se furent éloignés, il laissa tomber la paille de fer sur les piles, ce qui eut pour effet de relier les deux bornes et de produire une étincelle. La paille de fer s'enflamma. Il la laissa tomber sur le foin qui prit rapidement. En quelques secondes, les flammes léchèrent le plancher, progressant vers les balles stockées au fond de la grange.

Patrick rejoignit Stacy et Carlo à l'extérieur du bâtiment.

— Maintenant, il ne nous reste plus qu'à attendre.

Il prit la direction de la maison. Quand Nordley et ses sbires sortiraient, il serait prêt.

Le temps qu'ils arrivent près de la maison, les flammes montaient jusqu'au toit de la grange. Le feu tressautait et crépitait comme un tir de munitions légères, et l'air était rempli de fumée qui piquait le nez. Les agents qui surveillaient la maison avaient dû repérer l'incendie à présent, et les habitants de la maison ne pouvaient manquer de le remarquer. Le regard fixé sur la porte arrière, Patrick attendait. Quand elle s'ouvrit brusquement, il tira Stacy et l'enfant dans l'ombre. Le sénateur, suivi de Stevie, dévala les marches.

— Va chercher le tuyau, hurla Nordley. Je vais ouvrir l'eau.

— Abel doit être gravement blessé, chuchota Stacy, s'il ne peut pas les aider.

Patrick acquiesça d'un signe de tête et avança vers le

perron. Stacy le dépassa, Carlo dans les bras, mais il la prit par le poignet et la repoussa en arrière.

— Laisse-moi entrer le premier, dit-il.

— Bien sûr, dit-elle en reculant pour le laisser passer. Je me fais juste du souci pour Abel et Willa.

Incroyable, songea Patrick. Ces gens avaient kidnappé son enfant et avaient menacé de la tuer. Mais ils s'étaient montrés gentils avec Carlo. Malgré son comportement de dure à cuire, Stacy avait le cœur tendre. Les bonnes actions ordinaires, comme ne pas jeter de déchet sur la voie publique ou prendre soin de sa famille, lui importaient.

— Voilà le plan, lui dit-il. J'entre le premier. Nous savons qu'il n'y a qu'un garde. Je vais le maîtriser. N'entre pas avant que je te donne le signal.

Elle fronça les sourcils.

— Mais…

— Il faut que tu restes avec Carlo.

— D'accord, céda-t-elle, avant de reculer dans l'ombre du perron.

Couteau à la main, Patrick ouvrit la porte et se glissa à l'intérieur.

La cuisine était déserte, bien que le son de la télévision se fasse encore entendre dans le salon. Il jeta un coup d'œil dans la pièce et vit les deux femmes assises côte à côte sur le canapé. La table basse avait été repoussée, et Abel gisait sur le plancher, aux pieds des femmes, le visage pâle et les yeux fermés.

Le garde se tenait à quelques mètres, un AR-15 dans les bras, regardant la grange en feu par la fenêtre. Pour l'atteindre, Patrick allait devoir traverser la cuisine et se mettre à découvert.

Quelqu'un poussa un long gémissement de douleur.

— Il est réveillé, dit Willa en se penchant vers son fils. Abel n'était donc pas mort même si, de là où il était

Patrick ne pouvait juger de la gravité de ses blessures. Le vieil homme gémit de nouveau, plus fort.

— Ne bougez pas, ordonna le garde.

Mais les deux femmes étaient déjà à genoux, s'agitant autour du blessé. Le garde se détourna de la fenêtre et s'approcha d'elles, le dos tourné à Patrick.

Celui-ci chargea. Traversant la pièce en trois enjambées, il planta le couteau dans les côtes du garde. L'homme hurla et desserra son étreinte sur l'arme, permettant à Patrick de la lui arracher. L'autre se figea quand le marshal la lui braqua sur la poitrine.

— Couchez-vous, face contre terre, ordonna Patrick.

— Je saigne, dit l'homme en regardant le sang suinter de son flanc.

— Et vous saignerez encore plus si vous ne faites pas ce que je dis.

Le garde s'allongea à plat ventre. Patrick tourna son attention vers les femmes.

— Il me faut quelque chose pour le ligoter, dit-il.

Justine, qui avait à peu près l'âge d'Abel, retira l'écharpe qu'elle portait au cou.

— Vous pouvez prendre ça.

— Faites-le, dit Patrick en lui faisant signe avec l'arme. Attachez-lui les mains et ensuite, cherchez quelque chose pour lui attacher les chevilles.

Elle hocha la tête et s'agenouilla près du garde, pendant que Patrick s'intéressait à Abel. Willa était penchée sur son fils.

— Faites quelque chose, supplia-t-elle. Vous ne pouvez pas le laisser mourir.

Abel semblait avoir reçu une balle dans l'épaule droite et une autre dans la cuisse. Il y avait une mare de sang autour de lui sur le plancher, qui commençait déjà à coaguler. Il était pâle et sa respiration était laborieuse, mais en lui

prenant le pouls, Patrick s'aperçut qu'il battait régulièrement, sinon un peu vite.

— Que s'est-il passé ? demanda-t-il.

— Il a entendu le sénateur dire à un de ses hommes
que quand ils auraient retrouvé Carlo, il faudrait le tuer,
répondit Willa. Ensuite, Abel aurait pu déposer une requête
auprès du tribunal pour obtenir l'argent. Mais il ne voulait
pas le laisser faire. Justine s'est précipitée dehors pour
retrouver le garçon et le cacher, et Abel a essayé de distraire
le sénateur. Ils se sont disputés et un des gardes lui a tiré
dessus. Puis ils nous ont tous fait entrer ici.

Elle caressa le front de son fils.

— Nous avions besoin de l'argent pour sauver le ranch,
mais Carlo nous a fait fondre. Nous ne pouvions pas laisser
cet homme lui faire du mal.

Justine avait terminé de ligoter le garde.

— Laissez-moi aller chercher quelque chose pour
nettoyer sa blessure, dit-elle.

— Bien sûr, dit Patrick en reculant. Si vous avez une
trousse de premiers secours, on peut le panser.

— Où est Carlo ? demanda Justine. Vous le savez ?

— Sa mère et lui attendent dehors. Je vais aller les
chercher.

Il retourna dans la cuisine et ouvrit la porte extérieure.

— Stacy ? appela-t-il.

Elle sortit de l'ombre, Carlo dans les bras. Patrick se
sentit soulagé ; bien qu'il les ait quittés peu de temps, le
risque était réel que Nordley ou Stevie les trouve.

— Entre, lui dit-il en ouvrant la porte plus largement.
Tout le monde est dans le salon. Aucun signe de Nordley
ou de Stevie.

— Non. Ils doivent toujours être à la grange.

Patrick jeta un coup d'œil en direction du bâtiment
incendié. Les flammes avaient gagné de la hauteur et
illuminaient la nuit. On devait les voir à des kilomètres.

Il survola rapidement les abords extérieurs et ne détecta aucun mouvement, seulement des hurlements en provenance de la grange. Quand il revint dans le salon, Abel était assis sur le canapé. Justine et Willa l'encadraient, et Stacy avait pris place dans un fauteuil, Carlo sur les genoux. Le petit garçon fixait son oncle avec de grands yeux, le pouce dans la bouche.

— Donnez-moi un pistolet, dit Abel dès qu'il vit Patrick. Je veux abattre Nordley moi-même quand il reviendra.

— Je croyais que le sénateur et vous étiez amis.

— Quelle sorte d'ami vous tire dessus ? riposta le vieil homme avec une grimace de dégoût. Nous n'avons jamais été amis.

— Alors comment vous êtes-vous retrouvé impliqué là-dedans ? interrogea Patrick.

— Ne le harcelez pas, intervint Willa. Il est blessé.

— Il doit savoir à qui il a affaire, dit Abel.

Il changea de position, comme pour se mettre plus à l'aise, ce qui était impossible. Après une seconde, il reprit la parole.

— Sam me l'a envoyé. Quand l'économie allait encore bien, j'ai pris une seconde hypothèque sur le ranch pour développer les affaires. Ensuite les choses se sont gâtées. Les terres ne valaient plus rien et les gens n'avaient plus les moyens d'acheter des chevaux de luxe. Mais les animaux devaient toujours manger et la banque voulait être payée. J'ai demandé à Sam de m'aider. Je me disais que les gangsters étaient sans doute les seuls à tirer leur épingle du jeu, quel que soit l'état de la Bourse.

Il toussa et Willa lui tapa sur l'épaule.

— Tu ne devrais pas parler autant, dit-elle en lançant un regard noir à Patrick.

Abel l'écarta d'un geste.

— Sam m'a dit qu'il ne pouvait pas me tirer d'affaire, mais qu'il connaissait quelqu'un qui le pourrait. Nordley est venu me voir et m'a déclaré que si je lui rendais service, il paierait l'hypothèque. Comme ça, d'un coup, plus de dette !

— Que vous a-t-il demandé de faire ? questionna Stacy.

— C'est bien la question : pas grand-chose. Des hommes à lui sont venus passer quelques jours. Ils se sont baladés dans les environs et ont visité le ranch. Ils s'étaient installés dans le baraquement des ouvriers, ils ne dérangeaient personne. Nordley disait qu'il voulait se servir de la propriété comme lieu de retraite. Il a racheté l'hypothèque à la banque, et m'a dit qu'aussi longtemps que je coopérerais, je n'aurais pas à m'en faire. Je sais maintenant qu'il était en train de m'utiliser, de me prendre au piège.

— Il ne pouvait pas savoir que Sam allait mourir, objecta Stacy.

— Je pense qu'il avait prévu de lancer un contrat sur lui avant que les fédéraux n'interviennent et ne fassent le sale boulot à sa place, dit Abel. Nordley a tous les culots, il se prend pour un génie, et il croit que les autres sont des imbéciles.

— Après la mort de Sam, il nous a demandé si nous étions d'accord pour nous occuper de Carlo, poursuivit Willa. Il nous a dit que sa mère ne voulait pas de lui et qu'il avait besoin d'une famille.

— Il mentait, lança Stacy en serrant Carlo contre elle. Willa l'ignora.

— Evidemment, nous voulions nous occuper de mon arrière-petit-fils. Une nuit, deux hommes du sénateur l'ont amené ici.

— C'est alors que Nordley m'a dévoilé le reste du plan, reprit Abel. Nous étions censés utiliser le petit pour prendre le contrôle de l'argent. Je connaissais l'existence du testament. L'une des dernières fois où j'avais parlé à Sam, il s'était vanté de son idée géniale de léguer l'argent à l'enfant tout en constituant un fidéicommis. Je suppose qu'il en a parlé à son copain sénateur, mais sans lui dire que c'était la mère du garçon qui était la fiduciaire. C'est pourquoi Nordley a ordonné à ses hommes d'enlever seulement le petit. Quand je lui ai dit que c'était la mère qui gérait l'argent, il s'est mis en colère. Il a dit qu'on devait amener Stacy ici et la forcer à transmettre la signature.

Il se voûta.

— A ce moment-là, j'étais plongé dedans jusqu'au cou, je ne voyais aucun moyen d'en sortir.

— Vous l'auriez laissé me tuer pour l'argent, conclut Stacy.

— Il m'aurait tué. Il nous aurait tous tués, dit Abel en secouant la tête. Je n'ai jamais voulu tremper dans les affaires de la famille. Tout ce que je voulais, c'était faire de l'élevage. Sam disait que j'avais trahi la famille. Je suppose que sa manière de se venger a été de me mouiller avec Nordley.

— Nous aimons le petit, dit Willa en s'adressant directement à Stacy. Nous ne lui aurions jamais fait de mal.

Stacy acquiesça.

— Il vous aime aussi. Il m'a dit que vous étiez gentils avec lui.

Elle se leva comme pour s'approcher de la vieille femme mais, à cet instant, la fenêtre explosa et une balle se ficha dans le mur derrière le canapé.

— Tout le monde à terre ! hurla Patrick.

Il s'accroupit à côté de la fenêtre, essayant d'apercevoir le tireur dans le noir. Willa et Justine sanglotaient et Abel marmonnait des jurons, exigeant de nouveau qu'on lui donne une arme. D'autres coups de feu frappèrent la façade de la maison, autour de la fenêtre. Patrick en déduisit qu'il n'y avait qu'un seul tireur, mais mieux valait rester à terre. Où était l'autre homme — sans doute Nordley — et que faisait-il ?

Un hurlement de Stacy s'éleva à l'arrière-plan, accompagné par des bruits de lutte.

— Il a pris Carlo !

Patrick pivota sur lui-même et découvrit le sénateur, échevelé et le visage taché de suie, serrant l'enfant contre sa poitrine, le canon de son arme pressé sur sa tempe.

— Si vous ne voulez pas qu'il meure, posez ce fusil et laissez-moi partir, grinça Nordley.

Dehors, le tireur avait fait taire son arme. C'est alors qu'on entendit le grondement d'un moteur, tout proche de la maison.

— Je crois que c'est mon chauffeur, annonça le sénateur.

Tiraillé intérieurement, Patrick posa doucement l'arme à terre, tandis que le sénateur entraînait l'enfant terrifié vers la porte. Patrick cherchait une manière — n'importe laquelle — de stopper l'enlèvement, mais les risques étaient trop grands. Il était certain que Nordley tirerait sans hésiter.

Le sénateur franchit la porte et descendit les marches du perron. Patrick, Stacy et Willa le suivirent à distance, incapables de détourner le regard, pendant que l'homme se dirigeait à reculons vers la voiture. Il avait atteint le pare-chocs arrière, quand Carlo, inerte jusque-là, s'anima soudain. Se débattant, il mordit le bras de Nordley et lui donna un coup de pied dans l'aine. L'homme cria et le coup partit.

Stacy hurla et se couvrit les yeux.

— Tout va bien, lui dit Patrick, il a lâché Carlo.

Le petit garçon courut vers eux. Nordley, plié en deux, tenta de lui tirer dessus, mais manqua son coup.

Patrick s'empara du petit et l'emporta dans la cuisine en poussant les femmes devant lui. Ramassant le fusil, il se rua de nouveau vers la porte, mais Nordley était déjà monté dans la voiture en marche. Une sirène se fit entendre au loin, se rapprochant à toute allure.

Stacy, Carlo dans les bras, vint se placer derrière lui.

— Ça va, mon vieux ? demanda Patrick à l'enfant.

— Je voulais pas aller avec ce méchant monsieur.

— Tu as bien fait, chéri, fit Stacy en l'embrassant. Tu as très bien fait. Tu as été très courageux.

Elle regarda la voiture de Nordley filer en cahotant sur le chemin.

— Il va s'en tirer.

— Peut-être pas.

Un crissement de pneus, un froissement métallique et un bris de verre ponctua cette affirmation. Patrick se mit à courir de toutes ses forces sur le chemin. Le temps qu'il arrive sur le site de la collision, à l'entrée du ranch, les hommes grouillaient autour des deux véhicules accidentés.

Deux d'entre eux extirpèrent Stevie du siège conducteur. Le garde tenait encore sur ses jambes, malgré le sang qui lui coulait d'une blessure à la tête. Le siège passager avait été broyé par le choc.

— Nous pensons que le passager est Nordley.

L'agent spécial Sullivan, l'air soigné dans un costume doublé d'un gilet pare-balles, s'approcha de Patrick.

— On en saura davantage quand on l'aura désencastré et chargé dans l'ambulance.

— C'est lui, confirma Patrick. Il est vivant ?

— A l'entendre, il l'est, dit Sullivan. Il jure à tout va.

Il jeta un coup d'œil derrière lui.

— Quelle est la situation dans la maison ?

— Abel Giardino a reçu une balle. Il a besoin de secours. Les trois femmes et le garçon sont effrayés, mais indemnes.

— Je ne vais pas te demander ce que tu fais là, alors que je t'avais dit de rester à l'écart.

Patrick croisa son regard, refusant de battre en retraite.

— J'avais une tâche à accomplir, tout comme toi. Il fallait que je sauve Stacy Giardino et son fils.

— En faisant cela, tu as poussé Nordley dans ses retranchements.

Sullivan revint à la voiture, où les secours démontaient la portière côté passager pour atteindre le sénateur.

— Il n'aurait pas été aussi imprudent si tu n'avais pas été là.

— Tu avais raison, c'est lui qui tirait toutes les ficelles. Il avait l'intention de se servir du garçon pour mettre la main sur l'argent des Giardino. Il a obligé Abel et Willa à le seconder en leur faisant du chantage.

— Il nous faudra ton rapport le plus vite possible. Et nous allons interroger les Giardino et tous ceux qui sont là.

— On pourra en parler plus tard. Il faut que je m'occupe de Stacy et de son fils.

Patrick tourna les talons pour regagner la maison.

— Tu pourrais perdre ton boulot pour ça, lança Sullivan. Ou au moins essuyer un avertissement.

Peut-être, songea Patrick. Mais il avait fait ce qu'il pensait être juste et il pourrait s'en accommoder.

— J'imagine qu'on verra.

— Tu crois qu'elle en vaut la peine ?

Il sourit, le dos tourné.

— Oui, dit-il. Oui, elle en vaut la peine.

Il accéléra le pas en direction de la maison. Plus vite tout serait terminé, plus vite ils seraient ensemble, mieux ce serait.

Stacy resta dans la maison avec Carlo, tandis que Willa et Justine suivaient les ambulanciers emportant la civière où reposait Abel. Le vieil homme était conscient et les secouristes jugeaient son état stable.

— Est-ce qu'oncle Abel va guérir ? demanda Carlo.

— Oui, mon chéri, dit Stacy en se forçant à sourire. Demain ou après-demain, nous irons lui rendre visite à l'hôpital. Je suis sûre que ça lui plaira.

— D'accord.

Carlo enfouit sa tête dans son épaule et ferma les yeux. Il devait être épuisé ; elle-même l'était. Mais trop de choses demeuraient en suspens pour qu'elle puisse se reposer.

Tandis que les ambulanciers et les femmes quittaient la maison, Patrick se faufila à l'intérieur. Il portait toujours son arme, qui pendait à son côté. Son épaule était maculée de sang séché et ses yeux étaient cernés de noir. Pourtant, aucun spectacle n'aurait pu faire plus plaisir à Stacy.

— Comment ça va ? lui demanda-t-il.

— Je suis seulement fatiguée. Et il faut que je mette Carlo au lit.

— Je vais trouver quelqu'un pour nous ramener à la Jeep et t'emmener à l'hôtel.

— Il ne faut pas que j'aille au commissariat répondre à un tas de questions ?

— Il y aura tout le temps pour ça plus tard. Pour le moment, vous avez besoin de vous reposer, tous les deux.

— Qu'est-ce que tu vas faire ?

— Je m'occupe toujours de votre sécurité.

— Alors, tu ne nous quittes pas ?

Le soulagement l'envahit. Elle avait eu peur qu'une fois Carlo et elle hors de danger, il soit impatient de les quitter. Bien sûr, il avait dit et fait beaucoup de choses durant les derniers jours qui démontraient qu'il se souciait d'elle, mais peut-être était-ce seulement pour gagner sa confiance. A présent qu'il n'était plus obligé de rester, peut-être éprouvait-il autre chose.

— Que va-t-il se passer, maintenant ? demanda-t-elle, une question qu'elle lui avait posée régulièrement.

Il avait toujours une réponse qui la rassurait et lui faisait tenir le coup.

— Le sénateur Nordley va être mis en accusation : kidnapping, tentative de meurtre, complicité d'évasion… Je suis sûr qu'il y aura d'autres charges. Abel sera peut-être aussi accusé, mais je parie qu'il va conclure un accord en échange de son témoignage contre Nordley. Surtout si tu persistes à le défendre.

Elle secoua la tête.

— Je l'ai cru quand il a dit que Nordley l'avait roulé. Et que va-t-il m'arriver à moi ? Dois-je rester sous surveillance ?

— Non. Mais je vais t'aider à t'installer.

— Je ne veux toujours pas du programme de protection des témoins. Il n'y a aucune raison pour cela, maintenant.

— Je ne parlais pas du programme.

— Tu veux dire que je serai toute seule ?

— Seulement si c'est ce que tu souhaites.

La chaleur de sa voix s'était évanouie, remplacée par un accent d'inquiétude. Il remua nerveusement et la dévisagea, comme s'il essayait de déchiffrer ses pensées. L'homme qui avait toujours paru si sûr de lui semblait perdu à présent.

— Qu'est-ce qui ne va pas ? demanda Stacy. Pourquoi te comportes-tu si bizarrement ?

— Parce que je ne sais pas comment te le dire.

Il lui toucha l'épaule, effleurant à peine sa clavicule.

— Me croiras-tu fou si je te dis que je t'aime ?

— C'est de la folie en effet, dit-elle, même si son cœur s'était mis à battre la chamade.

Patrick fourragea dans ses cheveux blonds.

— Je sais que nous ne connaissons que depuis quelques jours. Mais j'ai l'impression que j'ai appris à te connaître et... je n'ai jamais rien ressenti de pareil pour quelqu'un. Je te trouve formidable : intelligente, courageuse, forte... Tu es une mère fantastique et une amante belle et sexy... Je ne... Je ne peux pas supporter l'idée de te perdre.

— Tu n'es pas obligé de me perdre.

Les yeux de Patrick cherchèrent de nouveau les siens.

— Qu'est-ce que tu veux dire ?

Elle fit passer Carlo, qui s'était endormi, sur son autre hanche.

— Tu vis bien à Denver, n'est-ce pas ?

Il hocha la tête.

— Je pourrais aussi m'y installer, dit-elle. Je pourrais trouver un travail et même recommencer mes études. Nous pourrions nous fréquenter, et voir comment nous nous débrouillons dans la vraie vie.

— J'aimerais bien.

— C'est tout ce que tu as à dire ? s'esclaffa-t-elle.

En guise de réponse, il l'attira contre lui et l'embrassa. Les lèvres pressées sur les siennes, il les souleva, Carlo et elle, de terre. Quand ils se séparèrent, ils étaient tous deux hors d'haleine.

— J'adorerais ça, Stacy Giardino, dit-il. Je t'aime.

— Je t'aime aussi, Patrick Thompson. Aussi fou que ce soit, je t'aime.

Epilogue

Un an après

Par la fenêtre du tribunal, Stacy regarda la foule des journalistes massés au bas des marches. Des camions de chaînes télévisées bordaient la rue, dont les trottoirs disparaissaient sous une forêt de micros et de caméras.

— Je n'arrive pas à croire que c'est à moi qu'ils veulent tous parler, dit-elle.

Patrick, plus beau que jamais en costume-cravate, lui posa une main rassurante sur le dos.

— Ton témoignage était essentiel pour l'accusation. Sans parler de l'aspect humain de l'affaire : une femme ordinaire piégée dans une famille mafieuse, qui a dû lutter pour sauver son enfant… Le public t'adore.

— Je serai contente quand les choses se calmeront et que je ne serai plus sous les projecteurs.

Elle tira sur la veste de son élégant tailleur. Son audacieuse couleur violette attirait l'œil au milieu d'une mer de gris juridique.

— J'imagine que mieux vaut en finir.

La porte de l'antichambre où elle s'était retirée avec Patrick s'ouvrit, et Carlo se précipita vers elle.

— Maman, on va être à la télé ! s'exclama-t-il.

— On dirait bien.

Elle s'agenouilla pour rectifier la petite cravate de son fils.

— Tu te souviens de ce que je t'ai dit ? Tiens-toi bien, et ne parle que si quelqu'un te pose une question.

Il hocha la tête.

— Tante Deborah me l'a déjà dit.

Stacy leva les yeux sur la femme qui avait suivi Carlo. Deborah Thompson avait les mêmes cheveux blonds et les mêmes yeux bleus que son frère, mais elle était petite et délicate. Elle sourit à Stacy.

— Tu es prête ?

Stacy se releva et prit une profonde inspiration.

— Je crois.

S'approchant d'elle, la jeune femme lui passa un bras autour des épaules.

— Tu vas très bien t'en sortir. Pense à tout ce dont nous avons parlé.

Stacy acquiesça. Depuis presque un an, elle voyait Deborah une fois par semaine pour des séances de thérapie. La sœur de Patrick s'était révélée être psychologue. Après avoir été elle-même battue par le passé, elle s'était spécialisée dans l'aide aux femmes victimes d'abus.

Encadrée par le frère et la sœur, Carlo courant devant eux, Stacy franchit la porte du tribunal. Les flashs des appareils photo crépitèrent et des voix crièrent des questions. Elle lut la déclaration qu'elle avait préparée, dans laquelle elle remerciait les agents fédéraux et les services du procureur pour avoir remis un criminel à la justice.

— Quels sont vos plans maintenant que le procès est terminé ? demanda un reporter.

— J'ai été acceptée à la faculté de droit de l'université de Denver, dit-elle. Je commencerai mes cours dans quelques semaines.

— Les rumeurs sur vous et le marshal Thompson sont-elles vraies ? cria une autre voix.

— Est-ce une bague de fiançailles que vous portez ? questionna quelqu'un d'autre.

Stacy sourit en regardant le solitaire passé au majeur de sa main gauche. Patrick le lui avait donné la veille au soir, durant le dîner, quand ils avaient été certains que le procès se terminerait ce jour-là. Sa demande en mariage n'était pas une surprise ; ils étaient restés inséparables durant l'année précédente. Sa réponse ne l'était donc pas non plus.

— Stacy m'a fait le grand honneur d'accepter d'être ma femme.

Patrick s'était avancé à son côté pour se faire entendre.

— Qu'est-ce que tu en penses, Carlo ? questionna une journaliste.

Patrick souleva l'enfant pour qu'il puisse parler dans le micro.

— Je pense ça sera un bon papa, dit le petit garçon.

En entendant rire une partie de la foule, il enfouit son visage dans l'épaule de Patrick, pris d'un brusque accès de timidité.

— C'est tout le temps dont nous disposions pour les questions.

Le procureur général s'approcha pour les escorter, et ils entrèrent tous dans le tribunal. La voiture de Patrick était garée dans le parking souterrain, ce qui faciliterait un départ discret.

— Tu as été formidable, dit Deborah en tapotant l'épaule de Stacy. On se voit plus tard.

Elle embrassa Stacy, puis Patrick et Carlo.

— Comment te sens-tu ? demanda Patrick à Stacy, après avoir posé le petit garçon par terre.

Carlo s'élança en direction de l'ascenseur.

— Tu es soulagée que ce soit terminé ?

— Oui, je suis soulagée que le procès soit derrière nous. Et quant au reste…

Elle sourit et lui prit le bras.

— J'ai l'impression que ma vie commence enfin. J'ai hâte que mes cours commencent et que le mariage arrive, et que nous formions une famille. Une vraie famille, pleine d'amour et de soutien. C'est une première, pour moi.

— Pour moi aussi.

Patrick s'immobilisa et se tourna vers elle.

— Est-ce que je t'ai dit récemment à quel point je t'aime ?

— Pas depuis une demi-heure.

Il l'embrassa légèrement.

— C'est vrai.

Puis il approfondit son baiser en la serrant contre lui.

— Arrêtez de faire ça ! cria Carlo à l'autre bout du hall.

— Mieux vaut t'y habituer, rétorqua Patrick. Ta mère et moi, nous avons l'intention d'y passer le reste de notre vie.

Stacy posa la tête sur son épaule en riant. Un an auparavant, elle n'aurait jamais cru qu'elle pouvait être aussi heureuse. Un homme — et l'amour — avait tout changé.

JANIE CROUCH

Le prix du chantage

BLACK ROSE

HARLEQUIN

Titre original : PRIIMAL INSTINCT

Traduction française de CHRISTINE MAZAUD

1

D'un geste rageur, Conner s'empara du dossier. Il n'avait qu'une envie : le balancer à travers la pièce et envoyer valser tous ces rapports, comptes rendus et autres procès-verbaux.

Dix mois, bon sang !

Dix mois qu'ils traquaient ce psychopathe. Dix mois à lui courir après.

Mais chaque fois, in extremis, il leur glissait entre les doigts et assassinait une autre femme.

Cinq en dix mois. Toutes dans un rayon de soixante-dix kilomètres autour de San Francisco. La ville cédait à la panique et on ne parlait plus que ça dans les médias : les meurtres et les enterrements de ces jeunes filles.

Conner s'y rendait chaque fois. Rien ne l'y obligeait, mais il s'en sentait le devoir : un la semaine précédente, un autre, trois semaines plus tôt, et un troisième, un mois et demi auparavant.

Chaque enterrement renforçait un peu plus sa détermination. Ce salaud, il l'aurait !

— Compte pas sur moi pour ramasser tout ça !

La voix de Seth, son équipier et ami, l'arrêta dans son geste.

Cela lui aurait vraiment fait du bien de jeter en l'air ce paquet de feuilles, toute cette paperasse qui ne débouchait sur rien.

Mais après, il faudrait se mettre à quatre pattes, récupérer et reclasser tout ça. Est-ce que ça en valait vraiment la peine ?

Conner poussa un long soupir et reposa le dossier.

— Tu veux que je te dise, Seth ? Cette affaire me rend dingue.

— Je sais, vieux. C'est une sale histoire.

Et comme si les meurtres ne suffisaient pas, le tueur les narguait.

La veille, le bureau du FBI à San Francisco avait encore reçu un paquet. Toujours le même. De l'extérieur, il ne présentait rien de notable : une boîte avec une étiquette, comme des milliers d'autres. Elle partait quand même au service de déminage, c'était la procédure. Mais il n'y avait rien de toxique ou de dangereux dans ces paquets : seulement des boîtes enveloppées dans du papier kraft, sur le modèle des poupées russes. Chaque boîte en contenait une plus petite. L'essentiel était dans la dernière : elle renfermait systématiquement une mèche de cheveux de femme.

C'était tout, mais c'était déjà trop.

Car, chaque fois, un cadavre auquel correspondait la mèche était retrouvé quelques jours plus tard…

Les paquets contenaient également un mot manuscrit, rédigé par le tueur. Il y parlait de lui à la troisième personne et s'y désignait sous le prénom de Jacques. Comme dans le jeu de Jacques a dit :

« Jacques a dit, le FBI est trop lent.
« Jacques a dit, vous devriez mieux chercher.
« Jacques a dit, tenez, en voilà une autre. »

Le FBI n'avait pas divulgué cette information au public de peur de semer une panique encore plus grande. Mais tous les agents de San Francisco et de la région étaient au courant et, pour tous, le tueur était connu sous le nom de Jacques a dit.

Chaque fois, c'était la même course implacable. Le

FBI recevait un paquet, sans trace ou indice d'aucune sorte permettant une recherche d'ADN ou autre. Le seul élément digne d'intérêt était le nom du bureau de poste, indiqué sur l'affranchissement. Les jours suivants, les agents quadrillaient donc le secteur, espérant retrouver l'endroit où la malheureuse était détenue.

Ils arrivaient toujours trop tard. C'était en général la police locale qui trouvait le corps et appelait alors le Bureau qui n'avait plus qu'à se précipiter sur les lieux. Mais comme sur les paquets, il n'y avait rien à relever sur la scène de crime. Pas la moindre empreinte, pas le moindre début de preuve. Les équipes scientifiques de la police en étaient pour leurs frais.

Quelque temps plus tard, un nouveau paquet arrivait, et tout recommençait. En vain.

Conner souffla une fois de plus. Avec Seth, il travaillait dans la section ViCAP du FBI. *Violent Criminal Apprehension Program*. Une subdivision de l'unité d'Analyse comportementale du Bureau. Leur travail consistait à aider les forces de l'ordre à mettre la main sur les criminels en analysant les comptes rendus d'enquêtes.

Ils étaient la crème de la crème. Enfin, d'habitude… Jacques a dit avait toujours un temps d'avance sur eux.

— Perigo, Harrington, dans mon bureau !

Le ton péremptoire du chef leur fit lever la tête. Un peu inquiet, Conner lança un regard à Seth. Une convocation chez le chef Logan Kelly n'annonçait jamais rien de bon.

Munis de leur bloc-notes, ils sortirent et longèrent le couloir jusqu'au bureau du patron. Celui-ci s'assit à son bureau et leur désigna deux chaises en face de lui.

— Messieurs, j'ai passé la matinée au téléphone. Avec le gouverneur. L'adjoint du directeur. Et même avec un conseiller municipal. Ils posent tous la même question, où en sommes-nous de l'enquête sur Jacques a dit ?

Conner ne répondit pas, Seth non plus. Le chef Kelly savait parfaitement où ils en étaient.

— Ça commence à me fatiguer de devoir répéter que, malgré nos efforts, nous n'avons toujours rien sur ce psychopathe. Nous passons pour des guignols.

Conner était bien d'accord mais il se garda d'acquiescer. D'ailleurs, Kelly poursuivait.

— Après discussion, nous avons décidé, le sous-directeur et moi-même, de nous adjoindre des consultants free-lance.

Conner se raidit sur son siège.

— Des consultants free-lance, monsieur ? Quel genre de consultants ?

Ils avaient déjà fait appel à des experts indépendants pour tenter de résoudre l'affaire, notamment des graphologues. A qui d'autre le chef Kelly pouvait-il penser ?

— Voilà. Nous avons à l'esprit une personne en particulier, un profiler aux méthodes peu conventionnelles.

Conner jeta un œil à Seth : il semblait aussi surpris que lui. Pourquoi faire entrer un profiler dans le service ?

Malgré l'insistance populaire, relayée par les medias, pour que le FBI en engage un, il n'y en avait toujours pas au Bureau de San Francisco. Tous les agents suivaient en effet une formation au profilage, entre autres disciplines : combat corps à corps, maniement des armes, apprentissage des langues. Ils avaient donc tous cette compétence, sans être des spécialistes non plus.

Conner se pencha vers le chef.

— Vous pensez à quelqu'un en particulier, monsieur ?

— Oui, Perigo. Avez-vous entendu parler d'une experte en profilage du nom de Jeffries ? Adrienne Jeffries.

— Jamais entendu parler.

Seth fit également non de la tête.

— Mais le rottweiler, ça vous dit peut-être quelque chose ? reprit Kelly.

Cette fois, Seth sortit de son silence.

— Oui, bien sûr. Elle travaillait pour le Bureau il y a…
combien ?… quinze ans. Peut-être vingt ? Elle avait une
espèce de superpouvoir. Un don ou un truc du genre qui
lui permettait de flairer le mal. Elle sentait les gens mal
intentionnés et cela aidait à les traquer.

Conner écarquilla les yeux. Un superpouvoir ? Sans
blague ? Ils avaient mieux à faire que perdre du temps
avec de telles foutaises. Des histoires de médium, vieilles
de vingt ans !

— Effectivement, acquiesça Kelly. Adrienne Jeffries
a travaillé avec nous il y a huit ans.

Le chef poussa vers eux le dossier, très mince, qui
traînait sur la table.

— Elle nous a tous épatés, à l'époque, par son talent
de profiler. C'est donc décidé, nous allons la rappeler pour
lui demander de collaborer sur cette affaire.

Conner prit le dossier et le passa à son partenaire sans
même y jeter un coup d'œil.

— Sans vouloir vous contredire, chef, on a d'autres
choses à faire que courir derrière une femme qui n'est plus
du tout dans la course. Dix ans, ça fait un bail.

— Il a raison, chef, renchérit Seth. Et puis, si elle est
si bonne, pourquoi ne fait-elle plus partie du Bureau ?

— Mademoiselle Jeffries a coupé les ponts avec le Bureau
il y a huit ans, après une collaboration de deux ans. Grâce
à elle, nous avons réussi à mettre la main sur trente-sept
criminels. Dans tout le pays. Les équipes avec lesquelles
elle a travaillé ont toutes estimé que leurs enquêtes avaient
abouti grâce à son don. Elle les a mises sur des pistes qui
se sont vérifiées et ont débouché sur des arrestations. Tous
l'ont considérée comme un atout majeur.

Seth siffla d'admiration. Conner opina. Trente-sept cas
en deux ans, c'était du jamais vu.

— Pourquoi est-elle partie, alors ?

Le regard du chef se perdit un instant dans le vague.

— Elle a décrété que ce n'était pas ce qu'elle souhaitait faire dans la vie.

Conner s'empara du dossier que Seth tenait entre les mains. Il l'ouvrit et y jeta un bref coup d'œil. Il ne contenait pas de photo d'Adrienne Jeffries et la moitié des notes avaient été barrées d'un gros trait noir : il était impossible de les lire.

Manifestement, quelqu'un de haut placé dans la hiérarchie du FBI ne tenait pas à ce qu'on en sache trop sur le rottweiler.

Pourquoi ? se demanda Conner. Qu'avait-on de si important à cacher ?

— Huit ans, reprit Seth. Comment se fait-il qu'on ne l'ait jamais rappelée pour nous aider sur certaines affaires ?

— Elle est peut-être morte ? suggéra Conner.

— Sans aller jusque-là, intervint Seth, on doit penser qu'elle est trop vieille maintenant, ou plus dans le coup.

— Pas du tout, objecta Kelly. Elle est bel et bien vivante. Elle est même jeune et parfaitement dans le coup. On a repris contact avec elle à plusieurs reprises, ces dernières années, pour lui demander de retravailler avec nous. Mais chaque fois, nous nous sommes heurtés à une fin de non-recevoir. Un *niet* ferme et catégorique.

Le ton du chef Kelly était aussi cassant que son regard glacial, remarqua Conner.

Il parcourut les documents glissés dans le dossier. Presque tout avait été barré. Dans quel but ? Que cherchait-on à dissimuler ? Que ces histoires de médium ne tenaient pas la route ? Personnellement, il en était persuadé. Seul un travail acharné — et parfois un peu de chance — venaient à bout des affaires criminelles. Les superpouvoirs et autre clairvoyance n'étaient que balivernes.

— Pourquoi elle ne veut plus ? s'enquit-il.

— Elle dit juste que… qu'elle ne tient pas à retravailler avec le FBI.

Le chef avait hésité un instant, mais Conner ne releva pas.

— Mademoiselle Jeffries n'a plus qu'un centre d'intérêt dans la vie, c'est son ranch, et ses chevaux, à Lodi.

A Lodi ? s'étonna Conner. Elle n'était pas partie bien loin. Deux heures de route à peine à l'est de San Francisco. Des vignes. Des fermes. Et surtout, la campagne à perte de vue. L'endroit idéal pour élever des chevaux.

— Qu'est-ce qui vous fait penser qu'elle sera d'accord pour nous aider cette fois-ci ? Cette femme devait être d'une froideur peu commune si elle refusait d'aider à élucider des affaires douloureuses malgré ses dons.

— La situation a changé l'an passé.

— Ah ? Elle a besoin d'argent ? avança Seth.

— Non. Ce n'est pas ça. Il y a un peu moins d'un an, elle a engagé un régisseur… Un repris de justice en liberté conditionnelle… Mais il a failli à sa parole.

Intrigué, Conner se cala contre le dossier de sa chaise.

— Il a commis des délits ? Fait des choses illégales ?

— Non, répondit le chef. Son régisseur, Rick Vincent, a été condamné dans les années soixante-dix pour vol avec effraction. Il a purgé trois ans, a été relâché. Tout allait bien jusqu'à ce que, pour une raison que j'ignore, il ne se présente pas au bureau du shérif comme il aurait dû le faire. C'était en soixante-dix-neuf. Depuis, il y a un mandat d'arrêt contre lui.

Conner fronça les sourcils.

— Désolé, chef, mais je ne comprends pas bien, là. Si ce Vincent n'a pas été arrêté depuis le délit commis dans les années soixante-dix, s'il n'a pas eu maille à partir avec la justice depuis, je ne vois pas en quoi il peut représenter un danger pour mademoiselle Jeffries.

Le chef eut l'air agacé.

— Effectivement. D'ailleurs, nous ne sommes pas inquiets pour mademoiselle Jeffries. Les rapports que nous avons stipulent même qu'ils sont très grands amis, tous les deux.

Conner fit un clin d'œil à son équipier. *Les rapports stipulent ?* Qu'est-ce que ça voulait dire ? On ne leur avait sûrement pas tout dit…

— Les rapports, monsieur ? Vous voulez dire qu'elle est surveillée ?

— Oui… enfin, pas vraiment. Ce sont juste des tentatives de notre part, de temps à autre, pour l'inciter à revenir nous aider. Nous avons besoin de son talent de profiler.

Le chef regarda ses mains puis se mit à classer les papiers étalés sur sa table.

Ses explications étaient vagues, songea Conner. De toute évidence, il ne tenait pas à en dire trop sur mademoiselle Jeffries.

Pourquoi donc ? Le chef allait-il enfin être un peu plus précis ?

— Je veux…

Kelly leva les yeux de sa table.

— … que vous vous rendiez chez mademoiselle Jeffries, dans son ranch, et que vous lui demandiez de venir nous aider sur cette affaire. Si elle refuse, je vous demande d'employer la menace comme levier. Rappelez-lui que Rick Vincent est en état d'arrestation. Cela la décidera sans doute à collaborer.

Conner s'agrippa à sa chaise pour ne pas bondir.

— Pardon ? Mais, chef, ça s'apparente à… du chantage !

Kelly plissa les yeux.

— Non, Perigo. C'est faire votre métier. Elle abrite un criminel sur ses terres, vous devez nous l'amener.

— Un criminel non violent avec une condamnation vieille de trente ans pour vol ! intervint Seth. Je ne connais pas un poste de police qui serait prêt à gaspiller un litre d'essence pour aller à Lodi arrêter ce Rick Vincent !

— Ce n'est pas Rick Vincent qui nous intéresse. Notre

objectif, c'est de contraindre mademoiselle Jeffries à collaborer.

— Chef…

Conner s'était radouci mais il ne put ajouter un mot. Le patron lui coupa la parole.

— Perigo, je vous reçois cinq sur cinq. D'accord, vous n'aimez pas la méthode. Dites-vous bien que moi non plus. Mais combien de femmes êtes-vous prêt à laisser encore mourir quand nous avons un… outil à notre disposition ? Un outil qui a déjà fait ses preuves.

Conner pestait intérieurement. Bon Dieu, cette mademoiselle Jeffries allait leur faire perdre leur temps. Une spirite ! A quoi pourrait-elle leur servir ?

Il haussa les épaules. Après tout, c'était un ordre.

— D'accord, Chef. Nous irons la voir demain matin.

Mais il passa les heures suivantes à reprendre de fond en comble le dossier Jacques a dit. Il devait trouver quelque chose, n'importe quoi, pour éviter d'aller chez Adrienne Jeffries, pour ne pas avoir à la ramener de force. Obtenir son aide ne leur serait d'aucune utilité et les moyens d'y parvenir lui soulevaient le cœur.

Il lut et relut les témoignages, examina à la loupe la vie des victimes pour tenter de leur trouver des points communs, visionna pour la xième fois les bandes vidéos des scènes de crime et reprit les photos une à une.

Tout cela pour rien.

La journée touchait à sa fin, les locaux s'étaient vidés, et il n'y avait plus que lui et Seth.

De lassitude, il prit dans un tiroir de son bureau une balle en mousse et croisa les pieds sur sa table. Rien de mieux pour se détendre que lancer la balle en l'air et la rattraper.

Au bout de quelques minutes, Seth releva la tête de ses dossiers et lui fit signe de lui envoyer la balle.

Manifestement, ils avaient tous les deux besoin de souffler un peu.

Conner s'exécuta.

— Tu ne me demandes pas mon avis, Seth, mais je te le donne quand même, il y a quelque chose qui cloche dans cette histoire Adrienne Jeffries. Tu ne penses pas ?

Seth attrapa la balle et ne la relança pas.

— Apparemment, Kelly a de bonnes raisons de croire qu'elle peut nous aider.

— Ouais.

— T'es pas d'accord ?

— Je pense que c'est une perte de temps, maugréa Conner. Ce que je crois, c'est que cette fille devait être mignonne à l'époque et que le chef et elle ont eu une aventure.

— Tu penses qu'elle l'a embobiné.

Seth lança la balle.

— Ecoute, j'ai pas l'habitude de dire du mal des gens mais, franchement, ces histoires de voyance, de télépathie ou de superhéros pour résoudre les affaires, ça me fait doucement rigoler.

Et obliger une quinquagénaire à quitter sa ferme pour la plonger dans un dossier aussi important que Jacques a dit, c'était proprement inconcevable.

Il relança la balle à Seth.

— Tu sais, confia celui-ci, j'ai vu des cas où les méthodes non traditionnelles ont fonctionné.

Conner se passa la main dans les cheveux.

— M'en parle pas, Seth. S'il te plaît. M'en parle pas ! Ça me fait suer, tu comprends. Aller là-bas pour des prunes ! On a plus important à faire.

— Comme quoi ? Rester ici les bras ballants à attendre que ça se passe ? Ah non, je sais ! Tu voulais réceptionner le prochain colis de notre salaud !

Conner baissa la tête et, les yeux fermés, soupira. Seth venait de marquer un point. Si cette femme pouvait ouvrir une brèche dans le dossier, cela valait le coup d'essayer. Mais il ferait attention et ne lui donnerait que peu d'infos. Si elle avait trompé le chef Kelly et les autres agents, lui, elle ne le roulerait pas dans la farine, parole de Conner !

— Parfait, lança-t-il. J'irai. Mais je tiens à ce qu'il soit clairement stipulé que j'y suis contraint et forcé. Que j'en ai reçu l'ordre. Perso, je considère que nous avons mieux à faire.

Seth se mit à ricaner.

— C'est noté, maître !

Il relança la balle à Conner.

Celui-ci la posa sur son bureau et prit le dossier — ridiculement mince et inutile — de mademoiselle Jeffries.

Quand il avait essayé de trouver des renseignements sur elle dans les fichiers informatiques du Bureau, il était tombé sur le même mystère. Quelqu'un de haut placé dans la hiérarchie du FBI — peut-être même plus haut que le chef Kelly — la protégeait ou cachait quelque chose. Il n'existait aucune photo, aucun descriptif de cette femme. Il n'était pas fait mention de ces prétendus dons et, nulle part, n'apparaissait le mot rottweiler.

Au vu de ce dossier, elle aurait pu être une des milliers de free-lance qui avaient travaillé avec le FBI, aussi bien réceptionniste, qu'agent de surface, cuisinière ou photographe. Ils en engageaient des milliers chaque année pour des durées limitées. Tous ces intervenants avaient un dossier au Bureau, c'était la procédure classique.

Mais pour Adrienne Jeffries n'apparaissaient que son nom et les dates auxquelles elle avait travaillé pour le FBI. Toutes les autres informations avaient été barrées.

Etrange, songea Conner. Que voulait-on cacher sur elle ?

Encore plus étrange : pourquoi une profiler aussi géniale n'aidait-elle plus le FBI ? Cette femme devait vraiment être sans cœur pour ne plus mettre son talent au service de la police et ainsi sauver des vies. Adrienne Jeffries était assurément une femme froide et indifférente aux autres. A fuir !

Il reposa le dossier, essayant de penser à autre chose. Mais une question le tracassait. Le chef avait dit qu'ils surveillaient cette femme.

Enfin, pas vraiment.

Qu'est-ce que cela voulait dire ?

Tous les jours, des intervenants free-lance quittaient le Bureau une fois leur contrat terminé. La plupart d'entre eux n'étaient pas surveillés par le FBI après leur départ. Mais cette femme-ci l'était, du moins en partie.

Il y avait quelque chose d'anormal autour de cette Adrienne Jeffries et du rôle qu'elle avait joué. Quelque chose de mystérieux. Conner déboutonna son col de chemise, desserra son nœud de cravate et reprit sa balle en mousse.

— Seth ! Attrape !

Il détestait l'inconnu ou, plus exactement, aller à l'aveuglette. Mais en la circonstance, il n'avait pas le choix. Ils ramèneraient cette femme, comme on lui en avait donné l'ordre, il glanerait ici et là quelques infos, utiles si possible, et après, il se mettrait vraiment au travail.

2

En arrivant au ranch d'Adrienne Jeffries le lendemain matin, l'opinion de Conner était plus que faite, ils perdaient leur temps. D'accord, le ranch, perdu au milieu des collines qui entouraient Lodi, était pittoresque. Mais était-ce une raison suffisante pour faire deux heures de route ?

La maison, de taille plutôt modeste, était plantée au centre de corrals. Une écurie, un peu plus vaste, se dressait derrière.

— Allons-y et finissons-en avec cette ânerie, bougonna Conner.

Ils se garèrent et montèrent les trois marches un peu branlantes menant à la terrasse. Celle-ci était correctement entretenue, ainsi que le mobilier. Mais tout était vieux et sentait les fonds de brocante.

Conner frappa à la porte. Un coup de peinture fraîche n'aurait pas été un luxe, se dit-il.

Pas de réponse.

— Allons voir dans l'écurie, suggéra Seth en sautant en bas du petit escalier.

L'écurie était en meilleur état que la maison. Bien entretenue, bien organisée, réparée de fraîche date. De toute évidence, l'argent gagné était réinvesti dans cette belle construction de bois.

Comme ils en approchaient, des éclats de voix leur parvinrent. Une voix d'homme dominait mais ce qu'il disait était incompréhensible.

— Tu entends ? demanda Conner à Seth.

Sur le qui-vive, ils tendirent l'oreille.

— Holà dans la grange ! lança Seth. C'est le FBI. Agent Conner Perigo et agent Seth Harrington.

Instantanément, le silence se fit. Ils s'avancèrent à l'intérieur.

— Il y a quelqu'un ? lança Conner.

Un juron résonna au loin, suivi d'un crachat, comme si quelqu'un chiquait du tabac et le recrachait par terre.

Puis une voix marmonna :

— Ouais. Y a quelqu'un.

— Monsieur, il n'y a que vous dans la grange ? interrogea Conner, méfiant, alors qu'ils entraient lentement.

— Ouais.

— Vous êtes sûr ? renchérit Seth. On vous a entendu parler.

— Ouais. Je parlais à Willie Nelson mais il ne va pas vous répondre de sitôt.

Willie Nelson ? Conner se tourna brièvement vers Seth. Tous les deux la main sur leur arme, prêts à dégainer, ils continuèrent d'avancer. Comme ils s'habituaient à l'obscurité, un homme apparut dans une stalle. Il parlait au cheval qu'il était en train de bouchonner. Willie Nelson, c'était donc l'animal ! songea Conner.

La soixantaine bien tassée, l'homme était trapu, râblé. Il faisait le tour de la bête en boitant de la jambe gauche. Ce devait être Rick Vincent.

— Je suis l'agent Conner Perigo. Et lui, l'agent Seth Harrington. On est du FBI.

— Ouais, vous l'avez déjà dit. Je suis pas sourd.

De toute évidence, l'homme n'était pas un fan de la police.

— Voyez pas que je suis occupé ?

— On cherche mademoiselle Jeffries, monsieur. C'est la propriétaire de ce ranch, c'est bien ça ? demanda Conner.

En même temps, il fit un pas vers la sortie pour la bloquer au cas où…

— Ouais. Mais elle est pas là.

— Pas là au ranch ou pas là dans l'écurie ? insista Seth.

— L'est partie à cheval.

— Puis-je vous demander votre nom, monsieur ? s'enquit Conner.

Ils le savaient déjà mais Vincent n'était pas obligé de le savoir.

L'homme hésita quelques secondes, puis bougonna :

— Vincent. Rick Vincent.

— Vous travaillez ici, monsieur Vincent ?

— Vincent tout court, ça suffira. Ouais, je travaille ici. Je suis le manager du ranch.

— Vous travaillez ici depuis longtemps ? reprit Seth.

— Ça va faire un an maintenant.

— Mademoiselle Jeffries en était déjà propriétaire ?

Conner laissait Seth poser les questions, concentrant toute son attention sur les réactions de l'homme et l'inspection de l'écurie. En fait, ils connaissaient déjà toutes les réponses mais, si Rick Vincent déguisait la vérité, ses mensonges pouvaient être instructifs.

— Ouais.

— Il n'y a que vous deux à travailler ici ?

— Ouais. Quelquefois des gosses du Club 4-H viennent aider. Les week-ends ou autre. Il y a aussi des élèves de l'école d'agriculture de la ville d'à côté. Ceux-là aussi viennent parfois.

— Pourrais-je avoir votre adresse, Vincent ? Au cas où on voudrait vous reparler après avoir vu mademoiselle Jeffries.

Vincent se tut un très long moment, puis lâcha :

— J'habite ici.

Conner lança un regard interrogateur à Seth.

— Vous voulez dire que vous habitez avec mademoiselle Jeffries, dans sa maison ? demanda Seth.

Oh ! oh ! Intéressant, pensa Conner.

— Oui.

— Et il n'y a que vous deux ici ?

— C'est pas du tout ce que vous croyez, les gars. On habite tous les deux ici mais y a rien de plus.

Vincent les fusilla du regard puis cracha sa chique à ses pieds.

D'accord, on n'est peut-être pas dans la romance mais on se protège, conclut Conner.

Seth s'apprêtait à poursuivre son interrogatoire quand une voix de femme leur fit tourner la tête.

— Vincent ! C'est officiel, j'aime Ruby Tuesday. J'espère que ses propriétaires vont nous la laisser en pension. Je devrais peut-être leur faire un prix pour pouvoir la garder. J'aimerais tellement l'avoir sous les yeux tous les jours que le bon Dieu fait.

Un éclat de rire joyeux s'ensuivit, captant toute l'attention de Conner.

La voix s'amenuisa pour n'être bientôt plus qu'un filet. Elle devait parler à son cheval, pratique apparemment courante, dans ce ranch.

Quelques instants plus tard, une jeune femme, de vingt-deux vingt-cinq ans, entra. Sans doute une de ces étudiantes dont Vincent avait parlé, supposa Conner.

Elle ramenait Ruby Tuesday dans sa stalle quand, voyant Seth et Conner, elle s'arrêta net, visiblement choquée, et regarda Vincent.

— Ça va, ma jolie ? s'enquit-il.

Elle avait l'air paniqué.

— On ne voulait pas vous faire peur, mademoiselle, dit Conner en avançant vers elle. Je suis l'agent Perigo. Et lui, agent Harrington.

— Vous… vous êtes du FBI, bégaya-t-elle. Qu'est-ce que le FBI vient faire ici ? On ne vous a pas dit qu'on ne vous aime pas trop ?

Conner sourit.

— Nous cherchons Adrienne Jeffries, la rassura-t-il. Monsieur Vincent nous a dit qu'elle est partie faire une promenade à cheval. Vous ne l'auriez pas vue, par hasard ?

La jeune femme inspira profondément et se gratta la tête. Elle regarda les trois hommes tour à tour, sans répondre.

Seth prit la parole.

— Soyez sans crainte, mademoiselle. Il n'y a pas de problème avec Adrienne Jeffries. On voulait juste lui dire un mot.

La jeune femme inspira encore plusieurs fois. Elle semblait retrouver son calme et lança finalement :

— D'accord.

Conner haussa les épaules.

— D'accord, quoi ?

— D'accord, je suis là. Qu'est-ce que vous me voulez ? Allez-y, parlez.

Incrédule, Conner faillit se fâcher. Il n'aimait pas qu'on se fiche de lui. Cette fille ne pouvait pas être l'Adrienne Jeffries qu'ils cherchaient. Elle était trop jeune, avec ses grands yeux noirs et ses cheveux en pétard.

Et bien trop jolie.

— Non, répondit Conner. On peut peut-être parler à votre mère, alors. Y a-t-il une autre Adrienne Jeffries à cette adresse ?

La jeune femme soupira.

— Non, il n'y a que moi.

Elle donna les rênes de son cheval à Vincent.

— Suivez-moi, on sera mieux dans la maison pour parler. C'est quand même plus confortable.

— Je viens avec vous, dit Vincent.

Adrienne lui posa la main sur le bras. Il n'y avait peut-être pas de romance entre ces deux-là mais ils se protégeaient mutuellement, remarqua Conner.

Et il allait devoir jouer l'un contre l'autre. Certains jours, il détestait son boulot de flic.

— Ça va, Vincent, je te promets, dit la jeune femme. Reste là.

Elle se tourna vers Conner, l'air dur, et lança à son régisseur, par-dessus son épaule :

— Si c'est le FBI, je sais pourquoi ils sont là.

Sur ces mots, elle sortit de l'écurie. Conner la suivit aussitôt. Il ne pouvait détacher son regard de cette fine silhouette, moulée dans un jean usé. Ce n'était sûrement pas un jean de grand couturier mais peu importait. Il lui allait terriblement bien.

Seth le rattrapa avant qu'il n'atteigne le pied des marches et lui donna un coup de coude.

— Quoi ? grogna Conner en détournant les yeux du spectacle que lui offrait mademoiselle Jeffries.

— Je n'ai pas de kleenex à t'offrir, vieux, mais si tu veux, j'ai ma manche, se moqua Seth.

— Qu'est-ce que tu racontes ?

— Tu ne vois pas que tu baves ?

Agacé par le sous-entendu de son équipier, Conner eut du mal à se contenir. S'il s'était écouté, il lui aurait flanqué son poing dans la figure, mais ça ne valait pas ça. Il ne bavait pas, il le savait bien.

Malgré lui, son regard se porta de nouveau sur les courbes d'Adrienne Jeffries.

Mince, elle était drôlement bien faite !

En tout cas, elle n'avait sûrement pas la cinquantaine quand elle avait travaillé avec le Bureau dix ans plus tôt.

Une erreur s'était glissée quelque part. Entre ce que leur avait raconté le chef Kelly et ce qu'il avait sous les yeux, il y avait un monde !

Si c'était elle le fameux rottweiler qui avait travaillé avec le FBI, elle devait être adolescente à l'époque. Ce n'était pas possible, elle était trop jeune. Quelque chose ne collait pas.

Elle entra chez elle par la porte de derrière sans leur faire signe de la suivre, mais elle eut l'élégance de ne pas leur claquer la porte au nez. Ils la suivirent jusque dans la cuisine. La pièce, comme la terrasse, les marches, l'écurie, son jean — vite, il chassa cette image — était propre mais avait vécu.

Adrienne alla se servir un verre d'eau à l'évier et le but d'un trait. Elle le reposa sur le comptoir et, alors seulement, se tourna vers lui et Seth.

— Asseyez-vous.

Elle désigna les quatre chaises qui encadraient la table. Il en prit une; Seth, une autre en face de lui.

Adrienne resta debout, appuyée à l'évier. Elle ne leur offrit rien à boire, encore moins à manger. Et ne leur adressa pas la parole. Elle ne les fusillait pas du regard mais elle n'était pas souriante.

Bien calé contre le dossier de sa chaise, Conner lui renvoya le même regard peu aimable.

Si elle voulait la jouer hostile, elle allait perdre.

— Mademoiselle Jeffries, commença Seth, nous aimerions vous poser quelques questions sur le contrat de travail qui vous liait au FBI.

— Que voulez-vous savoir ?

Elle ne cessait de fixer Conner, l'air furieux.

— Pouvez-vous nous expliquer la nature du travail que vous faisiez pour le Bureau ? poursuivit Seth.

— Dites-moi d'abord ce que vous savez, je remplirai les blancs.

Désormais, elle fixait Seth, le visage plus doux. Conner intervint brusquement :

— Quel âge avez-vous ?

De nouveau, elle le fusilla du regard.

— Votre mère ne vous a jamais dit qu'on ne demande pas son âge à une femme ? En plus, je suis sûre qu'il existe un dossier bien renseigné sur moi au FBI, avec tout un tas d'informations. Dont celle-là.

Seth sourit.

— Détrompez-vous. Votre dossier est quasiment vide.

L'information sembla la calmer. Elle se détendit un peu sans pour autant sourire.

— J'ai vingt-huit ans.

Conner hocha la tête. Ça ne pouvait pas être vrai.

— Vous êtes sûre ? dit-il d'un ton plus bourru qu'il ne le voulait.

— Si je suis sûre ?

De nouveau, elle avait sorti les griffes.

— Si je suis sûre de mon âge ? Attendez, je vais compter sur mes mains et mes doigts de pied et vous montrer que je sais compter.

— Ce n'est pas ce que je voulais dire. Simplement, ce n'est pas le moment de tricher sur votre âge pour jouer les coquettes ou je ne sais quelle bêtise.

— Mais puisque je vous dis que j'ai vingt-huit ans ! Je sais ce que je dis, quand même !

Seth reprit la main.

— Ce que veut dire mon partenaire, mademoiselle Jeffries, c'est que si vous avez vingt-huit ans et travailliez avec le FBI il y a dix ans, vous deviez être très jeune. Trop jeune.

Un voile passa sur les yeux d'Adrienne, nota Conner.

— Disons que le FBI a fait une exception pour moi.

Elle traversa la cuisine pour prendre son portefeuille

dans un sac accroché à une patère. Elle en sortit son permis de conduire et le balança à travers la table.

— Vingt-huit, confirma Seth en poussant le permis vers Conner.

Elle ne mentait pas.

Bien sûr, son permis pouvait être un faux. Mais à quoi bon ? Qu'avait-elle à faire d'une fausse pièce d'identité ?

Elle avait donc dix-huit ans quand elle avait collaboré avec le FBI, qui l'avait surnommée le rottweiler. Un chien, un limier, agressif, pire, franchement dangereux. Pas étonnant dans ces conditions qu'ils aient rayé tant de choses dans son dossier.

— Toujours aussi grossier, marmonna-t-elle en retournant s'appuyer à l'évier.

Normalement, Conner se serait excusé mais, en la circonstance, il en était incapable. Cette fille, avec ses airs supérieurs, l'horripilait. Mais, dans le même temps, elle l'intriguait.

Seth reprit d'une voix calme.

— Il est clair que nous ne savons pas tout, mademoiselle Jeffries. Si vous vouliez bien nous aider à remplir les blancs, comme vous dites, vous nous faciliteriez la vie à tous. A vous comme à nous.

— Appelez-moi Adrienne, agent Harrington. Ça suffira.

De toute évidence, l'invitation ne s'adressait pas à lui, comprit Conner. Mais il ne broncha pas.

— Merci, Adrienne. Appelez-moi Seth, vous aussi.

Elle lui adressa un sourire si avenant que Conner faillit se lever pour les séparer.

Oh là, qu'est-ce qu'il lui prenait ? Il était urgent qu'il se calme ! Heureusement, occupés à faire assaut d'amabilités, les deux autres ne se rendirent apparemment compte de rien.

— Pouvez-vous nous dire ce que vous faisiez pour le FBI ? lui demanda Seth avec un sourire qui, cette fois encore, faillit faire bondir Conner.

Prends tes gouttes, mon vieux, se dit-il. Qu'est-ce qu'il t'arrive ?

— Vous êtes sûrement au courant de la rumeur. J'ai un don très particulier qui me permet de percevoir le mal chez les gens mal intentionnés.

Seth fit oui de la tête.

— De quelle façon ce don vous a-t-il servi quand vous travailliez avec le Bureau ?

— C'est simple. Quand je côtoie une personne mal intentionnée, je sens, je perçois si vous préférez, ses pensées. Et je n'ai pas besoin d'être juste à côté de cette personne. Il suffit que je sois près de quelque chose qu'il ou elle a touché ou près duquel il s'est trouvé pour pouvoir « lire » le mal.

— Rottweiler, marmonna Conner.

Il ne croyait toujours pas à cette histoire de clairvoyance.

— Si vous voulez, releva Adrienne, l'air pincé. C'est vrai que j'ai… du flair. Heureusement, personne n'a encore jamais eu le mauvais goût de me lancer cette injure à la figure, je l'aurais mal pris. Se faire traiter de chien…

Conner encaissa.

— Vous êtes médium, en somme ? Ou voyante ? Ou quelque chose comme ça ? insista Seth.

— Non. Pas vraiment. Je ne suis pas dotée de super-pouvoirs. Je ne lis pas dans la tête des gens. Je ne ressens pas ce qu'ils ressentent. Par exemple, si vous étiez triste en ce moment, je ne ressentirais pas votre tristesse. Non, ce que je perçois, c'est la méchanceté, les pensées malignes, le mal, quoi ! C'est un peu comme si ma tête était une éponge qui absorbe les intentions malignes des gens qui m'entourent ou m'approchent.

— Mais comment ? Pourquoi ? interrogea Conner.

Il était incapable, malgré ses efforts, de cacher son incrédulité.

— Je ne sais pas. Certaines personnes sont hyper

sensibles à la chaleur ou à la lumière. Moi, mon cerveau est sensible aux énergies négatives.

— Et ça, je veux dire votre don, fonctionne avec tout le monde ? poursuivit Conner.

— Non. La plupart des gens ne sont pas menaçants. Ils peuvent être désagréables ou grossiers ; c'est en général une réaction de défense quand on manque de confiance en soi.

Conner préféra ne pas relever.

— Et comment *sentez-vous* ce que vous percevez ? s'enquit Seth. Vous voyez des images ? Vous avez des visions ?

— Plus je suis proche de la personne, physiquement s'entend, mieux je perçois, que ce soit les images ou les sons. En fait, je perçois tout. De loin, c'est brouillé, comme si je regardais à travers plusieurs épaisseurs de vitres ; je distingue mal les détails. De près, c'est comme si j'étais dans la tête de mon voisin, je vois et j'entends tout.

Conner haussa les épaules. Foutaises !

— Et si je vous demandais de nous faire une démonstration de vos pouvoirs ? Qu'est-ce que vous me répondez ?

Elle le regarda avec un air méprisant.

— Je vous réponds *non*.

— Un peu facile, vous ne croyez pas ? décréta Conner.

Adrienne le dévisagea froidement.

— On n'est pas à une démonstration de singes savants, Agent Spécial Stupide.

Seth éclata de rire.

— Et, sans vouloir vous vexer, poursuivit Adrienne, je vous rappelle que je ne vous dois rien. En d'autres mots, circulez, il n'y a rien à voir.

Fulminant, Conner se leva sans trop savoir ce qu'il allait faire et avança vers elle.

Qu'avait donc ce petit bout de femme de rien du tout pour le mettre pareillement à cran ?

Seth s'interposa :

— Adrienne, excusez-nous un instant. Je dois discuter avec l'agent Perigo d'un texto que je viens de recevoir.

Il prit Conner par le bras et l'emmena sur la terrasse.

— Quoi ? aboya Conner comme la porte se refermait derrière eux.

— Tu me demandes *quoi* ?

Evidemment, il n'y avait pas de texto dont discuter.

— Tu t'es entendu, agent Perigo ? Je me suis demandé si tu avais décidé de l'arrêter… Si tu pensais que c'était elle la tueuse.

— Quoi ?

— Tu as vu comment tu la traitais, Agent Stupide ? Tu n'aurais pas été plus désagréable avec un assassin ou un témoin hostile.

Conner se frotta le visage à deux mains. Seth avait raison. Il s'était conduit comme un imbécile.

— Je ne sais pas ce qui m'a pris.

— Moi non plus, mais vaudrait mieux que tu te calmes. Elle n'a rien fait de mal, que je sache.

— Je sais.

— O.K., tu penses qu'on perd notre temps. Pour être franc, je suis pas loin de penser pareil. Mais si ce qu'elle dit — ce que le chef Kelly a dit — est vrai…

— On va avoir l'ouverture qu'on espère depuis des mois, termina Conner, ricanant à moitié.

Seth fronça les sourcils.

— Tu n'aimes pas cette fille, O.K. Mais laissons ça de côté.

Conner voulut rectifier mais cela n'en valait pas la peine. Il n'aimait pas Adrienne Jeffries ? Première nouvelle ! Il n'en savait rien lui-même. De toute manière, qu'il aime ou n'aime pas cette espèce de furie n'était pas le sujet. Le problème, c'était qu'elle avait quelque chose qui le dérangeait et que c'était inconfortable.

— O.K. Dorénavant, je ferai gaffe.

— Parfait, dit Seth, apparemment soulagé. Je t'ai à l'œil.

Ils revinrent dans la cuisine.

— Alors, messieurs, vous avez une fois de plus sauvé le monde ? se moqua Adrienne.

Elle s'était assise à table le plus loin possible de la chaise qu'occupait Conner.

— En quelque sorte, répliqua Seth.

— Vous devez travailler sur un gros coup pour que le FBI vous envoie chez moi après tout ce temps.

— Exactement. Un fichu gros coup. Du lourd. Du gore, précisa Seth.

Muré dans son silence, Conner les écoutait. C'était préférable car il n'avait aucune envie d'être aimable.

— Ils vous ont baratinés, poursuivit Adrienne. Ils vous ont raconté que je pourrais vous aider.

Les deux hommes opinèrent en chœur.

Elle s'approcha d'eux, l'air narquois.

— Quand ils vous ont ordonné de venir me chercher, ils vous ont prévenus ? Que je vous dirais d'aller vous faire voir ?

3

Non, non et non, ça n'allait pas recommencer !

Adrienne se prit la tête entre les mains.

Le FBI n'allait pas de nouveau s'immiscer dans sa vie et la lui voler. Elle avait grandi maintenant, elle était plus sage, plus consciente de tout. Aider le FBI lui avait coûté si cher. Elle avait donné. Jamais elle ne recommencerait. C'était fini. F-I-N-I.

Elle releva lentement la tête vers les deux agents du FBI : Beau Mec et Copain Copain. Assis à la table de la cuisine, ils l'observaient. Que pouvaient-ils comprendre à son don ? Comment sauraient-ils ce qu'avait été sa vie dix ans plus tôt quand elle avait travaillé avec le FBI ?

Travaillé.

Elle faillit s'esclaffer.

Plutôt *été exploitée et manipulée.*

Mais ça, le FBI ne l'avait certainement pas précisé à ces deux agents. Beau Mec paraissait particulièrement sceptique. Après tout, elle ne lui en voulait pas. Ce n'était pas sa faute. Mais autre chose chez lui la crispait : ses mines tantôt suffisantes, tantôt hostiles. Si elle ne s'était pas retenue, elle lui aurait balancé une poêle dans la figure.

Elle réprima un soupir. Quel choc elle avait eu en découvrant ces deux individus à l'écurie ! D'habitude, quand quelqu'un d'inhabituel se trouvait dans les parages, elle le sentait. A moins qu'il n'ait de mauvais penchants, elle n'avait pas accès à ses pensées mais tout le monde, bon ou mauvais, dégageait une sorte de bourdonnement, et ce bourdonnement, son cerveau le captait.

Quand elle se trouvait au milieu de personnes qu'elle connaissait, elle parvenait à oublier ce bruit — un bruit de fond en quelque sorte — qui finissait par ne plus la gêner, comme un ordinateur ou un téléviseur branché mais sans le son. Evidemment, plus elle se trouvait entourée, plus le bourdonnement enflait.

Lorsqu'elle était entrée dans l'écurie, elle n'avait rien entendu. D'où le choc qu'elle avait eu en voyant les deux agents, car elle n'avait pas perçu le moindre son, la moindre onde venant d'eux.

Rien. D'ailleurs, elle n'entendait toujours rien.

N'empêche qu'ils étaient là, et bien là, et qu'ils voulaient qu'elle les aide. Mais elle ne pouvait pas. La meilleure chose à faire était de leur battre froid et de les renvoyer dans leur but.

Elle jeta un coup d'œil à l'agent Perigo. Celui-là, elle allait avoir du mal à s'en débarrasser.

— Messieurs, je suis flattée que vous ayez pris la peine de venir jusqu'ici mais vous n'auriez pas dû vous donner tout ce mal. Le chef Kelly le sait parfaitement. Quelle que soit la complexité du dossier qui vous amène, je ne vous aiderai pas.

— Adrienne… commença l'agent Harrington d'une voix enjôleuse.

Mais son partenaire l'interrompit grossièrement :

— Vous ne nous aiderez pas ? Et pourquoi ? Parce que vous ne pouvez pas ou que vous ne voulez pas ?

C'était bien ce qu'elle pensait : ce type était d'une suffisance insupportable et si elle ne s'était pas retenue… Mince ! Ses doigts la démangeaient…

— J'ai des responsabilités ici, répondit-elle le plus calmement possible.

— Le FBI fera ce qu'il faut pour vous dédommager,

insista l'agent Perigo. En plus, Rick Vincent doit pouvoir régler les choses courantes en votre absence, non ?

— Il n'y a pas que ça, répliqua-t-elle.

— Ah ? Quoi donc alors, Adrienne ? demanda l'agent Harrington d'un ton presque inquiet.

Il paraissait sincère. Mais l'était-il vraiment ou jouait-il parfaitement la comédie ?

— J'ai un don, je le sais mais, vous savez, il m'apporte beaucoup de désagréments.

C'était vraiment un euphémisme mais elle n'avait pas envie de s'étendre sur le sujet.

— En plus, comme je vous l'ai dit, je ne peux pas… ou plutôt, je ne tiens pas… à mettre ma vie entre parenthèses. On a besoin de moi ici.

Elle observa la réaction des deux hommes. Ils ne disaient rien mais se regardaient avec un air de connivence navrée. De toute évidence, ils avaient concocté un plan B, mais un plan B qui ne semblait plaire ni à l'un, ni à l'autre.

L'agent Harrington reprit d'un ton désolé.

— Adrienne, notre hiérarchie nous a envoyés ici avec pour mission d'obtenir votre coopération sur un dossier dont nous sommes chargés.

Il marqua un temps d'arrêt, puis poursuivit, l'air encore plus embarrassé.

— Par quelque moyen que ce soit…

De nouveau, Adrienne scruta les deux agents.

— Quelque moyen que ce soit ? Auriez-vous l'intention de me faire quitter le ranch le fusil sur la tempe ?

— Non. Rien d'aussi drastique, je vous rassure, répondit Harrington tout sourires. Mais nous avons des instructions. Soit nous vous ramenons avec nous, soit nous embarquons votre régisseur, monsieur Vincent, et le livrons aux autorités.

— Pourquoi Rick ? Qu'a-t-il à voir avec tout ça ?

L'agent Perigo monta aussitôt sur ses grands chevaux.

— Cela vous arrive souvent d'engager des repris de justice et de les héberger ?

— Pardon ? s'exclama Adrienne, outrée.

— Vous n'êtes pas au courant du passé de monsieur Vincent, peut-être ? Vous ignorez qu'il est recherché par l'Etat du Nevada ? Qu'il est en liberté conditionnelle et n'a pas respecté sa parole ?

Adrienne hocha la tête.

— Je sais qu'il a eu affaire à la justice il y a quelque temps mais il n'en a jamais beaucoup parlé et je n'ai pas posé de questions.

L'agent Harrington se pencha vers elle.

— Ce n'est pas risqué de travailler et de vivre avec un homme dont vous savez si peu de choses ?

Elle sourit mais elle était triste. Elle n'avait jamais eu peur depuis que Vincent travaillait au ranch. Dès le début, elle avait su qui il était et qu'il ne lui ferait pas de mal. C'était un des avantages de son don.

— Je sens les individus. Je les juge d'emblée. Vincent est quelqu'un qui ne me fera jamais de mal.

L'agent Perigo soupira.

— Peu importe. Nous, nous avons des ordres. C'est soit vous, soit lui que nous ramenons. A vous de choisir.

La colère envahit Adrienne. Apparemment, on n'avait pas changé au FBI depuis dix ans. Tous les moyens étaient bons. On pouvait user et abuser des gens sans vergogne pour atteindre son but.

— Ça s'appelle du chantage, non ? C'est tout ce que le FBI a trouvé ?

Elle avait envie de taper du poing sur la table.

L'agent Harrington fit mine de lui tendre la main mais elle se renfonça dans son siège.

— Mademoiselle Jeffries…

Il avait au moins la décence de l'appeler par son nom de famille pour la faire chanter.

— Nous devons faire respecter la loi. Il y a un mandat d'arrêt contre monsieur Vincent.

— Que vous vous empresserez d'oublier si j'accepte d'aider le FBI dans cette affaire, ricana-t-elle.

L'agent Harrington se racla la gorge : il était certainement mal à l'aise.

— Disons simplement que si vous nous prêtez main-forte, nous serons tellement occupés que nous en oublierons complètement que nous avons vu Rick Vincent !

Elle était folle de rage, mais mieux valait se calmer et réfléchir.

D'un côté, il n'était pas question qu'elle retravaille avec le FBI, encore moins sous la contrainte. Mais que Vincent puisse retourner en prison était intolérable. Il n'y avait pas une once de méchanceté chez son manager. Et, quoi qu'il ait pu faire par le passé, c'était de l'histoire ancienne. Désormais, c'était l'homme le plus doux et le plus dévoué de la terre. Et s'il était un peu rugueux avec les hommes, il était merveilleux avec les chevaux.

Les deux agents ne disaient plus rien. A quoi pensaient-ils, ces deux traîtres ?

Elle commença par scruter Harrington. Les yeux baissés, il examinait ses mains. Elle jeta alors un coup d'œil à l'agent Perigo.

Il la dévisageait. Il n'y avait plus d'hostilité dans son regard mais une espèce de droiture et peut-être même un peu de sympathie. Il avait son opinion, manifestement négative, sur les dons qu'elle avait et sa personnalité. C'était son droit. Cela ne l'empêchait pas de réprouver — en apparence, du moins — les basses œuvres qu'il était en train d'accomplir.

Il avait des yeux verts, les plus beaux yeux qu'elle ait jamais vus. Une multitude de paillettes dorées y brillaient.

En d'autres circonstances, elle aurait peut-être aimé s'y plonger.

Dépitée, elle détourna le regard et fixa la table de cuisine.

Comment allait-elle se sortir de cette situation ?

Aussi longtemps qu'elle entreverrait une autre possibilité, elle ne les laisserait pas embarquer Vincent. Elle était plus avisée que dix ans plus tôt, elle avait grandi. Elle pouvait se protéger des manœuvres du FBI. Car ce qui s'était passé il y a dix ans recommencerait si elle n'y prêtait pas garde. Cela ne faisait aucun doute. La solution, la seule, c'était d'éviter à tout prix que cela se reproduise.

Elle leva les yeux de la table de cuisine et déclara :

— C'est bon. Je vais vous aider.

Les deux agents acquiescèrent en silence et lui donnèrent des instructions pour le lendemain : l'heure et le lieu de rendez-vous.

Elle promit de s'y rendre.

Il n'y avait plus rien à dire. Aussi, ils la saluèrent et quittèrent la cuisine.

Ils avaient gagné, soupira-t-elle intérieurement.

A sa grande surprise, l'agent Perigo ne monta pas directement dans leur véhicule. Il fit un détour par la grange et salua Vincent.

— Faux jeton ! bougonna-t-elle derrière sa fenêtre de cuisine.

Adrienne commença à préparer des sandwichs pour le déjeuner, mais Vincent ne tarda pas à la rejoindre.

— Le gars du FBI est venu me dire au revoir, lança-t-il en se lavant les mains. Bizarre, non ?

Adrienne hocha la tête.

— Oui, je sais. Je crois qu'il a fait ça pour moi, plus que pour toi.

— Tu ne m'avais jamais vraiment dit que tu travaillais pour le FBI.

Adrienne s'occupa les mains avec les sandwichs.

— J'ai un petit peu travaillé pour eux, il y a quelques années. Mauvaise expérience… C'est pour cela que je n'aime pas en parler.

— Moi je dis, et je sais de quoi je parle, que tout ce qui a à voir avec la justice est un malheur.

Sa remarque fit sourire Adrienne. Leurs expériences avec les hommes de loi avaient été différentes, mais leurs conclusions étaient les mêmes.

— Ils veulent que tu retournes travailler avec eux ?

De colère, Adrienne laissa tomber la tartine qu'elle était en train de recouvrir de moutarde.

— Oui, en quelque sorte.

Elle ramassa sa tartine qui, bien entendu, était tombée du mauvais côté.

— Mais tu ne veux pas…

— Ma vie est ici. J'ai des responsabilités au ranch.

Elle tartina de moutarde un autre morceau de pain.

Vincent s'approcha d'elle.

— Tu sais que si t'as besoin de t'en aller quelque temps, je suis là. Je peux faire tourner la ferme.

— Oui, je sais que tu peux te débrouiller, Vincent. D'ailleurs, sans toi, je ne m'en serais pas sortie, cette année.

Elle lui sourit et il se mit à rougir. Vincent était mal à l'aise avec les sentiments, elle le savait.

— Vincent, je suis au courant que tu as eu des ennuis avec la justice. Mais c'était il y a longtemps. Et de toute façon, j'ai su immédiatement que je pouvais te faire confiance. Les bêtises que tu as pu faire autrefois ne me regardent pas. Je m'en fiche, même. Pour moi, tu as été un sauveur.

Elle lui tendit un sandwich.

— Ça marche dans les deux sens, dit-il.

Il mordit dans le pain et le mastiqua puis reprit.

— Je sais pas pourquoi, j'ai l'impression que ce que tu me dis là a à voir avec la visite de ces deux gars.

Elle soupira.

— Je crois que je vais être obligée de te demander de t'occuper du ranch à ma place pendant quelque temps.

— Pendant que t'iras les aider ?

— Oui.

— Qu'est-ce que tu fais, ou faisais au juste avec le FBI ?

Adrienne reposa son sandwich. Comment expliquer à Vincent ce qu'elle faisait exactement ?

— J'étais une espèce de profiler.

Vincent grommela comme il le faisait souvent, l'air pas étonné du tout.

— Je pensais bien que c'était quelque chose comme ça, vu ton...

Avec la main, il fit des cercles au-dessus de sa tête.

Surprise, Adrienne fronça les sourcils. Vincent savait qu'elle avait un don ? Pas une seconde, elle ne l'avait imaginé. Ils n'en avaient jamais parlé.

— Tu savais, Vincent ?

— Au début, non. Je vais même te dire, quand tu m'as engagé, j'ai trouvé que t'étais un peu imprudente. Embaucher quelqu'un d'inconnu comme moi, et l'inviter à s'installer chez toi au bout de seulement quelques semaines... J'ai pas trouvé ça sérieux.

— Mais tu dormais dans la grange, Vincent !

— Je sais, je sais. Ne le prends pas mal. J'étais bien content que tu m'invites mais je pouvais être dangereux.

— Non, je savais que tu ne l'étais pas.

De nouveau, il grommela, l'air satisfait.

— J'ai bien vu, les mois suivants, que tu étais patiente et gentille avec tout le monde ; même avec les morveux qui venaient travailler ici en rouspétant. Si ça avait été moi, ils auraient pris un coup de pied aux fesses, et vite fait.

A son tour, il posa son sandwich.

— Au fait, dis-moi, ce garçon blond qu'est venu là en juillet. Tu vois, celui qui avait l'air tellement bien élevé. Toutes les filles avaient la langue qui pendait quand elles l'ont vu et toi, ça n'a pas été long. T'es sortie de la maison, tu l'as regardé cinq secondes et tu lui as dit de filer et de plus jamais remettre les pieds au ranch.

Adrienne se souvenait très bien du jeune homme. Vingt, vingt et un ans. Effectivement, il avait les cheveux blonds et les yeux bleus. Un Américain pur sucre. Il semblait très aimable et avait beaucoup de charme. Vu de dehors.

Car les pensées qu'il abritait n'étaient pas bienveillantes. Elle avait pu percevoir les ondes négatives qu'il dégageait et même la noirceur de son âme. Ce qu'il envisageait de faire aux étudiantes qui travaillaient chez elle — et même à elle, depuis qu'il l'avait vue — lui retournait encore l'estomac. Elle l'avait aussitôt prié de quitter les lieux, prétextant qu'elle n'avait plus besoin de personne, ce qui avait déçu les jeunes filles qui se trouvaient là et qui n'avaient rien compris.

Juste après son départ, elle était rentrée dans la maison et avait vomi tout son déjeuner.

Le lendemain, elle s'était rendue chez le shérif pour savoir s'il n'y avait pas de mandat d'arrêt contre ce jeune homme et si aucune plainte pour agression sexuelle n'avait été déposée. Mais non, il n'y en avait pas eu, et Adrienne avait décidé de ne plus y penser ; après tout, il ne mettrait peut-être pas en œuvre ses mauvaises intentions. N'empêche, elle ne voulait pas le revoir au ranch, ni rôder autour des filles qui y travaillaient car, elle en était certaine, il avait de mauvais penchants. Grâce au ciel, il n'avait jamais reparu.

Adrienne se pencha vers Vincent.

— Oui, je me souviens de lui.

— Je ne sais pas pourquoi tu l'as fait partir.

Il se gratta la tête.

— Non, je ne sais pas pourquoi tu l'as fichu dehors

alors qu'il était bien comme il faut. Tu as déjà engagé des gaillards tatoués de partout avec des gueules de voyous. Et celui-là, tout gentil, tu l'as viré. Il y a des fois où je me dis que t'es pas logique. Je t'ai déjà vue inventer du boulot pour des gars alors qu'on avait besoin de personne.

— Ce n'était pas une bonne recrue pour notre ranch.

— Ce n'est pas notre ranch, c'est le tien. T'as le droit d'embaucher qui tu veux. Mais celui-là, tu lui as pas laissé sa chance. Ça m'a fait tout drôle.

Vincent alla déposer son assiette dans l'évier.

— Après ça, je t'ai regardée quand t'étais avec les gens, surtout des gens nouveaux. Ça m'a pris du temps mais je me suis rendu compte que tu vois qui ils sont. Et ça, pas beaucoup de gens ont ce don-là.

Assise à table, silencieuse, Adrienne ne mangeait plus.

— C'est même plus que voir, reprit Vincent. D'ailleurs, si le FBI a besoin de toi…

— C'est vrai que je sens bien les gens. Surtout quand ils ont de mauvaises idées en tête. C'est un peu comme si je les entendais penser.

Elle ne voulait pas inquiéter Vincent et préféra se taire, mais il ne manifesta pas le moindre étonnement.

— T'as déjà aidé le FBI, alors ?

— Oui.

— Tu devais être jeune, dis donc !

— A peine dix-huit ans.

Vincent plissa les paupières.

— Et ça ne t'a pas plu de travailler pour eux.

— C'est le moins qu'on puisse dire.

— Pourtant, tu vas recommencer.

— Oui, fit-elle, les yeux dans le vide.

A cause de toi, Vincent.

Mais jamais elle ne le lui dirait.

— Je ne comprends pas pourquoi puisque ça te plaît pas, insista-t-il.

— Tu as raison.

— Mais tu ne leur as pas dit que t'étais pas intéressée ?

— Si. J'ai essayé.

— Ils t'ont pas écoutée ?

— Heu… C'est pour une grosse affaire, apparemment. Je n'ai pas pu dire non.

— On est dans un pays libre, ici. On peut dire non, des fois.

Adrienne se força à finir son sandwich, puis alla poser son assiette sur l'évier. Ainsi, elle n'aurait pas à regarder Vincent.

— Disons qu'ils m'ont fait une proposition que je n'ai pas pu refuser.

Il y eut un silence… qui se prolongea. Adrienne finit par se retourner vers Vincent.

— Si je te disais, commença-t-il, que j'ai été libéré sur parole mais que je ne suis pas allé à mon dernier rendez-vous chez le shérif et qu'il y a un mandat d'arrêt contre moi, ça te ferait quoi ?

Adrienne fit couler l'eau, prit son assiette et la rinça énergiquement.

— Ça me ferait que je me fiche de ce que tu as fait dans le passé. Je te l'ai déjà dit, Vincent. Ce qui compte pour moi aujourd'hui, c'est que je peux te faire confiance.

— C'est pas ce que je t'ai demandé.

Elle soupira.

— Non, mais ce que tu es en train de me dire, je le sais déjà.

Cette fois, il resta interloqué.

— Tu le sais ? Tu le savais ? Avant aujourd'hui ?

Elle se tourna vers lui et le regarda droit dans les yeux.

— Non. Ce sont les agents Perigo et Harrington qui me l'ont appris.

— Ah ! Je comprends mieux maintenant. Ils se servent

de moi pour te forcer à travailler avec eux. Je me doutais bien aussi…

— Ecoute, Vincent…

Elle tendit la main vers lui mais il recula.

— Je ne les laisserai pas te faire ça, tu comprends ? Je ne veux pas qu'on te force à cause de moi !

— Ne t'inquiète pas, Vincent. Pour cette fois-ci, c'est bon, je vais les aider. Mais auparavant, je veux qu'ils me promettent d'annuler le mandat d'arrêt contre toi. Voilà. Ne te fais pas de mauvais sang. Je te jure que ça va aller. Ce n'est pas la fin du monde.

— Ça me plaît pas, bougonna-t-il.

— Je te dis que ça va aller. Je vais peut-être m'apercevoir que le FBI a changé et qu'ils ne jouent plus avec les gens comme ils le faisaient il y a dix ans.

— Compte dessus et bois de l'eau, marmonna Vincent en se rasseyant sur sa chaise.

4

Allongé sur son lit, Conner fixait le plafond.

Après être parti de chez Adrienne Jeffries, il était rentré au Bureau avec Seth et ils avaient informé le chef Kelly du succès de leur expédition : Adrienne avait accepté.

Conner aurait eu envie d'interroger le patron sur l'ancienne collaboration d'Adrienne avec le FBI. Mais Seth l'en avait dissuadé. Peut-être pourrait-il, plus simplement, parler avec Adrienne. Il y avait tellement de choses étranges à propos de son passé avec le FBI.

Plus globalement, Adrienne ne correspondait pas du tout à l'image qu'il s'était faite d'elle. Son âge, pour commencer. On était loin de la femme d'âge mûr. Mais ce n'était pas tellement cela.

Il se passa la main dans les cheveux tout en continuant de fixer le plafond. Aucune femme ne lui avait jamais inspiré une telle réaction. Elle ne l'avait vraiment pas laissé indifférent.

Elle n'était pas grande, un mètre soixante à tout casser, mais un mètre soixante de dynamite. En général, il était attiré par les grands formats, les femmes solides, athlétiques et… blondes. Jeffries était mince, petite et elle avait les cheveux ni blonds, ni longs. Elle était plutôt châtaine avec des reflets vaguement roux par endroits. Surtout, elle avait une coupe improbable, courte avec des épis partout.

Il était obligé d'en convenir : sa conduite n'avait pas été très professionnelle et Adrienne avait dû le trouver déséquilibré. Seth ne s'était pas privé de le lui dire pendant leur retour à San Francisco. Il allait devoir se contrôler et ne pas mettre systématiquement en doute les prétendus dons d'Adrienne.

Il lâcha un juron. De toute évidence, quelques années plus tôt, elle avait réussi à persuader le Bureau qu'elle pouvait traquer les criminels comme l'aurait fait une espèce de super-limier. Mais il n'avait aucune raison de faire de même.

Elle allait donc venir, ils allaient la presser comme un citron pour obtenir d'elle un maximum de « visions » — si elle en avait ! — et la renvoyer ensuite chez elle. Le tout ne prendrait même pas une journée. Kelly serait apaisé et lui, il pourrait reprendre avec Seth son vrai travail d'agent pour coincer Jacques a dit.

Une fois que ce serait fait, peut-être retournerait-il dans un certain ranch de Lodi pour revoir Adrienne ? Avec d'autres idées en tête…

D'ici là, il allait considérer Adrienne — et ses dons — comme une *distraction*. Comme un moyen de détourner, l'espace de quelques heures, son attention du sujet qui le préoccupait : serrer le tueur qui les narguait.

Brusquement, il décida de se lever et de s'habiller. Après tout, le jour n'allait plus tarder. Autant aller au bureau et commencer à travailler tôt car la journée promettait d'être longue.

Dopée par plusieurs tasses de café très fort, Adrienne prit le volant pour San Francisco. Après une nuit quasiment sans sommeil — d'abord à faire ses bagages puis à s'inquiéter de la suite des événements —, elle avait eu besoin d'une maxi dose de caféine.

Le voyage se passait sans encombre. Néanmoins, plus

elle approchait, plus la nervosité la gagnait. Et son petit ranch, avec la sérénité qu'elle y puisait, lui manquait déjà.

Et dire qu'elle n'était pas encore dans les griffes du FBI !

Comme elle passait le Bay Bridge, l'un des ponts qui donnaient accès à la ville, elle augmenta le son de sa radio et se mit à chanter très fort avec le groupe des années 80 dont un disque passait sur les ondes. Chanter l'aidait à ne pas trop penser et à ignorer les petits signaux qui se bousculaient dans sa tête.

Avec son million d'habitants, la région de San Francisco avait forcément son lot de personnes mal intentionnées. Adrienne le savait, mais elle ne pouvait rien faire pour les empêcher de nuire. Alors mieux valait essayer de ne pas les entendre.

Après une heure de navigation dans les célèbres rues en pente et les innombrables sens uniques de San Francisco, elle finit par se garer dans le parking du quartier général du FBI. Son moteur éteint, elle croisa les bras devant elle comme pour se protéger des pensées des personnes qu'elle allait croiser et qui allaient encombrer son esprit.

A sa grande surprise, elle n'entendit rien de plus qu'un murmure. Pour ainsi dire, rien.

Elle sourit. Il devait se passer quelque chose de sympathique aujourd'hui à San Francisco pour que tout le monde soit si bien intentionné.

Tant mieux ! Cela lui ferait des maux de tête en moins.

Dès son arrivée dans les locaux, on l'emmena dans les bureaux du *Violent Criminal Apprehension Program*. Là, à peine entrée, elle tomba sur Conner Perigo.

Mince ! Il était toujours aussi beau. Elle avait espéré s'être trompée, mais non. Avec ses grands yeux verts et sa chevelure drue, il était la séduction même.

Et justement, ils la dévisageaient, ces grands yeux verts !

Seth se leva pour l'accueillir.

— Merci d'être venue, mademoiselle Jeffries, dit-il alors que Conner restait assis et ne la quittait pas des yeux.

— Je n'ai pas eu le choix, répondit-elle sèchement.

Conner se leva.

— Nous allons nous installer dans la salle des interrogatoires.

Ils sortirent, longèrent un couloir et entrèrent dans une pièce peu engageante. Les deux agents s'assirent du même côté de la table et lui firent signe de prendre la chaise en face d'eux.

— Merci encore d'être là, mademoiselle Jeffries, répéta Seth.

Apparemment, il était gêné par l'hostilité flagrante de son équipier.

— Vous pouvez continuer à m'appeler Adrienne, se moqua-t-elle.

Mais le regard de l'agent Perigo était toujours posé sur elle, elle le sentait et s'agita sur sa chaise.

L'agent Harrington sourit.

— C'est parfait. Et comme je vous l'ai dit hier, appelez-moi Seth.

Il pointa un doigt vers l'agent Perigo.

— Lui, appelez-le Conner. Il a promis d'être aimable aujourd'hui.

Lui, aimable ? Séduisant peut-être, mais poli ? Elle haussa les épaules intérieurement.

— D'accord. Seth et Conner, alors.

C'était décidé, elle allait tout faire pour que la situation soit tenable et, pour cela, éviter de se heurter avec eux, en particulier avec Conner.

— Avant de commencer, je veux que vous m'assuriez que toutes les charges qui pèsent sur Rick Vincent, le mandat d'arrêt et je ne sais quoi encore qui le menacent vont être levés.

Pour la première fois, Conner esquissa un semblant de sourire.

— Pas de problème, Adrienne. Dites-vous bien qu'aucun de nous n'était ravi de ce marché misérable.

Elle le scruta. Il opinait, l'air navré.

Cela ne faisait aucun doute, l'idée abjecte d'utiliser Vincent comme moyen de chantage ne venait pas de lui.

— D'accord, Adrienne, intervint Seth. Maintenant, ne perdons plus de temps. Nous allons commencer tout de suite si vous le voulez bien. Comment voulez-vous que nous procédions ? Peut-être pourriez-vous nous donner un exemple de vos dons.

Adrienne inspira profondément.

Autant en finir le plus vite possible.

Prudente, elle avait emporté de l'aspirine, elle en aurait sûrement besoin les jours prochains.

— Bien, fit-elle. D'abord, que pouvez-vous me dire de cette affaire ?

Conner et Seth se regardèrent. Il était clair qu'ils attendaient d'avoir la preuve de ses dons *si particuliers* pour lui livrer leurs informations.

Après une hésitation, Conner se décida.

— Nous sommes en présence d'un tueur en série. Ses victimes sont toutes des femmes, cinq ces dix derniers mois.

Adrienne attendit la suite qui, comme elle l'avait subodoré, ne vint pas. Ces messieurs étaient avares de leurs infos.

— Parfait, dit-elle. Avez-vous des éléments à me présenter ? Des éléments relevés sur les scènes de crime ? Des objets que le tueur aurait touchés ?

— Non, répondit Seth. La police scientifique n'a rien trouvé. L'assassin connaît la musique. Il est prudent.

Aucune pièce à conviction, donc. Cela n'allait pas être facile. Mais pas impossible, pensa Adrienne.

— Avez-vous des éléments que le tueur aurait touchés, même avec des gants ?

Conner et Seth se regardèrent de nouveau.

Conner fit non de la tête mais Seth prit une enveloppe sur la table.

— Voilà. On a des photos de scène de crime si cela peut vous être utile.

Adrienne prit l'enveloppe et l'ouvrit. Elle tremblait.

Les scènes de crime l'horrifiaient.

Elle sortit le premier cliché et l'observa attentivement. Le corps de la femme avait été abandonné dans une sorte d'entrepôt. Le cadavre était lardé de coups de couteau. Le tueur s'était acharné sur la malheureuse, ne lui laissant aucune chance.

Adrienne détailla la deuxième photo, puis la troisième. Toutes étaient horribles, mais elle n'éprouvait aucune douleur. C'était bien pour elle mais sans intérêt pour les agents qui attendaient des *visions*.

Elle passa en revue toutes les photos puis recommença, s'attardant sur chacune.

Décidément non, rien ne venait.

Décontenancée, elle leva les yeux : Seth et Conner l'observaient attentivement. Elle resta muette.

Cela ne lui était jamais arrivé à l'époque où elle avait travaillé avec le FBI. Mais là, il y avait un problème.

Elle chercha quelque chose à dire. Bredouilla.

— Vous avez… d'autres photos… d'autres crimes ?

— Oui. Celles que vous venez de voir sont celles de la première victime, répondit Conner tandis que Seth lui tendait un deuxième lot.

La première victime… Adrienne se détendit un peu. Peut-être ne sentait-elle rien parce que ces photos dataient. Cela ne lui était jamais arrivé mais c'était plausible.

Essayant de faire le vide dans sa tête, elle prit le paquet suivant. Une autre femme, jeune, frappée à mort. Le corps abandonné, cette fois, sous un pont d'autoroute. Encore une fois, les photos étaient insoutenables, mais rien de plus ne venait. Rien sur l'assassin, rien sur ses pensées, sur ses motivations, ses plans.

Une heure se passa ainsi, à regarder des photos qui ne lui inspiraient rien, pas la moindre indication sur l'auteur des faits. Son don de deuxième vue refusait de se manifester. Assis en face d'elle, les deux agents se taisaient mais leur nervosité et leur déception étaient perceptibles.

— Je suis navrée, dit-elle en leur rendant les clichés. Ça ne m'inspire rien.

Conner Perigo ne parut pas surpris.

— Ça ne fonctionne pas avec des photos, peut-être ?

— Autrefois, si, ça fonctionnait. Les flashs que j'avais n'étaient pas aussi nets que si j'avais été sur la scène de crime ou que si j'avais touché un objet que le tueur avait tenu, mais il se passait toujours quelque chose.

— Je vois, laissa tomber Perigo, visiblement dubitatif.

Agacée par son ton, elle gesticula sur sa chaise en se frottant les yeux des deux mains. Perigo tenait la preuve que le don de voyance qu'on lui attribuait était bien une légende, comme il le pensait depuis le début. C'était vexant.

Elle se redressa, posa les coudes sur la table et, les yeux fermés, inspira à fond. Il fallait qu'elle se concentre, qu'elle parvienne à s'isoler mentalement. Totalement.

Mais il n'y avait pas le moindre bourdonnement, pas le plus léger bruit de fond dans sa tête. C'était le silence absolu.

Si les photos ne déclenchaient pas de son, elle aurait dû percevoir, au moins, un bruit de fond puisqu'elle se trouvait dans un bâtiment très peuplé. En général, plus il y avait de monde autour d'elle, plus ce qu'elle entendait était fort. C'était d'ailleurs pour cette raison qu'elle avait choisi d'habiter dans un endroit isolé, pour ne pas être gênée.

Pour l'heure, le silence était si inhabituel et si grand qu'il en était assourdissant.

Combien de temps cette anomalie allait-elle durer ? se demanda-t-elle.

Aux regards que lui lançaient les deux agents assis en face d'elle, surtout Conner, ils n'allaient pas s'éterniser.

Finalement, elle allait être libérée beaucoup plus vite que prévu.

L'image de Vincent lui traversa alors l'esprit. Il fallait qu'elle fasse l'impossible pour que l'épée de Damoclès qui le menaçait ne lui tombe pas sur la tête.

Bon sang de bonsoir ! Si seulement ses dons avaient bien voulu marcher. Ne serait-ce qu'une fois. Juste pour Vincent. Peut-être aussi un peu pour montrer à Conner Perigo ce dont elle était capable.

Après un regard appuyé à son partenaire, Seth brisa le silence qui s'épaississait.

— Bien. Il est tôt. Que diriez-vous d'un café ? Cela vous aiderait peut-être.

— Bonne idée, répliqua-t-elle en hochant la tête. Je n'ai pas beaucoup dormi la nuit dernière et je ne sais pas ce qui se passe. Peut-être n'ai-je pas exercé mes dons depuis trop longtemps. Il faut peut-être que je m'y remette, calmement.

— Pas de problème, la rassura Seth. Vous pouvez rester encore un peu, pour regarder les photos. Conner va rester avec vous. Pendant ce temps, je vais chercher du café.

— Noir pour moi, précisa-t-elle.

Seth se leva.

— Je vais aller le chercher en bas, à la cafeteria, car si vous buvez celui du bureau, vous allez sauter en l'air.

— Si tu descends, ce sera comme d'habitude pour moi, ajouta Conner.

Seth quitta la pièce en ricanant, les laissant tous les deux seuls face à face.

— C'est quoi, « comme d'habitude » ? demanda Adrienne, surprise par la réaction de Seth.

Il y eut un silence. Un long silence.

— C'est un café court avec du lait, sans mousse, sans sucre, avec un bâton de vanille. Une sorte de noisette, si vous préférez, répondit-il enfin. S'il est trop fort, je deviens enragé.

Elle ne put s'empêcher de sourire.

Imaginer ce grand gaillard avec ses airs de dur à cuire, sa chemise perpétuellement fripée et sa cravate de travers en train de boire un petit crème avec bâton de vanille, sans sucre et sans mousse, avait de quoi amuser.

L'air gêné, il lui rendit son sourire.

— Je sais. Ça fait un peu chochotte.

Comme il penchait la tête de côté, une mèche de cheveux glissa sur son front. Machinalement, elle tendit la main pour la remettre en place mais retint presque aussitôt son geste, déplacé. Elle ne put s'empêcher de rougir.

Pourvu qu'il ne se soit rendu compte de rien, se dit-elle.

Prenant un air très concentré, elle reprit les clichés pour les examiner.

Qu'est-ce qui avait bien pu lui passer par la tête pour faire un geste pareil ? Une envie de le toucher ? Un besoin inexplicable d'être plus proche de lui ? Un manque total de contrôle de ses gestes ?

L'esprit ailleurs, elle fixa les photos en évitant soigneusement de relever la tête. Ces clichés ne lui inspiraient toujours rien. Elle ne voyait rien, ne sentait rien.

— Etes-vous sûr que c'est l'œuvre du même tueur ?

— Oui.

Il n'y avait pas l'ombre d'un doute dans le ton.

— Chaque fois, il laisse une signature, ajouta Conner. C'est bien le même homme.

Il ne s'étendit pas sur le sujet et elle ne posa pas d'autre question. Il ne lui aurait certainement pas répondu.

Fatiguée d'examiner ces clichés sans obtenir de résultat, elle les reposa sur la table et les poussa vers Conner.

— J'ai besoin d'un break. Pour l'instant, je sature.

Elle leva les yeux vers lui, s'attendant à subir ses sarcasmes. Comme la veille. Au lieu de cela, il lui présenta un visage compréhensif et même aimable.

— Il n'y a pas de problème, dit-il gentiment. Vous ne comprenez pas ce qui vous arrive mais ce n'est pas grave.

Surprise par sa gentillesse, elle ne put que répondre sur le même ton.

— Ça ne m'est jamais arrivé… ce vide. J'ai toujours entendu, vu ou senti quelque chose.

— Cela fait peut-être trop longtemps que vous n'avez pas pratiqué ce genre d'exercice ? Il faut peut-être que vous vous remettiez dans l'ambiance, vous l'avez dit vous-même il y a un instant.

Le ton était toujours aimable bien que teinté d'incrédulité.

— Vous ne comprenez pas. Normalement, j'entends toujours quelque chose quand il y a des gens autour de moi. Comme un bourdonnement. Mais, actuellement, je n'entends rien.

— On a peut-être mis trop de pression sur vous. A moins que ce ne soit les photos… Elles sont peut-être trop anciennes.

— Oui, c'est peut-être ça.

— Ecoutez, Adrienne, si vous avez quelque chose à me dire, profitez de ce que nous sommes seuls pour me parler. De vos dons ou de l'époque où vous avez travaillé avec le FBI.

— Je ne saisis pas.

— Ce que je veux dire c'est que si, à l'époque, vous avez fabulé sur vos talents, vous pouvez me l'avouer, cela restera entre nous. Le Bureau n'en saura rien, vous ne serez pas inquiétée, je vous protégerai. Quant à Vincent, je m'arrangerai pour qu'il ne soit pas arrêté.

Il avait l'aplomb d'être assis là, avec ses grands yeux verts, et de lui dire des choses pareilles. Comment osait-il ?

Bouillant de rage intérieurement, Adrienne serra les poings. Il ne fallait pas qu'il voie qu'elle était en colère.

— Je ne suis pas sûre d'avoir bien compris, dit-elle avec un sourire forcé. Vous pensez que j'ai trompé le FBI il y a dix ans et que je vais recommencer ? Que je vais mentir ?

Son ton se fit plus dur.

— Vous pensez vraiment que je ferais ça ? Que je m'amuserais à perdre mon temps ? Et à vous faire perdre le vôtre par la même occasion. Mais j'ai d'autres chats à fouetter !

Il allait répondre mais elle ne lui en laissa pas le temps.

— Et vous m'offrez, grand seigneur, de me protéger si je fais amende honorable, si j'avoue que j'ai trompé mon monde.

— Adrienne, arrêtez de vous énerver.

Elle haussa les sourcils. Depuis quand un homme se permettait-il de dire à une femme bouleversée de cesser de s'énerver ?

Malgré tout, elle réussit à garder son calme.

— Je suis en train de vous proposer une porte de sortie, Adrienne. Dans la dignité.

— Je vous remercie, agent Perigo. C'est trop aimable de votre part.

Il sourit. Alors, elle lui asséna le coup de grâce.

— Bien que vous pensiez que je suis une menteuse doublée d'une tricheuse, bien que vous croyiez que je n'ai qu'un désir : attirer l'attention sur moi, comme une gamine, sachez que je n'ai pas besoin de votre porte de sortie… honorable.

— Ecoutez-moi, je ne voulais pas vous blesser. Je suis agent depuis longtemps et je n'ai jamais entendu parler d'un talent comme le vôtre. C'est tout.

Il souffla et reprit.

— En fait, c'est plutôt l'inverse. Quand quelqu'un se présente en prétendant être médium et avoir des choses à dire sur une affaire, dans neuf cas sur dix, il est impliqué dans le dossier.

Adrienne inspira profondément. Conner se montrait sceptique, et au fond, c'était plutôt sain. Croire aveuglément une personne était un non-sens.

Mais pourquoi éprouvait-elle soudain le besoin de se justifier alors qu'elle ne l'avait encore jamais fait devant personne ?

— Je ne suis pas médium, se rebiffa-t-elle.

— Appelez ça comme vous voulez. Une bonne enquête, bien ficelée, il n'y a que ça pour résoudre une affaire. Le reste n'est que supercherie.

— Ce n'est pas de la magie, agent Perigo. Je n'y peux rien si mon cerveau est ainsi fait. Il y a des génies en musique, en maths, en tout ce que vous voulez. Moi, j'ai un cerveau qui n'est pas connecté comme celui des autres.

— En ce cas, pourquoi ne voyez-vous rien en ce moment ?

De nouveau, la colère la prit.

— Je n'en sais rien !

Seth revint à cet instant précis avec les cafés. Il dut sentir la tension car, en tendant une tasse à Conner, il plaisanta :

— Ça fera dix dollars ! Tenez, Adrienne, voilà le vôtre. Noir, c'est bien ça ?

— Et pourquoi devrais-je payer et pas elle ?

— Parce qu'elle n'est pas une chochotte comme toi, princesse ! Une noisette, sans mousse, sans sucre, avec bâton de vanille ! La prochaine fois, tu iras seul.

Sur ces mots, Seth s'assit.

— Alors ? Du nouveau pendant que j'étais en bas ?

— Non, Seth. Rien. Désolée.

— Pas grave, dit-il. On a le temps.

Avec du temps… Adrienne reprit espoir.

5

Six heures plus tard, ils n'étaient pas plus avancés. Conner se tenait avec Seth derrière une glace sans tain, dans la pièce voisine de la salle des interrogatoires. Ils avaient fini par laisser Adrienne seule avec les photos. Mais cela ne semblait toujours rien donner.

Toute la journée, Conner l'avait observée. Elle avait visionné et revisionné les clichés, les avait touchés, caressés, tournés et retournés. Rien n'y avait fait. Elle était bredouille. Si tout ce qu'elle avait raconté sur ses dons n'était que balivernes, il fallait lui reconnaître une qualité : la ténacité.

Il ne lui avait pas de nouveau proposé la porte de sortie... dans la dignité. Elle avait paru tellement offusquée.

Il haussa les épaules.

Elle s'était méprise, ou peut-être s'était-il mal exprimé ? En tout cas, en guise de remerciements, elle lui avait lancé à la figure une bordée de sottises.

Seth et lui avaient pourtant essayé de l'aider par tous les moyens possibles. Ils l'avaient encouragée à faire des breaks, à aller prendre l'air. Ils l'avaient emmenée déjeuner pour qu'elle oublie, un moment, la pression qu'elle sentait certainement sur elle. En vain. Et là, de l'autre côté de la vitre sans tain, elle semblait épuisée.

Conner lui en voulait mais elle avait l'air tellement dépitée qu'il ne pouvait lui faire de reproches.

N'empêche, il avait perdu la journée. Il était resté avec

elle la plupart du temps — en partie parce qu'il préférait l'avoir en permanence sous les yeux. Au fil des heures, elle avait perdu pied.

— Quel fiasco ! lança soudain Seth. Finalement, tu avais raison.

— Raison de quoi ? demanda Conner, le regard toujours rivé sur Adrienne.

— De dire que tout ça, c'était bidon. Elle n'a rien trouvé qui nous aide et on a perdu la journée.

— En tout cas, on ne pourra pas dire qu'elle n'a pas essayé. Moi, elle me fait de la peine tellement elle a l'air ennuyée.

— C'est vrai qu'elle ne semble dans son assiette. J'ai prévenu le chef Kelly que ça ne se passe pas bien. Il m'a demandé si je pensais qu'elle faisait de la rétention d'informations.

Conner hocha la tête.

— A mon avis, non. Ou alors, chapeau la comédienne ! Mais je ne crois pas. Et toi ?

Seth la regarda dans la vitre sans tain.

— Qui sait ? Mais ça m'étonnerait. Au fait, le chef voulait savoir si ce serait une bonne idée qu'il vienne lui parler. Comme il a travaillé avec elle par le passé... Je lui ai dit que non. J'ai bien fait ?

— Oui. Vu la façon dont elle a parlé du chef Kelly, je ne pense pas que le voir serait d'une quelconque utilité. Maintenant, nous, qu'est-ce qu'on fait ? On dit qu'elle a échoué et on la renvoie chez elle ?

— Le chef veut que nous lui montrions les paquets qu'a envoyés Jacques a dit. Les mèches de cheveux.

Conner écarquilla les yeux.

— C'est trop tôt. Je ne tiens à pas à ce qu'on ébruite tous les détails du dossier.

— C'est ce que je lui ai dit. Le Bureau va lui payer une chambre d'hôtel, au moins pour cette nuit. On verra où on en est demain soir. Elle a peut-être besoin d'une bonne nuit de sommeil.

— Parfait. Mais, tu l'as vue ? Elle est morte de fatigue. Je pense que je vais la raccompagner à l'hôtel avec sa voiture. Tu n'auras qu'à me suivre pour me ramener.

Seth fit oui de la tête et alla à la porte.

— Pas de problème. Laisse-moi éteindre mon ordinateur et je suis à toi. Je te rejoins à son hôtel.

Conner se dirigea vers la salle des interrogatoires.

Adrienne était là, penchée sur les clichés. Elle ne leva même pas les yeux quand il entra.

— Dites-moi, vous n'en avez pas assez pour aujourd'hui ? lui demanda Conner en s'asseyant en face d'elle.

— Je n'ai toujours rien, Conner. Rien, vous m'entendez ? Ces femmes… elles sont mortes de façon si horrible… et je suis incapable de…

— Ne culpabilisez pas. Vous savez, Adrienne, vous n'êtes pas toute seule dans ce cas. Seth et moi éprouvons la même frustration depuis des semaines.

Elle hocha la tête.

— Je ne sais pas comment vous faites pour surmonter ça.

— On fait ce qu'on peut, avec les moyens du bord.

Il lui prit les photos des mains.

— Ça suffit pour aujourd'hui. Vous avez besoin de vous reposer. On va vous déposer à votre hôtel et, demain matin, nous aurons tous les idées plus claires.

Alors qu'il remettait chaque cliché dans son enveloppe, Adrienne, les coudes sur la table, se prit la tête à deux mains.

Comme elle semblait fragile subitement !

Une envie de la prendre dans ses bras le traversa. Pour la protéger… et l'embrasser.

Ce n'était qu'une envie. Il devait absolument la refréner.

Il finit de ranger les photos dans leurs enveloppes, puis se leva. Elle l'imita.

Ils sortirent de la salle et longèrent un long couloir. Il avait posé la main sur son dos, pour la réconforter.

— Je vais vous conduire à l'hôtel avec votre voiture. Seth nous suivra et me ramènera ici.

— Je peux conduire, dit-elle. Je vais bien.

— Je sais que vous pourriez rentrer seule mais les rues de San Francisco sont dangereuses même pour nous qui sommes d'ici. Laissez-moi vous ramener, d'accord ?

Elle le regarda un moment en silence.

— Un problème ? s'enquit-il.

— Votre gentillesse envers moi me gêne. Je... je n'y suis pas habituée.

Il faillit lui caresser la joue mais retint son geste. A la place, il lui donna une tape sur l'épaule, comme à un vieux copain.

— Si vous préférez, demain je serai désagréable, plaisanta-t-il. Mais, auparavant, on va aller dormir tous les deux.

Un sourire s'épanouit sur le visage d'Adrienne, un sourire mi-tendre mi-espiègle qui adoucissait encore ses traits, songea Conner. Il était de plus en plus sous le charme et dut se faire violence pour ne pas l'embrasser.

Elle lui tendit alors la main et il la frappa avec la sienne.

— Allez, on fait la paix, Adrienne. On verra demain.

Ils sortirent.

Tout en se dirigeant vers la voiture, Conner chercha à meubler le silence.

— On a un temps superbe ici depuis quelque temps.

C'était stupide. A San Francisco, le climat était d'une régularité de métronome.

Elle le regarda d'un air ironique.

— Ne vous croyez pas obligé de faire des frais de conversation, Perigo. Ni d'abonder dans mon sens. Vous avez le droit d'être sceptique en ce qui concerne mon don.

En revanche, vos commentaires mesquins, gardez-les pour vous. Je m'en passe volontiers.

Le petit bout de femme qu'elle était — un mètre soixante à tout casser — le fusilla du regard. Craignant qu'elle ne redouble de colère, il ravala le fou rire que son air furieux lui inspirait.

— Bien, madame.

Elle ne cilla pas. Ils firent quelques pas sans dire un mot et, brusquement, elle tourna la tête vers lui.

— Depuis combien de temps travaillez-vous pour le Bureau ?

— Douze ans. Je suis resté quatre ans à Quantico pour le CIRG — *Critical Incident Response Group.* Vous connaissez ?

Elle s'arrêta devant une voiture, débloqua les portières. Il fit le tour pour lui ouvrir la sienne.

— J'ai beaucoup aimé cette période ; c'est donc tout naturellement que j'ai intégré le ViCAP.

Elle eut l'air amusée.

— Le FBI aime beaucoup les sigles, décidément.

Il préféra ne pas relever. Ils avaient décidé une trêve, non ?

— Donnez-moi vos clés et installez-vous.

Il refit le tour de la voiture et se glissa au volant.

— Dites-moi, reprit-elle. Comment avez-vous fait pour atterrir ici, après la Virginie ?

— Avancement normal. Toute ma famille vit dans le Nevada. A part ma grand-mère qui habitait à San Francisco. J'ai vécu avec elle quelque temps lorsque j'ai pris mes fonctions au ViCAP. Elle comme moi, on y a trouvé notre compte.

Adrienne enchaîna avec d'autres questions. Elle voulait tout savoir de sa vie depuis son entrée au FBI.

Quelle curieuse ! songea Conner. Il ne l'aurait pas cru.

Il était arrivé à San Francisco peu de temps après qu'elle

en était partie, huit ans plus tôt. Mais il travaillait dans un autre service. Serait-elle restée une année de plus, ils se seraient peut-être croisés.

Arrivé à l'hôtel, il gara la voiture et sortit du coffre la valise d'Adrienne. Ils entrèrent dans le hall et allèrent à la réception. Une fois enregistrée, Adrienne lui tendit la main pour reprendre son bagage.

— Merci de m'avoir amenée. Je suppose qu'on recommence demain ?

Pas si vite, se dit-il. Pas si vite !

Prenant la main qu'elle lui tendait, il l'emprisonna dans la sienne.

— Je vous accompagne jusqu'à votre chambre. Pas de problème ?

Elle esquissa un sourire et dégagea sa main.

— Pas de problème. Merci.

L'ascenseur attendait, portes ouvertes.

Ils montèrent au troisième étage et suivirent le couloir qui menait à sa chambre. Là, ils entrèrent. Conner posa la valise sur le lit et vérifia que personne ne se cachait dans la salle de bains, ni dans le placard.

Quand il revint dans la chambre, Adrienne lui lança un regard interrogateur.

— Tout va bien ?

— Oui. Excusez-moi, je fais cela instinctivement. Réflexe d'agent. Dites-moi, avant de partir j'aimerais vous donner mon numéro de téléphone. Au cas où…

Elle farfouilla dans son sac pour chercher un papier et un crayon mais, n'en trouvant pas, elle lui tendit directement son portable.

Il tapa son numéro puis lui rendit l'appareil.

— Demain matin, je passe vous prendre vers 9 heures. Ça vous va ?

— Parfait.

Il allait s'en aller, mais le visage d'Adrienne changea brusquement. Elle semblait ennuyée. Non, plutôt crispée.

— Vous savez, Conner, je voulais vous dire, je suis désolée d'avoir été aussi nulle aujourd'hui. J'espère faire mieux demain.

Il lui prit le menton entre le pouce et l'index et lui releva la tête.

— Ne dites pas ça. Vous avez fait de votre mieux. Que demander de plus ?

— Vraiment ? C'est ce que vous pensez ? Je vous trouve bien indulgent car mon mieux, comme vous dites, a été assez minable.

Sa mine dépitée l'émut.

— Ce genre de choses m'est arrivé à moi aussi, vous savez. Ce n'est pas un drame. Reposez-vous pour être en forme demain et, vous verrez, tout ira mieux.

Adrienne opina en souriant.

— Merci, Conner.

Encouragé par son sourire, il se pencha machinalement pour l'embrasser. Un baiser qu'il voulait bref, amical.

Mais Adrienne l'empoigna par les revers de sa veste et, hissée sur la pointe des pieds, chercha sa bouche.

S'enhardissant alors, il n'hésita pas une seconde. Il la prit par la taille et la serra contre lui.

Ils s'embrassaient avec fougue quand on frappa à la porte. Vite, ils se séparèrent. Elle lissa ses vêtements et ses cheveux, tâcha de reprendre contenance.

La porte n'étant pas fermée à clé, Seth entra.

— Conner, t'es prêt ?

Il regarda Adrienne puis son partenaire et comprit.

— Pardon, je vous laisse, dit-il en s'excusant presque.

— Non, attends, j'arrive.

Conner jeta un dernier regard à Adrienne : elle semblait au moins aussi bouleversée que lui.

— On se voit demain matin, d'accord ? On remettra tout à plat avant de recommencer, si vous le voulez bien.

Elle sourit avec malice.

— A plat ? Vous avez raison, c'est une excellente idée !

Dès le départ de Conner, Adrienne prit une douche. Comme pour se libérer de toutes les émotions de la journée : les photos des femmes assassinées, son échec à percevoir quoi que ce soit et, pour couronner le tout, ce baiser avec Conner. Elle resta un long moment sous l'eau presque brûlante, puis se sécha et passa un T-shirt. Elle était trop fatiguée pour manger. Elle s'écroula sur son lit et s'endormit presque immédiatement.

Elle ouvrit un œil à 6 heures, le soleil se levait tout juste. Aussitôt, des voix la cernèrent. Elle s'assit dans son lit et ne bougea plus. Rêvait-elle ? Non, elle *avait des voix*, comme cela lui arrivait, normalement, quand il y avait du monde autour d'elle.

Elle fit la moue. C'était gênant mais excitant en même temps.

Elle sauta du lit, fit sa toilette, se coiffa et prit des vêtements dans sa valise : un short grège et un chemisier bleu. Le reste, elle l'accrocha dans la penderie. Etant donné les bourdonnements qu'elle avait dans les oreilles, son séjour à San Francisco allait certainement se prolonger.

Qu'est-ce qui l'avait décidée, la veille, à rester pour aider le FBI ?

Sans doute, la vue des femmes assassinées et son impuissance à aider les agents dont l'enquête piétinait. Il fallait à tout prix arrêter le monstre qui avait commis ces actes inqualifiables et le châtier.

Mais il y avait aussi le dépit de Conner et de Seth. Ils

attendaient beaucoup d'elle et elle les avait déçus. Elle avait toujours considéré son don comme une nuisance puisqu'il la faisait souffrir et elle s'en serait bien passée, mais la veille, quand elle n'avait rien entendu ni senti, elle aurait donné cher pour souffrir.

Ce matin, sa tête n'était que bourdonnements. La journée, elle le craignait, allait être douloureuse.

Quelques minutes plus tard, fin prête, elle consulta l'heure. Conner n'arriverait que plus tard pour l'emmener au Bureau. Ne sachant trop que faire, elle sortit et marcha jusqu'au café le plus proche. Elle appellerait Conner à une heure plus décente et lui demanderait de l'emmener au FBI plus tôt que prévu. Elle tenait à réexaminer les clichés et, avec un peu de chance, elle aurait l'éclair de génie qui les mettrait sur une piste.

En réalité, elle était impatiente de revoir Conner et d'observer sa réaction lorsque son don de médium se manifesterait et qu'elle pourrait leur fournir des renseignements.

Il allait voir que ce n'était pas des histoires…

La veille, au fil des heures, il était devenu de plus en plus gentil et ce baiser volé avait été magique. N'empêche, il n'avait pas confiance en elle et ne croyait pas un mot de son don de seconde vue.

Elle sourit. Pour une fois, elle se réjouissait presque de l'inconfort qui allait de pair avec son don. Pour une fois, souffrir allait en valoir la peine.

Elle grimpa la côte, typique de San Francisco, au sommet de laquelle il y avait un café. L'air était vif et lui nettoyait les poumons. Un peu d'exercice, c'était agréable et sain à la fois. D'autant qu'elle allait sûrement passer la journée enfermée.

A sa grande surprise, le café était déjà bondé. A peine entrée, il y eut tellement de bourdonnements qu'elle eut envie de se boucher les oreilles. Mais elle fit la queue au comptoir. Avec un peu de chance, un bon café bien fort arrêterait la migraine qui pointait.

Au souvenir de la commande de *chochotte* de Conner, comme l'avait appelé Seth, elle se mit à rire toute seule. Un petit crème sans mousse et avec un bâton de vanille, sans sucre… Son rire redoublant, elle attira sur elle les regards des clients.

Son café à la main, elle se dirigea vers une table près de la vitrine. Elle allait s'asseoir quand le bourdonnement devint intolérable, assourdissant, comme si quelqu'un avait plaqué des écouteurs sur ses oreilles et poussé le volume à fond. De douleur, elle ferma les yeux et tituba, se retenant de justesse à la table.

Je la tuerai ! Je les tuerai tous les deux !

C'était effrayant de rage et ça revenait sans cesse.

Instinctivement, elle écrasa la tasse en plastique qu'elle tenait à la main. Le café se répandit partout et la brûla mais elle ne lâcha pas le gobelet.

Je les tuerai tous les deux !

Le cri était de plus en plus fort et proche.

Adrienne se força à rouvrir les yeux et observa les clients du café. Qui étaient ces *deux* personnes ?

Un homme et une jeune femme, entre vingt et vingt-cinq ans, étaient assis dans un coin, serrés l'un contre l'autre, main dans la main. Ils souriaient et se disaient, apparemment, des mots doux.

Pas de doute possible, c'était de ce couple d'amoureux que la voix parlait. Mais où se trouvait l'homme qui les menaçait avec cette violence ? A quelle distance du café ?

Elle jeta un œil dehors. Un individu montait la côte mais était-il proche ou loin ? Elle n'aurait su le dire. Cependant, compte tenu de la puissance de la voix, il était évident qu'il approchait et ne tarderait pas à entrer.

A cet instant, elle le perdit de vue. Les bourdonnements s'éloignèrent. Il devait s'être trompé et être entré dans le café voisin. Dès qu'il s'en rendrait compte, il viendrait dans celui-ci et, c'était certain, tuerait le couple.

Que pouvait-elle faire pour prévenir ce massacre ? Appeler le 911, police secours ? Mais que leur dirait-elle ? Serait-elle même capable d'aligner deux mots ? On allait la prendre pour une folle et la faire interner !

Oh ! se rappela-t-elle soudain, elle avait le numéro de Conner dans son portable !

Elle pianota sur son téléphone et n'attendit pas deux secondes : il décrocha aussitôt.

— Allô ?

— Conner, dit-elle, la voix stressée.

— Adrienne ? Que se passe-t-il ? Ça ne va pas ?

Il avait la voix pâteuse mais, visiblement, l'esprit déjà agile.

— Venez vite, murmura-t-elle.

— Où êtes-vous ? A l'hôtel ?

— Non, dans le café. En haut de la côte, expliqua-t-elle, haletante, reprenant son souffle entre chaque bout de phrase.

Des mouches blanches se mirent à voler devant ses yeux et elle dut se cramponner pour ne pas perdre connaissance.

— O.K. Attendez une seconde. Ne quittez pas, surtout.

Il parlait à quelqu'un et elle appuya la tête contre le verre froid de la vitrine.

— Adrienne ? Ecoutez-moi. Seth est tout près du bureau, il sera là dans cinq minutes. J'arrive moi aussi. Voulez-vous que j'appelle le 911 ?

A sa voix, il la prenait au sérieux. Pour une fois, il la croyait. Cela la réconforta profondément.

— Conner...

— Oui ? Quoi ?

— Faites vite. Il va tuer...

Elle ne put finir sa phrase. La voix de l'homme hurlait

si fort dans sa tête qu'elle lâcha le téléphone qui tomba par terre. Elle se boucha les oreilles.

L'homme était toujours à leur poursuite et toujours décidé à les tuer. Il était furieux de ne pouvoir mettre la main sur eux. Et il approchait.

Certes, Seth allait arriver. D'ici à cinq minutes, avait dit Conner. Mais ce serait trop long. Elle devait prévenir le couple tendrement assis dans le coin. Lui dire de se sauver. Barrer la porte. Faire quelque chose, quoi !

Sinon, ils allaient mourir.

Elle essaya de se lever mais ses jambes ne la portaient pas. S'appuyant des deux mains sur la table, elle réussit péniblement à se mettre debout.

Je les tuerai tous les deux !

La menace de l'homme lui vrillait la tête. Ce n'était pas une simple crise de jalousie. C'était un désir malin de les voir souffrir tous les deux, de les regarder crever de peur. Et peu lui importait de doivoir éventuellement éliminer d'autres personnes pour satisfaire son objectif.

En équilibre instable sur ses jambes, Adrienne posa la main sur la table. Une tache de sang s'y répandait. Elle saignait du nez.

D'un revers de main, elle s'essuya en faisant un premier pas vers le couple.

Les quelques mètres qui séparaient sa table de la leur semblaient infranchissables.

Appliquée à poser un pied devant l'autre, elle ne voyait pas ce qui se passait autour d'elle. Un voile noir descendait devant ses yeux. Elle allait s'évanouir. Non, il fallait qu'elle tienne car il approchait. Elle le savait.

Elle finit par atteindre la table des deux amoureux qui, les yeux dans les yeux, ne l'avaient pas vue approcher. Mais lorsqu'elle heurta leur table, ils la regardèrent.

— S'il vous plaît… ? dit le garçon, manifestement agacé d'être dérangé.

— Oh ! Mais vous saignez, remarqua sa chérie.

Aussitôt ils se levèrent pour l'aider. Mais elle n'avait plus les idées claires. Comment leur dire de s'enfuir ?

— Un homme, dit-elle enfin, hors d'haleine, comme si elle venait de courir un marathon. Il arrive… Vous veut du mal…

A leur tête, ils ne comprenaient pas, ils n'avaient pas la moindre idée du danger qu'ils encouraient.

Ils n'avaient plus le temps de se sauver, elle le savait, l'homme était tout près. Que pouvait-elle faire ? Elle devait les forcer à partir. La femme, au moins.

Adrienne lui attrapa le bras et s'appliqua pour articuler.

— Vous pouvez, s'il vous plaît…

Respire, Adrienne.

— … aller me chercher…

Respire, Adrienne.

— … un mouchoir en papier…

Respire Adrienne.

— … aux toilettes.

D'abord interdite, la fille finit par opiner.

— Bien sûr. Attendez. Vous ne voulez pas qu'on appelle un médecin ?

— Non. Pas encore, répondit Adrienne.

Elle se laissa tomber sur la chaise de la jeune fille qui fila chercher le kleenex demandé.

Derrière elle, quelqu'un venait d'entrer et claquait la porte. Il ne dit pas un mot, mais même à cette distance, les pensées mauvaises qu'il abritait venaient jusqu'à elle. Il était certain qu'ils étaient là.

Après avoir passé toutes les tables en revue, il s'approcha de celle où elle s'était assise à côté du jeune homme mais il ne s'attarda pas. La fille qu'il cherchait n'était pas là. Et pour cause… Adrienne l'avait envoyée aux toilettes.

Consumé de rage — il n'avait pas trouvé sa proie —, l'homme se retourna pour partir.

— Mademoiselle, voilà ! Ça va aller ? Oh ! Zut, vous saignez encore plus !

Des mouchoirs à la main, la jeune fille se dépêchait de revenir vers sa table.

Lorsqu'il entendit la voix féminine, la jubilation de l'homme fut telle qu'Adrienne vacilla : sa tête allait exploser.

On ne le priverait pas du plaisir d'une vengeance.

Il n'était plus qu'à deux pas et il allait empoigner le pistolet caché dans sa poche.

S'armant de toutes ses forces, Adrienne se releva et se rua sur l'homme qu'elle bouscula. Blanc de rage, il la repoussa avec une telle violence qu'elle tomba.

Heureusement, la jeune fille l'avait enfin reconnu et faisait signe à son amoureux de s'éloigner. L'homme plongea la main dans sa poche et commença à en extirper une arme. De son côté, toujours à terre, Adrienne tâchait de se relever mais son corps ne répondait pas.

— Monsieur, je suis agent du FBI, lança une voix depuis la porte du fond. Je vous demande de jeter votre arme et de mettre vos mains derrière la tête.

C'était Seth Harrington. Conner l'avait prévenu, il arrivait à temps.

La fureur de l'homme traversa Adrienne de part en part mais ce fut bref. Le meurtrier en puissance se rendit. Dehors, des sirènes hurlaient déjà. La police approchait.

Dans le café, il y eut un mouvement de panique. Des agents en civil déboulèrent, prirent les dépositions, s'assurèrent qu'il n'y avait pas de blessés. Un homme aida Adrienne à s'asseoir car elle ne tenait toujours pas debout. Les agents menottèrent l'agresseur et le firent monter dans une de leurs voitures, stationnée devant la porte du café.

Malgré cela, Adrienne était toujours douloureusement connectée à son désir de vengeance.

Elle se boucha les oreilles. Le sang cognait dans ses tempes et toute sa tête n'était plus qu'une caisse de résonance. Un goût amer dans la bouche la fit grimacer.

De la bile.

Croyant qu'elle allait vomir, elle plaqua la main sur ses lèvres et s'apprêtait à se réfugier aux toilettes quand, brusquement, la douleur et les bruits qui avaient envahi sa tête cessèrent, laissant la place à un silence total.

Déstabilisée par ce changement brutal, Adrienne regarda autour d'elle. Il apparut alors.

Conner.

Il avait arrêté son véhicule en double file et entrait en courant. Droit vers elle. Son visage était pétri d'émotions : du désarroi, de l'inquiétude, du soulagement.

Il s'arrêta devant elle.

— Oh ! Conner…

Elle lui tendit la main mais ses forces l'abandonnaient.

Elle eut alors une dernière pensée : qu'il la soutienne car elle s'évanouissait.

Le passe-montagne

6

Conner rattrapa Adrienne alors qu'elle s'écroulait, inconsciente.

En roulant vers le café — mieux valait ne pas penser à toutes les infractions au code de la route qu'il avait commises ! —, il avait imaginé le pire.

Aussi fut-il soulagé, en entrant, qu'elle soit assise. Apparemment, en bonne santé.

En revanche, une fois devant elle, il fut très inquiet : elle n'allait pas bien.

Elle était pâle, avait du sang séché sur le bas du visage. Et les genoux qui claquaient. Il la rattrapa donc, avant qu'elle ne tombe comme une pierre, et l'allongea sur le sol.

— Seth ! appela-t-il à l'adresse de son équipier qui parlait avec un témoin devant le bar. Viens, j'ai besoin d'aide.

Seth courut vers eux.

— Ça ne va pas ? Qu'est-ce qui s'est passé ?

— C'est ce que j'allais te demander. Quand je suis entré, je l'ai rattrapée au vol alors qu'elle s'écroulait.

Conner ôta la mèche de cheveux qu'elle avait en travers du front. Elle gémit et bougea un peu. Mais elle était toujours aussi pâle, ce qui ne le rassura pas.

— Le type l'a blessée ?

— Apparemment pas. Il sortait son arme quand je suis entré. Il n'a pas opposé la moindre résistance quand je l'ai arrêté.

— Que lui est-il arrivé, alors ? s'enquit Conner.

— Je ne sais pas. Je l'ai vue par terre quand je suis arrivé et deux secondes plus tard, elle était assise à la table. Elle n'avait pas l'air blessée.

Tendu, Conner continua son interrogatoire.

— Elle a saigné du nez ? Pourquoi ? Quelqu'un l'a frappée ?

Mais elle n'avait pas de marques de coups sur le visage. D'où pouvait venir ce sang ?

— Pas que je sache, répondit Seth. En fait, la seule personne qui avait un drôle de comportement avant l'irruption de l'agresseur, c'était elle. Les témoins me l'ont dit, elle avait l'air malade ou ivre ou je ne sais quoi.

Conner scruta Adrienne, abandonnée dans ses bras. Elle commençait à s'agiter, elle allait bientôt reprendre connaissance.

— Tu as pu lui parler ?

— Non, j'étais trop occupé à m'assurer que notre psychopathe n'allait pas s'aviser de tirer.

Conner la dévisageait quand elle battit des paupières et entrouvrit ses beaux yeux noirs. L'air perdu, elle le regarda.

Il lui sourit.

— Attention, ne remuez pas trop. Vous vous êtes évanouie.

Adrienne se frotta le front.

— Le type, il allait agresser la fille.

— Je ne sais pas si c'était son intention. En tout état de cause, Seth l'a stoppé et mis en garde à vue.

— Bien, fit Adrienne. C'est bien. Vous pouvez m'aider, maintenant ?

Elle reprenait des couleurs, nota Conner. C'était bon signe.

La prenant chacun par un bras, Seth et lui l'installèrent sur une chaise.

— Qu'est-ce qui vous est arrivé ? demanda Conner.

On vous a frappée ou quoi ? Vous avez du sang séché sous le nez.

Elle se passa la main sur le visage.

— Non, je n'ai pas reçu de coup. Il m'arrive de saigner du nez.

Elle avait aussi des marques rouges sur son poignet. Aussi, il lui prit la main. Elle était enflée, avec des cloques.

— Vous avez vu votre main ? Qu'est-ce qu'il lui est arrivé ?

Elle regarda sa main, puis son bras.

— J'ai renversé mon café et je me suis brûlée.

— Vous devez avoir mal ?

— Oui, acquiesça-t-elle. Mais il y a deux minutes encore, c'était ma tête qui me faisait mal à hurler. J'en avais oublié ma main.

Seth siffla entre ses dents d'un air admiratif.

— Attendez, on va mettre du froid dessus. Je vais chercher une compresse.

Inquiet, Conner prit la main d'Adrienne et la détailla, puis il scruta son visage.

— Ça ne me plaît pas. Je vais vous emmener aux urgences.

— Ah non ! Je vais très bien. C'est douloureux mais avec un pansement froid dessus, ce sera supportable. Je vous jure que je n'ai pas besoin d'hôpital.

L'emmener consulter paraissait souhaitable, mais Conner n'insista pas. C'était, apparemment, des brûlures du premier degré, vilaines à voir et sûrement douloureuses, mais Adrienne n'était pas en danger.

Quelques minutes plus tard, Seth revint avec un bol d'eau et une serviette pliée et propre.

— Voilà le matériel. Maintenant, je vous laisse, s'excusa-t-il. Il faut que j'aide les policiers à recueillir les dépositions des témoins.

Conner prit la serviette et la plongea dans l'eau. Elle était très froide.

— Je vais le faire, si vous voulez, proposa-t-il.

— Je veux bien, merci.

Au contact du tissu froid sur sa peau, Adrienne se mordit la lèvre.

— Je suis désolé de vous faire mal.

— Non, continuez, le froid me soulage. Et puis cela va empêcher la brûlure de s'aggraver.

Elle lui sourit.

— C'est bien, vous reprenez des couleurs, dit-il.

Encore quelques minutes et elle aurait retrouvé son teint normal.

— Comment avez-vous fait pour renverser votre café sur vous ?

— Je... j'entendais les pensées de l'homme et... et elles m'ont effrayée.

Elle semblait hésiter à répondre, comme si elle craignait qu'il se moque d'elle ou ne la croie pas.

En fait, il ne savait que penser de ces histoires de médium, de voyance, de don de seconde vue... Encore une heure plus tôt, il aurait qualifié de baratin tous les discours qui tournaient autour de la parapsychologie. N'empêche, quand il avait reçu son appel, il avait compris immédiatement qu'il se passait quelque chose de grave.

A peine avait-elle dit qu'elle avait besoin d'aide qu'il avait appelé Seth sur l'autre ligne. Il n'avait pas hésité, pas posé de question, il avait su — il avait compris — qu'elle avait besoin de lui et il avait répondu.

La spontanéité de sa réponse l'avait surpris lui-même. Sans même poser de questions, sans avoir de détails, il avait réagi sur-le-champ. Lui qui, la veille encore, la traitait à demi-mot de menteuse et de manipulatrice...

Bizarrement, il avait tout de suite su — oui, su — que ce qui se tramait était terrible et qu'elle avait besoin de lui. Par chance, Seth n'était pas loin. Par chance encore, Seth était arrivé avant que le psychopathe ne dégaine.

Conner enleva la serviette mouillée du poignet d'Adrienne et la replongea dans l'eau froide. Après l'avoir essorée, il la reposa sur son bras.

— Ainsi donc, vous saviez qu'il venait la tuer ?

— J'en étais à peu près certaine. Il avait décidé de les massacrer, elle et son compagnon.

— Vous *entendiez* ses… pensées ?

— Heu… oui, répondit-elle, visiblement gênée. C'était comme s'il me hurlait dans les oreilles. Je voyais ce qu'il voyait.

— Vous le voyiez ?

— Pas vraiment. Je ne le voyais pas, lui. Disons que je voyais par ses yeux. Je sais, ça semble fou.

Conner ne savait comment réagir. Adrienne poursuivit.

— Je sais qu'il est allé les chercher dans un autre bar avant d'entrer ici.

Affirmation à vérifier, songea Conner. Il faudrait qu'il s'en souvienne.

— Et comme il ne les trouvait pas, continua-t-elle, sa fureur a décuplé.

— A quel moment m'avez-vous téléphoné ?

— Dès que j'ai compris qu'il allait venir ici. Je ne savais pas exactement combien de temps cela lui prendrait mais je savais que son arrivée était imminente.

Elle regarda du côté de la table où était assis le couple.

— Je vous ai appelé quand l'homme est entré dans le premier bar. Il avait encore à peu près ses esprits. Il avait mis sa rage de côté et ne pensait plus qu'à trouver la fille. Ça m'a laissé juste le temps de vous téléphoner. Heureusement que j'avais votre numéro. Sinon, je ne sais pas qui j'aurais pu joindre.

— Pourquoi ne pas avoir appelé le 911 ?

— Pour leur dire quoi ? ricana-t-elle. Qu'un homme montait la rue et que je savais qu'il avait des intentions meurtrières ?

Non, reconnut Conner intérieurement, le dispatcheur de police secours aurait peut-être raccroché. Une ville de l'importance de San Francisco recevait des centaines d'appels de cinglés chaque jour. Par acquit de conscience, il aurait tout de même dépêché une patrouille sur les lieux — procédure classique — mais l'appel d'Adrienne n'aurait pas été prioritaire et la patrouille serait arrivée trop tard.

— Le 911 vous aurait quand même envoyé une patrouille. Vous n'aviez qu'à mentir et dire que l'individu était déjà là.

Adrienne fit oui de la tête.

— Peut-être, mais je n'avais pas les idées claires. J'arrivais à peine à respirer et à me tenir debout. Je ne pensais qu'à conserver mon équilibre.

Conner acquiesça : en effet, quand elle l'avait appelé, elle paraissait terrifiée et parlait avec difficulté. Cette simple conversation avait dû lui demander un énorme effort.

— Je suis heureux que vous m'ayez appelé, Adrienne.

Il lui caressa doucement le bras.

— Et moi, je suis heureuse que vous m'ayez crue.

Il ne sut que répondre et haussa les épaules. Il ne la croyait pas vraiment, il avait agi plus par principe.

— Vous vous êtes arrêtée au milieu d'une phrase pendant votre coup de téléphone. Que s'est-il passé ?

— L'homme était fou de rage quand il a vu que la fille ne se trouvait pas dans le premier bar. Il voulait tellement lui faire du mal que... ça a été comme si une bombe avait explosé dans ma tête.

— C'est à ce moment-là que vous avez saigné du nez ?

Adrienne prit un coin de la serviette mouillée et se frotta le menton, puis sous le nez, pour enlever le sang séché.

— Oui, je pense. En tout cas, c'est à ce moment-là que j'ai décidé de prévenir le couple pour qu'il se sauve.

— Vous êtes allée leur parler ?

— Parler ? Je ne suis pas sûre que ce soit le mot juste. Je me suis effondrée sur leur table. Et je ne savais pas quoi leur dire, j'avais de la bouillie dans la tête, dans la bouche.

Elle leva des yeux paniqués vers lui.

— Ils ont vu que je saignais du nez, alors la fille est allée me chercher des mouchoirs en papier aux toilettes. Elle venait juste de disparaître quand le type est entré.

Adrienne tremblait et Conner faillit lui proposer d'en reparler plus tard, mais elle poursuivit :

— Je pensais que mon plan allait marcher mais la fille est sortie trop vite des toilettes et il l'a vue.

Conner lui ôta la serviette de son bras : la brûlure avait déjà meilleure allure malgré les cloques toujours présentes.

— J'ai essayé d'intervenir, reprit Adrienne, mais ce qu'il avait dans la tête…

Elle ferma les yeux

— … était si puissant, si insupportable…

Elle se recroquevilla sur elle-même.

— … que je n'ai pas pu faire grand-chose. J'ai tenté de l'arrêter mais il m'a bousculée violemment. Je suis tombée et j'ai bien cru ne jamais me relever. Je n'étais pas blessée, mais je n'avais plus de force. J'étais une loque.

Elle le regarda dans les yeux.

— Je savais qu'il allait les tuer. Je le savais.

— N'empêche qu'il ne l'a pas fait.

— Grâce à Seth qui est arrivé comme une flèche. Quelle chance ils ont eue !

Conner ne put retenir un soupir.

— On va avoir du mal à faire avaler votre histoire au tribunal. L'avocat dira que son client avait effectivement une arme et qu'il a fait une erreur de jugement en la sortant à ce moment-là. A aucun instant, il n'a menacé quelqu'un. Nous n'avons pas la preuve qu'il avait l'intention de tuer la fille ou le garçon. Au pire, il sera condamné pour port illégal d'arme à feu.

— Je sais. Mon témoignage n'aura aucune valeur devant la Cour. Mais ça m'est égal, ce qui compte c'est que personne n'ait été blessé.

Conner désigna son poignet brûlé.

— Façon de parler !

— Ça, ce n'est pas grave, dit-elle.

Elle voulut lui reprendre la serviette mais il l'en empêcha. A la place, il prit sa main et, du bout des doigts, caressa le creux de sa paume qui n'avait pas été brûlé.

— Je m'en veux, confia-t-il.

— Mais vous n'y êtes pour rien.

Avec un timide sourire, elle dégagea sa main.

Conner releva la tête. Autour d'eux, les grandes manœuvres de la police prenaient fin. Une patrouille avait embarqué l'individu.

Seth s'approcha.

— Tout est réglé ? lui demanda Conner en se levant.

— Oui. A ce que l'on sait, l'homme est l'ex-mari de la jeune femme. Ils sont séparés depuis un an. Quand l'ex-mari a appris qu'elle sortait avec un autre, il a vu rouge.

— Il te l'a dit ?

— Non, c'est la femme qui m'a expliqué. Depuis deux semaines, il ne cesse de la harceler. Exaspérée par ses coups de téléphone incessants, elle a fini par changer de numéro. Du coup, il va la relancer sur son lieu de travail. Elle vit un enfer.

Conner hocha la tête. Il avait déjà eu affaire à ce genre de cas. Dans les violences conjugales, c'était souvent l'escalade.

Seth poursuivit :

— Elle lui a dit, hier, qu'elle avait un nouveau copain, persuadée que la nouvelle l'inciterait à passer à autre chose. Ça a eu l'effet inverse. Dès qu'elle l'a aperçu, tout à l'heure, elle a compris qu'il venait pour elle et qu'il allait être violent.

Adrienne regarda Seth.

— Merci d'être arrivé si vite. Je suis intimement persuadée qu'il avait l'intention de la tuer. De les tuer tous les deux, elle et son copain.

— Ce sera difficile à prouver, jugea Seth. En attendant, elle sait maintenant qu'elle doit se méfier de lui. L'éviter à tout prix.

Conner se pencha pour aider Adrienne à se lever de sa chaise. Il lui prit la main et passa le bras derrière ses épaules.

— Vous pensez qu'on peut y aller ?

— Oui, répondit-elle. Mais où ? Au FBI ?

Elle avait renversé du café sur son short clair, remarqua Conner. Des vêtements tachés pour aller au Bureau, ce n'était pas très chic.

— Vous vous êtes salie. Ce serait peut-être mieux de passer d'abord à l'hôtel pour que vous puissiez vous changer ?

— Oui, je pense que ce serait une bonne chose, répondit-elle avec un sourire.

— Vous voulez qu'on y aille en voiture ou vous pouvez marcher ? C'est à deux rues d'ici, je peux vous accompagner à pied.

— Je veux bien marcher. L'air frais sur le visage me fait toujours du bien. Même si j'ai nettement moins mal à la tête maintenant.

— Vous vous êtes souvent retrouvée dans des situations identiques à celle-ci ? intervint Seth.

Elle détourna les yeux.

— Pas mal de fois. Encore que, ces derniers temps, ça m'est arrivé moins souvent.

Conner échangea un regard avec Seth. Ce qui s'était passé dans ce bar demandait quelques éclaircissements et la réaction d'Adrienne, qui ne simulait certainement pas, en appelait aussi.

Comment avait-elle deviné que cet individu en voulait à la jeune femme ?

Il faudrait qu'il en parle avec Seth, plus tard, quand ils seraient seuls.

— Bien, on passe à l'hôtel pour qu'Adrienne se change et on te rejoint au Bureau, Seth.

Le regard de Conner se posa sur le poignet d'Adrienne.

— Vous êtes sûre que vous voulez venir au bureau aujourd'hui ?

— Oui, ça va aller.

— En chemin, on s'arrêtera au drugstore pour acheter des pansements.

Ils partirent.

Une fois dehors, Adrienne prit la main de Conner.

— Merci. Merci de m'avoir crue sans me poser de questions, ni me demander des détails que j'aurais été incapable de vous fournir. Vous avez agi tout de suite, instinctivement, c'était ce qu'il fallait faire. Vraiment, merci.

Instinctivement, se répéta Conner. Oui, c'était exactement ce qui s'était passé. Elle avait dit qu'elle avait besoin d'aide, et il lui avait envoyé du renfort. Sur-le-champ. Sans douter du bien-fondé de sa demande.

Grâce à la rapidité de l'intervention, il n'y avait eu ni mort ni blessé, sauf la brûlure. La seule victime au final, c'était Adrienne. Ses visions avaient dû être effrayantes pour qu'elle en arrive à écraser son gobelet de café bouillant entre ses doigts.

Conner étouffa un juron. Peut-être que ce qu'on racontait sur Adrienne était vrai finalement. Peut-être avait-elle vraiment une sorte de sixième sens. En tout cas, le moins qu'il pût faire, c'était de lui donner sa chance.

Il serra sa main dans la sienne.

— De rien, Adrienne.

Comme prévu, ils firent une halte au drugstore, puis regagnèrent l'hôtel.

Conner laissa Adrienne monter dans sa chambre pour se changer et patienta dans le hall, assis sur un canapé.

Son portable vibra dans sa poche. C'était Seth.

— Salut. T'es au bureau ? demanda Conner.

— Oui. L'ex est entre les mains de la police locale et, à l'heure où je te parle, la jeune femme dépose une injonction d'éloignement.

— Parfait, dit Conner.

Aucune injonction d'éloignement n'arrêterait jamais un homme décidé à brutaliser son ex-femme, mais c'était un début, songea Conner. De cette façon, la jeune femme avait pris date.

— Son nouveau copain avait l'air épouvanté par les événements, poursuivit Seth. Je ne pense pas que leur histoire dure bien longtemps. Ça a dû le refroidir.

— On le comprend !

— Au fait, le bar avait son propre circuit vidéo.

Conner se leva et sortit pour éviter les oreilles indiscrètes.

— Tu as visionné la bande ? Il y avait quelque chose d'intéressant ?

— La caméra était dirigée sur le comptoir et la caisse enregistreuse. On ne voit pas grand-chose de la scène qui s'est déroulée ce matin. Je n'ai pas vu le mari éconduit. Mais j'ai vu Adrienne deux ou trois fois.

— Et ?

Seth souffla à l'autre bout de la ligne.

— Très franchement, ça m'a fait peur. Les gens ont dit qu'elle était ivre. C'est vrai qu'elle avait le comportement de quelqu'un qui a trop bu. Quant au café qu'elle s'est renversé sur la main ? Bizarre, aussi.

— Je pensais justement à ses brûlures, Seth. Personne ne se brûle comme ça par plaisir, pour sauver les apparences.

— Il faut que tu voies cette bande, vieux. C'est comme si elle était possédée. Elle écrase le gobelet dans sa main avec rage et ne le lâche à aucun moment, même pas quand elle se brûle. Il reste collé à sa main et elle ne fait rien pour le détacher. C'est impressionnant.

Troublé, Conner se mit à arpenter le trottoir.

— Tu en penses quoi, Seth ? Ça voudrait dire qu'elle est réglo ? Qu'elle peut réellement… je ne sais trop quoi ?

— Ecoute, vieux, tout ce que je sais, c'est qu'il y a eu du grabuge, ce matin, dans ce café. On la voit nettement, elle est comme possédée. Je te jure que ça fait peur. Bon Dieu ! J'ai jamais vu ça !

Conner s'arrêta.

— Qu'est-ce que tu veux dire ?

— J'en sais rien. Mais elle n'avait aucune raison de faire un numéro pareil puisqu'elle ne savait pas qu'on visionnerait la bande. Je finis par croire qu'elle ne nous a pas menés en bateau.

Conner se pinça les lèvres. Se serait-il trompé sur Adrienne ?

Il se retourna au même moment : elle sortait de l'hôtel.

— O.K., Seth, il faut que j'y aille. Elle arrive. As-tu pris une copie de la bande vidéo ?

— Quelle question ! ricana Seth. Evidemment. A tout de suite.

Conner raccrocha et alla à la rencontre d'Adrienne. Elle

avait troqué ses vêtements tachés de café contre une jupe claire et un chemisier blanc à manches courtes. Elle avait repris des couleurs, elle souriait et marchait à pas vifs.

Est-ce qu'il pouvait vraiment lui faire confiance ?

7

Adrienne prit place dans la même salle des interrogatoires que la veille. Devant les mêmes photos. Et comme la veille, rien ne vint.

Elle en avait presque honte. Son don de voyance s'était-il envolé ? Conner et Seth ne devaient plus savoir quoi faire d'elle.

Finalement, ils proposèrent d'aller déjeuner.

Mais, après le repas, ce fut le même cirque : les photos, un long silence, des regards embarrassés. Rien.

Ils étaient alors repartis. Sans doute, pensa-t-elle, pour travailler de façon plus concrète, sur de vraies pistes, pas des élucubrations.

Dépitée, elle examina une nouvelle fois les clichés des scènes de crime. Dont celle de la femme assassinée retrouvée dans un entrepôt à l'abandon.

Aucune réaction.

Elle se leva et s'étira pour se détendre le dos. Sa brûlure se rappela alors à son souvenir. Absorbée dans l'examen des clichés, elle l'avait presque oubliée.

Un coup à la porte la fit se retourner.

— Oui ?

Elle le reconnut tout de suite, c'était le chef de division Logan Kelly. Il n'avait guère changé en huit ans. Peut-être juste un peu blanchi.

— Mademoiselle Jeffries ! Quel plaisir de vous revoir !

— Chef Kelly.

Elle serra la main qu'il lui tendait, sans enthousiasme.

— Je crois comprendre que vous avez du mal avec ce cas, dit-il.

— C'est exact. Pour une raison que j'ignore, ce que l'on m'a montré jusqu'à présent ne m'a inspiré aucune vision.

Le chef Kelly haussa les sourcils.

— Vous ne vous concentrez peut-être pas suffisamment.

Il s'installa de l'autre côté de la table. Adrienne se rassit en face de lui.

— En tout cas, ce n'est pas faute d'efforts.

— Vous n'avez jamais eu de problème de ce genre quand vous avez travaillé avec nous, il y a quelques années. Les images vous venaient facilement.

— Facilement ?

Elle ne put s'empêcher de rire. Un rire jaune.

— C'est vrai que je n'ai pas connu ces difficultés dans le passé. Quant à dire que c'était facile, ce serait parler un peu vite.

A sa grande satisfaction, le chef Kelly parut un instant désarçonné. Puis il regarda les photos étalées sur la table.

— Plutôt macabre, commenta-t-il.

— En effet, acquiesça-t-elle.

Quelles banalités ils échangeaient ! Mais que pouvait-on dire d'autre devant de telles horreurs ?

— Nous avons un assassin à arrêter, reprit le chef Kelly. Vous ne souhaitez pas collaborer ? Cette affaire ne vous intéresse pas du tout ? Elle vous laisse indifférente, peut-être ?

La question était abrupte, mais elle répondit du tac au tac.

— Chef Kelly, je ne suis pas venue ici par plaisir. Pour une raison qui m'échappe, ce cas n'éveille rien en moi. Est-ce ma faute ?

— Peut-être dois-je vous rappeler que si votre avenir n'est pas en jeu dans cette affaire, en revanche, celui de votre manager Rick Vincent...

Adrienne serra les dents.

— Inutile. Je suis parfaitement consciente du motif de ma présence ici et de ce qui est en jeu. Et même si j'ai très envie de vous dire d'aller vous faire voir, je vais éviter de le faire.

Interloqué, le chef bascula en arrière sur son siège et la fixa, les yeux plissés.

Elle ne le laissa pas répliquer.

— Vous croyez me tenir, Kelly ! Eh bien, détrompez-vous. Si je suis ici, ce n'est pas à cause du chantage que vous pensez exercer sur moi à propos de Rick Vincent. C'est parce que je veux aider à trouver le meurtrier.

Elle se leva et se mit à ranger chaque cliché dans sa pochette. Il se leva aussi et traversa la salle.

Comme il allait sortir, elle l'interpella.

— Je veux que les choses soient bien claires, Kelly. Je ne suis pas ici pour travailler avec vous au long cours. Je suis là pour une affaire. Point. Je ne suis plus naïve, j'ai mûri et je ne permettrai pas que ce qui s'est produit autrefois se renouvelle. Est-ce clair ? Ou dois-je le répéter ?

Etonnamment, Kelly eut l'air déconfit.

— Soyez sans crainte, Adrienne, rien de tel ne se reproduira. Nous prendrons les mesures qui s'imposent pour que cela ne se renouvelle pas. Je vous garantis que nous ferons tout pour assurer votre bien-être.

— A dix-huit ans, je croyais tout ce qu'on me disait, tout ce que *vous* me disiez. J'étais jeune. Aujourd'hui, je sais que je ne peux faire confiance à personne. Qu'à moi.

Il ouvrait la bouche pour répondre quand la porte s'ouvrit brutalement. C'était Conner.

Il la regarda d'abord puis le chef.

— On vient de recevoir un appel, chef. Encore une victime.

— Jacques a dit ? demanda Kelly

Conner lança un coup d'œil du côté d'Adrienne puis à son chef. Et opina.

— A-t-on reçu un paquet ? s'enquit le patron.

Conner la regarda de nouveau. De toute évidence, il regrettait qu'elle assiste à cette discussion.

— Non, chef. Harrington et moi-même nous apprêtons à nous rendre sur la scène de crime.

— Bien, tenez-moi au courant.

Sur ces mots, Kelly sortit.

Adrienne se retrouva seule avec Conner.

— Seth et moi, nous allons nous absenter un moment, dit-il.

— J'avais compris.

— Voulez-vous que je demande qu'on vous raccompagne à votre hôtel ?

— Non, je vais rester ici. Si cela ne pose pas de problème, évidemment.

Visiblement préoccupé, Conner s'agita.

— Aucun. Mais je vous demande de rester dans cette pièce. Si vous devez sortir, appelez l'accueil avec le téléphone qui se trouve sur la table et l'on viendra vous chercher.

— Haha ! Je vois ! On a peur que je me promène dans les couloirs ! La confiance règne !

— Adrienne…, commença-t-il en s'approchant d'elle.

Elle l'arrêta d'un geste.

— J'ai bien compris. Je ne suis pas digne de confiance. Il est vrai que je ne vous ai servi à rien jusqu'à présent.

— Personne ne vous fait de reproches. Si vous ne pouvez pas…

— Je sais que vous devez partir, l'interrompit-elle. Ça va. Inutile de me caresser dans le sens du poil, je vais très bien. Je vais encore regarder les clichés et, ensuite, je prendrai une décision.

— O.K.

L'air soulagé, il se dirigea vers la porte.

— Si je vois que ça se prolonge, je vous appelle, pour que vous ne restiez pas coincée ici…

A rien faire, compléta-t-elle pour lui.

Il haussa vaguement les épaules et sortit.

Encore une fois, elle se pencha sur les photos. A quoi bon ? pensa-t-elle. Aucune piste ne lui venait à l'esprit, et ces atrocités la bouleversaient. Elle n'avait qu'à en rester là et retourner au ranch.

Cette fois-ci, elle n'arriverait à rien.

Et après tout, c'était tant mieux. Revoir le chef Kelly lui avait rappelé ce qu'elle avait vécu dix ans plus tôt quand elle travaillait au FBI. Rien que d'y penser, la migraine pointait.

Au moins, puisque son don semblait s'être volatilisé, elle n'aurait pas à revivre ce qu'elle avait subi au café quelques heures plus tôt.

Assise, elle détailla la photo qu'elle tenait à la main.

Partir.

Bien sûr, elle était libre de partir mais cela voulait dire qu'elle n'aiderait pas à l'arrestation du malade mental qui avait assassiné la femme mutilée du cliché.

Et que les meurtres allaient continuer.

L'enjeu ne justifiait-il pas qu'elle persévère encore un peu ?

Elle chercha de l'aspirine dans son sac. La migraine s'accentuait.

Ce faisant, elle fit tomber un cliché par terre et le ramassa. Comme elle le reposait sur la table, sa tête se mit à bourdonner, à se remplir d'images. D'images atroces.

Le tueur avec son couteau, ses ricanements, ses sarcasmes.

La mèche de cheveux qu'il coupe.

Sa jouissance à les terroriser. Sa jubilation de détenir le pouvoir.

La tête serrée entre ses mains, comme pour l'empêcher d'exploser, elle examina d'autres photos, et ce que le tueur avait à l'esprit devint soudain beaucoup plus net.

Il ne les tuait pas là où il les trouvait. Trop malin pour ça. Et les agents du FBI étaient si idiots. Il leur fallait tellement de temps pour comprendre ce qu'il se passait et se mettre en mouvement qu'il avait fini par leur envoyer des mèches, en guise de signature. Que Dieu les bénisse !

Adrienne se concentra au maximum pour tenter de chasser de sa tête les intentions du tueur et ne plus voir que les détails pratiques : le lieu, la date, son physique.

Apparut alors un bâtiment avec des poutres au plafond. Un entrepôt, peut-être ? Ou un grand grenier ? Sans fenêtre. C'était là qu'il les emmenait et les gardait quelques heures avant de les tuer.

C'était très difficile d'attendre. Il le fallait pourtant car il avait le pouvoir et c'était jouissif. Il fallait faire durer ce plaisir indicible. Jacques a dit : attends. Mais que c'était difficile !

C'était comme la plainte d'un enfant, lancinante. Ses propos étaient puérils.

Avec tout ce tumulte dans la tête, c'était difficile de retenir quelque chose, pesta Adrienne. Les pensées malignes du tueur dominaient toutes les autres. Elles étaient les plus fortes, elles s'imposaient. Mais à l'arrière-plan émergeait un mélange menaçant de voix et d'images, des cris, des appels au secours en diverses langues.

Adrienne poussa un long soupir.

Il fallait qu'elle identifie ces bruits, ces images, mais c'était difficile. Mon Dieu, comme c'était difficile !

Il fallait qu'elle tienne pourtant. Qu'elle recueille et retienne le plus de détails possible. Mais elle était submergée. Et tellement écœurée… Mince, comme elle avait mal au cœur !

Prise d'une nausée incontrôlable, elle se leva brusquement

et, courbée en deux, se rua vers la poubelle dans laquelle elle vomit tout son déjeuner.

Revenant ensuite vers le bureau, elle repoussa les clichés et, les bras croisés sur la table, y posa le front, les yeux fermés. Elle n'avait plus qu'une idée, respirer, inspirer, respirer, essayer de se vider la tête, le cœur, les yeux, les oreilles de toute cette horreur, de tous ces bruits, de toutes ces images.

Et voilà ! Tout recommençait comme avant ! Comme dix ans plus tôt !

Epuisée, elle resta un long moment sans rien faire, ne bougeant plus.

Puis, très doucement, elle rouvrit les yeux. Elle s'attendait à être de nouveau brutalisée par les images et les sons, par la douleur qui les accompagnait. Mais, ô surprise, il ne se passa rien.

D'habitude, elle devait s'éloigner des êtres humains et de l'endroit où elle se trouvait pour retrouver la sérénité. Là, non, tout s'était évaporé spontanément.

Elle jeta un coup d'œil à son téléphone. Conner était parti depuis trois heures. Dans combien de temps reviendrait-il ?

Elle était impatiente de lui raconter ce qu'elle venait de vivre. Cela les aiderait peut-être à progresser dans leur enquête.

C'était à espérer, en tout cas. Avoir vécu cet enfer pour rien, ce serait désespérant.

N'empêche, elle se sentait plutôt mieux. Un peu fatiguée, certes, mais sans mal de tête et sans nausée.

Elle n'avait quand même pas le courage de ramasser les photos qu'elle avait jetées par terre : tout pourrait recommencer et elle ne le supporterait pas. En revanche, elle devait se débarrasser de la poubelle dans laquelle elle avait vomi avant qu'une vilaine odeur ne se répande.

Courage, se dit-elle en se levant.

Elle noua le sac bien serré et se dirigea vers la sortie. Le conteneur devait se trouver quelque part dans le bâtiment. Curieusement, plus elle s'éloignait de la salle des interrogatoires, mieux elle se sentait.

Au bout du couloir, il y avait en effet une grande poubelle. Elle y jeta son paquet au moment précis où les portes de l'ascenseur coulissèrent. Conner et Seth en sortirent et la fusillèrent du regard.

— Peut-on savoir ce que vous faites là ? aboya Conner. Je vous avais dit de ne pas bouger.

Décontenancée, Adrienne se mit à bégayer.

— Je… je… je cherchais une grande poubelle pour… jeter quelque chose.

— Il y a une poubelle dans la salle où vous étiez, rétorqua Conner.

L'envie de partager avec lui ce qu'elle avait découvert sur Jacques a dit s'envola d'un coup.

— Je sais, mais ça sentait mauvais.

Sur ces mots, elle repartit en sens inverse.

— Vous ne devez pas sortir de la salle des interrogatoires sans être accompagnée, répéta-t-il en la poursuivant.

Faisant celle qui n'entendait pas, elle continua. Après ce qu'elle avait vécu face aux photos, elle n'était ni de taille ni d'humeur à se battre avec lui.

Mais alors qu'elle entrait dans la salle des interrogatoires, Conner lui empoigna le bras.

— Vous m'entendez ? Je vous avais dit de ne pas quitter la pièce sans être accompagnée !

Il avait un net avantage sur elle : il la dominait de quelque vingt-cinq centimètres ! Et il en profitait. Mais s'il se figurait qu'elle était femme à se laisser intimider, il se trompait.

Elle le fixa droit dans les yeux.

— La. Poubelle. Sentait. Mauvais. C'est clair, là ?

Dressée sur la pointe des pieds, elle soulignait chaque mot en piquant sa chemise de son index.

— J'ai donc décidé de la mettre ailleurs. A part ça, je n'ai pas mis les pieds hors de votre fichue salle !

— Quand vous êtes dans ce bâtiment et que je vous dis quelque chose…

— Excusez-moi, les interrompit Seth qui les avait rejoints. Tout va bien ?

Conner baissa légèrement la tête.

— Du nouveau, Adrienne ? reprit Seth.

Elle fit la grimace à Conner et se tourna vers Seth.

— Oui, Seth. Vous étiez à peine partis tout à l'heure que ça a commencé. Je crois que j'ai récolté pas mal d'infos sur Jacques a dit.

Exaspéré, Conner soupira. Ils n'auraient jamais dû laisser Adrienne, il le savait bien. Elle avait profité de leur absence pour aller soutirer des renseignements à des agents trop bavards. Ou alors, elle avait fouillé et mis la main sur des dossiers secrets auxquels elle n'aurait jamais dû avoir accès.

Il rebroussa chemin vers son bureau.

— Qu'est-ce qui se passe ? s'enquit Seth.

— J'arrive, j'ai quelque chose à prendre dans mon bureau et je reviens. Ne commencez pas sans moi.

Il était d'autant plus furieux que la scène de crime où ils avaient été envoyés était une mauvaise farce. Quand ils avaient reçu l'appel leur disant qu'on avait découvert un corps de femme, Seth et lui avaient repris espoir. Cette fois-ci, ils auraient peut-être un indice avant de recevoir la mèche de Jacques a dit. Mais une fois sur les lieux, ils avaient tout de suite compris qu'il s'agissait d'une mise en scène. Ce n'était pas l'œuvre de Jacques a dit. Il y avait trop de différences dans le mode opératoire pour que ce soit lui.

Une nouvelle fois, ils avaient perdu leur temps.

Et, à leur retour, ils avaient trouvé Adrienne dans le couloir, qui leur avait raconté une histoire de poubelle à dormir debout ! Et elle avait prétendu avoir des choses à leur révéler sur Jacques a dit. Des fadaises, certainement !

Il alla à son bureau, prit un stylo et un bloc de papier. Ils allaient écouter ce qu'elle avait à dire et la renverraient ensuite dans son ranch. Le chef dirait ce qu'il voudrait. Lui, il en avait assez d'être tiré à hue et à dia.

Plus exaspéré que jamais, il se dirigea vers la salle des interrogatoires. Il avait été patient avec la « voyante ». Ça suffisait comme ça !

Dès l'entrée, une odeur aigre et écœurante le prit à la gorge.

— Bon Dieu ! Qu'est-ce qui s'est passé ici ?

— Je vous ai dit que la poubelle sentait mauvais et que c'était pour cela que j'étais sortie. Un peu de patience ! Seth est allé chercher un désodorisant.

— Bon sang ! Mais qu'y avait-il donc dans cette poubelle ?

— C'est moi. Je suis désolée mais, tout à l'heure, j'ai… vomi.

— Vous avez vomi ? Ça va mieux ?

— Oui, c'est passé. Je dois dire que je me sens même très bien.

Son regard tomba sur les clichés éparpillés au sol.

— Vous avez piqué une crise ?

— Non, mais je ne veux plus les toucher. Je ne tiens pas à avoir la même réaction que tout à l'heure.

Seth entra et bombarda la pièce avec l'aérosol, tant et si bien que l'air devint quasiment irrespirable.

— Ça suffit peut-être, intervint Adrienne.

Seth suspendit son geste, puis il se mit à ramasser les clichés avec Conner.

Enfin, ils s'assirent face à Adrienne. Elle se tenait droite comme un I et prit sa respiration.

— Il voit cela comme un jeu, commença-t-elle. Il pense que vous, au FBI, vous êtes des pantins. Il estime que vous êtes nuls.

Conner réfléchit à toute allure. Ce que disait Adrienne était exact. Le ton employé dans les mots que Jacques a dit joignait aux mèches le prouvait. Mais si Adrienne savait cela, c'était qu'elle avait eu accès au dossier. Et donc, connaissance d'infos qu'elle aurait dû ignorer.

— Continuez, demanda Seth.

— Il passe de la jubilation aux lamentations. Comme un gosse. Il aime dominer, terroriser les femmes pour leur montrer qu'il a le pouvoir sur elles. Il éprouve une véritable jouissance à vous adresser les mèches de cheveux.

Seth siffla entre ses dents, mais Conner ne l'entendait pas de cette oreille.

— Sans vouloir vous offenser, ce que vous nous racontez là est écrit en toutes lettres dans le dossier. Quelqu'un vous l'a sans doute communiqué en notre absence.

C'était quand même mieux que de l'accuser d'avoir fouillé dans un bureau.

— Agent Perigo.

Haha, elle recommençait à l'appeler par son nom de famille !

— Pourquoi ferais-je une chose pareille ? Ça n'a pas de sens.

— Je l'ignore, mademoiselle Jeffries. C'est à vous de me le dire.

Seth lui donna un coup de pied sous la table.

— Ne faites pas attention, Adrienne. Continuez, s'il vous plaît.

— Chaque fois, il garde une mèche de cheveux pour lui, en guise de trophée.

Ça, c'était un détail nouveau, songea Conner. Mais

évidemment, il était impossible à vérifier tant que Jacques a dit n'avait pas été arrêté.

— Il ne tue pas les femmes là où on trouve les corps, poursuivit Adrienne. Il les déplace.

Ceci, il le savait. Aucune tache de sang n'avait jamais été relevée sur les scènes de crime.

— Il les tue toutes au même endroit, un grenier ou un grand espace vide. Il y a une espèce de cave dessous que l'on ne voit pas. C'est bizarre. Il n'y a pas de fenêtre et, au plafond, il y a de grosses formes sombres. C'est très haut.

Conner se redressa sur sa chaise. Ces éléments étaient nouveaux. Voilà peut-être l'ouverture qu'ils espéraient.

— Vous pourriez nous donner d'autres précisions sur le lieu ? demanda Seth.

Elle fit non de la tête.

— Je suis désolée. Je vois le local, et c'est tout. Pour une raison inconnue, je ne le vois ni y entrer ni en sortir.

— D'habitude, vous voyez ce genre de détails ? intervint Conner.

— Oui, en général. Désolée.

— Que pouvez-vous nous dire d'autre ?

Adrienne reprit les dossiers des cinq femmes assassinées. Mis à part leurs prénoms, il n'y avait rien d'indiqué.

Elle sortit les photos des chemises et les étala sur la table.

— Je sais qu'elles ont été tuées dans cet ordre, dit-elle sans même lever les yeux des dossiers.

Elle prit un stylo et inscrivit sur chaque chemise le nom de famille de chaque victime.

— Je sais leur nom, affirma-t-elle.

Conner étouffa un juron. Elle les menait en bateau.

— Ça suffit comme ça ! gronda-t-il. Je ne sais pas à quoi vous jouez mais je n'ai pas de temps à perdre. Il est évident que vous n'êtes pas restée dans cette pièce en notre absence. Soit un agent vous a donné des infos, soit vous avez fouillé dans le bureau. Ça va, maintenant, j'en ai assez !

Adrienne se leva et posa les mains à plat sur la table.

— Je vous rappelle, agent Perigo, que c'est vous qui êtes venu me chercher pour me demander mon aide. Non, on raye ça. C'est faux. La vérité, c'est que vous m'avez contrainte par le chantage à venir vous aider. Quelle raison aurais-je d'inventer toutes ces histoires ?

— Je n'en sais rien, reconnut-il. Mais de toute manière, cela ne m'intéresse pas. Je pense que vous voulez attirer l'attention sur vous. Ou que vous voulez vous donner de l'importance. Ce qui se ressemble, d'ailleurs. Mais ce n'est pas le sujet. Ce que je comprends, c'est que vous avez mis la main sur les dossiers ou que quelqu'un vous les a passés… à votre demande.

Adrienne tapa du poing sur la table.

— A moins, mais je sais que c'est une chose qui vous est insupportable à admettre, que je ne dise la vérité.

— Attention ! lança-t-il, presque menaçant. Cette pièce est équipée d'un système audio vidéo. Tout ce qui se dit ici est enregistré dès que quelqu'un entre, mademoiselle Jeffries.

— Et alors ?

— Et alors ? reprit-il. On visionnera les bandes et on verra que vous avez quitté cette salle ou que quelqu'un y est entré après notre départ. Et on saura ce qui s'est dit.

Qu'allait-elle faire maintenant ? se demanda Conner. Raconter une autre histoire ? Se mettre à pleurer ? Essayer de se trouver une excuse pour expliquer ce qu'elle savait ?

— Vous voulez que je vous dise une chose, agent Perigo de mes deux ? Je sais ce que vous allez faire ces trois prochaines heures ! Mais en ce qui me concerne, je pars. Salut !

Elle se pencha pour prendre son sac de sa main valide et quitta la pièce comme une bombe.

Bang ! Les murs vibrèrent.

Conner resta quelques secondes à fixer la porte qu'elle

venait de claquer. Il ne s'attendait pas à une réaction aussi violente de sa part.

Seth, lui, éclata d'un gros rire.

Vexé, Conner sortit à son tour de la salle. Il allait visionner les bandes et saurait ainsi ce qu'il s'était passé. A moins que…

8

Depuis un moment, Adrienne se promenait dans West Square. Ce qu'il y avait de remarquable à San Francisco, songea-t-elle, c'était ses parcs. Impossible de faire cent mètres sans tomber sur un espace vert. Et la température était idéale, ce n'était pas comme à Lodi.

Tout cependant n'était pas parfait. Il y avait ces agents du FBI complètement stupides qui lui donnaient envie de les gifler ou de les étouffer... sous ses baisers !

Cette image la fit sourire. Si elle embrassait Conner, elle n'aurait plus à entendre le flot d'âneries qui coulait de sa bouche.

Un peu fatiguée, elle s'assit sur un banc. Le bourdonnement revenait. Il avait commencé un peu plus tôt, s'était sournoisement amplifié jusqu'à être bel et bien là, avec le mal de tête qui l'accompagnait inévitablement et cette impression de pincement à la nuque. Fâcheux mais supportable.

De toute manière, elle y était habituée. Elle l'éprouvait chaque fois qu'il y avait du monde autour d'elle. Ce n'était pas violent mais constant. Un fond. Dans ces moments-là, elle ne percevait pas forcément quelque chose de précis. C'était juste une nuisance. Permanente.

Elle avait fini par comprendre que les gens en général n'étaient pas méchants. Ils étaient soit fatigués, soit à cran, rarement foncièrement mauvais.

Quand elle était à l'extérieur, elle allait mieux. Il y

avait moins de personnes entassées que dans un bâtiment. Pourtant, sur ce banc de West Square, la sensation
d'oppression était encore plus forte que dans les bureaux
du FBI, face aux photos.

Elle chercha son tube d'aspirine dans son sac.

Puis elle se leva et reprit sa marche en direction de
l'embarcadère.

De là, la vue sur le Golden Gate, sur l'île d'Alcatraz et
sa prison désaffectée était imprenable.

Mais Adrienne ne leur prêta qu'à peine attention.

Pourquoi en voulait-elle tellement à ce Perigo ? C'était
normal qu'il ne la croie pas sur parole. Des doutes, au début,
tout le monde en avait. Quel individu sain d'esprit pouvait
croire à son don de divination sans preuve formelle ?

Pourquoi lui l'aurait-il fait ?

D'autant qu'elle n'avait pas encore prouvé ses talents…

En d'autres circonstances, cela ne l'aurait pas dérangée.
Elle n'attachait pas d'importance au fait qu'on la croie ou
pas. Sauf avec Conner. Pourquoi ?

Elle réfléchit.

De sa part à lui, c'était différent. Elle aurait aimé qu'il
la croie sur parole.

Peut-être parce que, depuis l'instant où elle l'avait vu
dans l'écurie, deux jours plus tôt, elle n'avait cessé de
penser à lui ?

Et puis, il y avait eu ce baiser à l'hôtel, la veille au soir…
Elle avait pensé qu'en s'embrassant, ils franchissaient un
pas. Un pas vers quelque chose de plus… De plus profond.
De plus sérieux.

Manifestement, elle s'était trompée. Pour lui, ce *rapprochement* ne voulait rien dire. Elle y avait mis son cœur. Lui,
pas. Pour éprouver le moindre sentiment pour elle, il aurait
fallu qu'il lui fasse confiance. Or, c'était tout le contraire.

Dépitée, elle soupira.

A bien y réfléchir, ce qu'elle ressentait pour lui était

contrasté. Elle avait à la fois envie de l'embrasser et de
le gifler, pour lui apprendre à la prendre de haut. C'était
assez compliqué à gérer.

En tout cas, le résultat était désastreux, ils n'arrêtaient
pas de se heurter.

Dommage, pensa-t-elle.

Mais à quoi bon s'attarder ? S'il ne partageait pas l'attirance qu'elle éprouvait pour lui, mieux valait qu'elle oublie.

Pour l'heure, il devait être en train de visionner les
bandes vidéo de la salle d'interrogatoires.

S'il était de bonne foi, il serait bien obligé d'admettre
qu'elle avait dit la vérité.

Mais qu'allait-il se passer ensuite ?

Tant au plan professionnel que privé.

Il était trop tôt pour tirer des plans sur la comète. De
toute manière, savait-elle seulement ce qu'elle voulait ?

Elle sortit de ses pensées. En fin de compte, son détour
par l'embarcadère était une mauvaise idée. Comme tous les
ports, celui-ci — très touristique — était noir de monde.
Dans sa tête, les bruits commençaient à se télescoper et
son mal de crâne empirait.

Comme elle n'avait pas *gardé* son déjeuner, elle acheta
un bretzel. Grignoter une bricole calmerait probablement
sa faim et son début de migraine.

Elle fit encore quelques pas dans la foule, puis rebroussa
chemin vers le FBI.

Comme elle croisait encore un espace vert, elle s'arrêta
pour finir le bretzel qu'elle avait commencé. Sa tête lui
faisait mal et la nausée guettait de nouveau. La main
en visière sur le front pour s'abriter du soleil, qui n'était
pourtant pas agressif, elle chercha un endroit où se poser
un peu. Un banc lui tendait les bras à quelques mètres.

Ce qu'elle vivait ces jours-ci lui rappelait ce qu'elle
avait connu quelque dix ans plus tôt quand elle travaillait
avec le FBI. Le bombardement constant dans sa tête.

Même quand elle se trouvait à l'extérieur des bureaux et que personne ne lui demandait de regarder ou de toucher des photos de scènes de crime ou des pièces à conviction, les sons, les images lui fracassaient le crâne. C'était un supplice. A dix-huit et dix-neuf ans, elle avait cru qu'un jour cela s'arrêterait.

Elle s'était trompée. L'enfer recommençait.

Au fond, elle n'avait qu'à retourner au Bureau et dire à Seth et Conner qu'elle rentrait à l'hôtel. Elle allait faire ses bagages, prendre son auto et filer à Lodi. Sans attendre. Là-bas, elle le savait, elle retrouverait la paix et la tranquillité. Elle en avait besoin. C'était vital car elle ne tiendrait pas longtemps avec cette tension-là.

Elle en avait déjà fait l'expérience.

En plus, si son fichu don ne se manifestait que ponctuellement, elle ne leur était d'aucune aide. Elle n'avait donc plus rien à faire à San Francisco.

— Autant partir, marmonna-t-elle toute seule.

Soudain, un grincement de pneus sur l'asphalte attira son attention. Sortant de sa réflexion, elle leva les yeux. Une voiture se garait dans la rue qui longeait le parc. Une portière s'ouvrit. Perigo !

Elle consulta sa montre. Il était 5 heures. Cela faisait quarante-cinq minutes qu'elle était partie. Le temps avait filé à toute allure. Quant à Perigo, il ne s'était pas attardé devant la bande vidéo. L'avait-il même regardée en entier ?

Il s'assit sur le banc à côté d'elle.

— Comment m'avez-vous retrouvée ?

L'air embarrassé, il se gratta la gorge à deux reprises.

— Je leur ai demandé de vous suivre.

— De me suivre ?

— Oui. Comme tous les téléphones portables, le vôtre renferme un GPS.

— Agent spécial Perigo, je suis choquée. Ce que vous faites là, c'est du gaspillage d'argent public.

— Sans doute. Mais je craignais que vous ne soyez déjà repartie. A Lodi. Si j'avais su que vous étiez assise dans un parc, à quelques rues seulement du Bureau, je n'aurais pas pris ma voiture. J'aurais marché.

— Ainsi donc, vous m'avez trouvée.

Elle mordit dans le bretzel.

— Je pensais qu'il vous faudrait beaucoup plus de temps pour visionner la bande. Vous vous êtes servi de l'avance rapide, avouez-le.

Il s'agita sur le banc.

— Ecoutez, Adrienne…

— Oui ? Je vous écoute.

— Je suis désolé. D'accord ? J'ai eu tort.

Mais elle n'était pas décidée à lui faciliter la vie.

— Vous avez visionné la bande, oui ou non ?

— Oui, en partie.

Haha, seulement en partie ? C'était bien ce qu'elle avait supposé.

Elle lui jeta un regard à la fois moqueur et interrogateur.

— C'est bien ce que je pensais, *en partie*.

— Oui, mais suffisamment pour me rendre compte que vous avez dit la vérité. Vous n'êtes pas sortie de la pièce et personne n'est entré.

— Où est Seth ?

— Il est resté regarder la fin de la bande, dit-il, rougissant.

Elle le regarda, les yeux plissés, pleins de reproche.

— Vous avez du mal à faire confiance aux gens. Vous le savez ?

— Effet secondaire de mon métier, je suppose.

Ils restèrent un moment sans rien dire. Finalement, il brisa le silence.

— Je me suis mis en colère tout à l'heure et j'ai eu tort, je le répète. A ma décharge, quand nous sommes partis aujourd'hui, en vous laissant ici, nous nous sommes précipités vers la nouvelle scène de crime, persuadés que nous allions avoir une piste. Mais le meurtre n'était pas signé Jacques a dit. C'était une mise en scène pour nous faire croire que c'était lui. Une fausse piste, quoi ! Quand je suis revenu, j'étais de si méchante humeur que lorsque je vous ai vue, j'ai reporté ma colère sur vous. Je vous demande pardon.

Elle se tourna vers lui. Elle n'était pas encore prête à l'excuser, mais elle pouvait comprendre que cette fausse piste l'ait mis en rage.

Il se rapprocha, passant le bras derrière elle sur le dossier du banc.

— Je sais, ce n'est pas une excuse. Je me suis comporté comme un imbécile. Tant pis pour moi. Je comprends que vous m'en veuillez. Désolé.

— Je vais vous dire une chose, Perigo. Je trouve très bien de ne pas tout gober bêtement. D'habitude, les gens sceptiques ne me gênent pas.

Elle s'arrêta, reprit un morceau de bretzel. Comme par magie, son appétit était revenu.

— Ce n'est pas vous personnellement que je critique, enchaîna alors Conner.

Il hésita, semblant chercher ses mots.

— C'est seulement que je ne comprends pas ce que… comment vous… Bref, je ne comprends pas ces phénomènes. Vous savez, le spiritisme et moi… J'aime les choses carté-siennes, que l'on peut classer dans telle ou telle catégorie. En l'occurrence, je suis… perdu.

Elle mordilla le bretzel en opinant. Ça aussi, elle pouvait le comprendre.

— C'est difficile pour moi, poursuivit-il. C'est tellement *extra-ordinaire*. Mais, après ce qui est arrivé ce matin et cet après-midi, je ne peux plus douter. Il n'empêche, ce que vous faites m'échappe totalement. J'aimerais comprendre.

— Pourquoi vouloir trouver une explication à tout ?

C'est comme ça, un point c'est tout. Inutile de chercher une logique là-dedans.

Il se tourna vers elle, effleurant ses épaules avec son bras.

— Votre don défie la raison, insista-t-il. Il va à l'encontre de tout ce que j'ai appris pendant mes années de formation.

Il s'était radouci. Il parlait même d'une voix gentille.

— Je suis certaine que ce n'est pas aussi compliqué que vous croyez. Il vous arrive d'avoir des pressentiments ? Vous n'avez jamais remarqué qu'ils se réalisent parfois ? Pour mon don, c'est la même chose. C'est simplement plus développé.

— Oui, mais dans votre cas, c'est un peu plus rocambolesque.

— Il ne faut quand même pas exagérer, dit-elle en souriant. C'est un don. C'est tout.

— J'ai entendu ce que vous avez dit aujourd'hui. Vous voyez et entendez des choses que les autres n'entendent et ne voient pas. C'est plus qu'un don, c'est de la magie !

Il avait parlé avec une sorte d'admiration. C'était la première fois.

Elle haussa les épaules.

— Mon cerveau fonctionne différemment de celui des autres, c'est tout. Regardez, il y a des enfants qui se mettent à jouer du violon à cinq ans comme s'ils en avaient joué toute leur vie alors qu'ils n'ont jamais vu cet instrument. Moi, c'est pareil. Je ne veux pas dire que je suis un génie, mais je ne suis pas non plus un monstre.

D'ailleurs, elle détestait le surnom de rottweiler qu'on lui avait donné au FBI. Cela ressemblait justement trop à monstre.

Il posa la main sur sa joue et la caressa doucement.

— Rassurez-vous, vous n'avez rien d'un monstre, Adrienne. Votre cerveau est différent et a des capacités que les autres n'ont pas.

— En revanche, je suis nulle en orthographe.

— Ah bon ?

— C'est bizarre, n'est-ce pas ? Je vous donne un exemple, je suis obligée de réfléchir pendant cinq minutes avant d'écrire… disons… voie ou voix ou vois ! Vous vous rendez compte ?

— Oui, fit-il en opinant. Je me rends compte. Alors vous êtes un monstre, mais un tout petit monstre !

Il lui sourit et, passant la main derrière sa tête, la rapprocha de lui. Tout, tout près de lui.

Quel délice !

Il avait des lèvres douces, exquises et… soudain, si avides qu'elle se laissa emporter sans chercher à l'arrêter.

Au contraire.

C'était comme la veille. Le même baiser. Ardent, voluptueux. Conner était là, contre elle, il avait pris sa tête à deux mains et l'embrassait comme s'il avait manqué de baisers, de tendresse depuis… toujours.

Brusquement, elle rouvrit les yeux.

Il n'y avait plus un seul bruit dans sa tête, pas un murmure, pas un bourdonnement.

Juste lui.

Elle battit des paupières, le dévisagea.

Pas de bourdonnement. Pas de migraine. Le silence.

Rien.

Elle bondit du banc et secoua la tête comme pour se débarrasser de mouches ou de millions d'insectes qui l'auraient envahie. Puis elle s'arrêta. Se concentrant alors, elle écouta.

— Je n'entends rien, dit-elle, presque affolée. Ce n'est pas normal. Je devrais entendre au moins un bourdonnement puisque des passants se promènent dans le parc.

Il y avait une bonne dizaine de personnes alentour. Elle aurait dû entendre au moins un bruit de fond.

Elle se pencha vers Conner. Ses grands yeux verts étaient inquiets.

— Vous n'allez pas encore m'appeler Agent Perigo de mes deux ! Ça commence à faire le tour du Bureau et ce n'est pas flatteur.

— Qu'est-ce que vous m'avez fait ?

— Je vous ai embrassée.

Visiblement, il ne comprenait pas sa réaction, ce qui ne la surprit qu'à moitié. Elle n'avait pas un comportement tout à fait normal, elle en était consciente ; mais il se passait quelque chose de surnaturel. Restait à comprendre quoi.

Conner se mit à sourire.

— Je sais que mes baisers provoquent de violentes réactions chez les femmes qui ont le bonheur d'en être… victimes !

— Non, c'est vous. C'est vous, le problème.

Elle se laissa tomber sur le banc et le scruta.

— Quoi ? Qu'y a-t-il, Adrienne ?

— Attendez, il faut que je réfléchisse.

Sans bruit parasite et sans mal de tête, c'était nettement plus facile de se concentrer.

La dernière fois qu'elle avait collaboré avec le FBI, elle avait souffert en permanence, sauf lorsqu'elle parvenait à s'éloigner de la foule.

Depuis qu'elle était revenue et qu'elle travaillait avec Seth et Conner, elle avait mal mais la douleur n'était pas constante ; elle connaissait des moments de répit. De la même manière, elle avait des visions mais pas en permanence.

Elle observa la brûlure qu'elle avait au bras.

Quand, au café, elle avait repris connaissance après le malaise qui l'avait terrassée, Conner était là. Ensuite, au FBI, elle n'avait eu aucune vision devant les clichés jusqu'au départ de Seth et de Conner. En revanche, à peine étaient-ils partis que des images l'avaient assaillie. Des sons, aussi. Et même les intentions perverses du tueur. Et avec eux, l'incontournable douleur.

Au retour de Conner, tout s'était arrêté.

La première fois qu'elle avait vu Conner, deux jours plus tôt, il se trouvait dans l'écurie, avec Vincent.

Quelle drôle de surprise !

Elle ne s'attendait pas à trouver quelqu'un avec son régisseur. Quand elle était avec Vincent, elle avait en permanence un murmure dans la tête mais c'était tout à fait supportable ; d'ailleurs, elle n'y prêtait même plus attention. Bizarrement, la présence de Perigo n'avait pas déclenché de bourdonnement supplémentaire comme cela aurait dû normalement se produire.

Conner. Toujours lui. Tout la ramenait à lui.

Pour l'heure, il la regardait curieusement et attendait, comme elle le lui avait demandé. Elle devait lui reconnaître une qualité, il faisait preuve d'une patience d'ange.

Elle prit sa main et la serra.

— Alors, ce problème ? reprit-il. C'est quoi ? Dois-je m'excuser de vous avoir embrassée ?

— Non.

— Heureusement, car je n'aurais pas pu. Maintenant, vous pouvez me dire ce qui se passe ?

— Je crois que je comprends ce qui m'arrive.

— Vous avez de la chance parce que moi, non !

— Ce que je veux dire, c'est que je comprends pourquoi mon don ne s'est pas manifesté hier alors que j'ai eu des visions aujourd'hui. Des éclairs, du moins.

— Je ne comprends toujours pas. Qu'avez-vous compris ?

— Je n'en suis pas certaine. C'est juste une hypothèse. Je préfère vérifier avant de vous en parler.

Elle compara leurs deux mains jointes. La sienne semblait minuscule et fragile à côté de celle de Conner.

— Si. Dites-moi.

Elle serra sa main encore plus fort.

— Je veux d'abord que vous fassiez quelque chose pour moi.

Elle le lâcha, prit son visage entre ses mains et l'embrassa.

Au départ, elle pensait déposer un tout petit baiser sur ses lèvres mais contre sa bouche, sa bouche lisse et désirable, ses bonnes résolutions s'envolèrent.

— Heumm… ronronna-t-elle.

Il la prit alors par la taille et la rapprocha de lui.

Indifférente à ce qui se passait autour d'eux, elle ferma les yeux, ronronnant de plus belle.

— Adrienne…

Elle ne répondit pas : un feu la dévorait. Emportée par lui, elle empoigna Conner par les cheveux.

Il recula.

— Adrienne chérie, nous sommes dans un endroit public. Si jamais on m'arrête et qu'on m'accuse d'attentat à la pudeur, je perds mon job.

La remarque la fit rire.

— Pardon. Je ne pensais pas que c'était un péché !

Il se rapprocha une nouvelle fois et caressa ses lèvres du bout de la langue.

— Tu ris, dit-il. Quel joli rire tu as !

— Cela ne m'arrive pas souvent.

— Tu devrais t'y mettre. Cela te va bien.

— Je vais étudier la question.

— Bien, mademoiselle Jeffries. C'est quoi, alors, cette hypothèse dont vous me parliez ?

Elle prit sa respiration et colla son front contre celui de Conner.

— Il faut que tu t'éloignes de moi. Le plus vite possible.

Il recula aussitôt.

— Il faut que tu t'en ailles, le temps que je vérifie une ou deux choses.

— Je ne peux pas venir avec toi ? Où suis-je censé aller ?

— Non, il faut que je sois seule pour vérifier mon hypothèse. Toi, tu vas où tu veux. Chez toi, à mon hôtel, au Golden Gate Park. Où tu voudras pourvu que je ne t'aie plus dans les jambes !

— Mais… tu me jettes !

Il ne comprenait pas, et c'était normal, mais elle ne pouvait pas encore lui expliquer.

— Ce ne sera pas long, Conner. Maintenant, s'il te plaît, appelle Seth et demande-lui de me rejoindre à la réception du FBI. Je te le répète, ce ne sera pas long. C'est juste un test. Pour voir.

L'air décontenancé, il se leva. Elle en fit autant et, hissée sur la pointe des pieds, l'embrassa sur la joue.

— Ça me déplaît, dit-il. En plus, Seth va venir avec toi !

— Je sais. Je te remercie d'autant plus de t'en aller sans faire d'histoires.

Il lui caressa la joue.

— Je m'en vais, mais promets-moi de m'expliquer ce qui se passe dès que tu le pourras. Je brûle d'envie de savoir.

— Je te le promets.

Conner se retourna et partit vers sa voiture.

— Je vais chez moi, lança-t-il par-dessus son épaule. Je suis parti depuis 6 heures ce matin, je vais prendre une douche. Ça me fera du bien.

— Merci, Conner. A plus ! Au fait…

Il se retourna.

— Oui ?

— Merci pour tout. J'apprécie que tu ne me poses pas de questions.

— Téléphone-moi vite, dit-il en ouvrant sa portière.

Au lieu de monter à bord, il la regarda par-dessus le toit de sa voiture.

— Oh ! Mademoiselle Jeffries ? Peu importe votre hypothèse, il faut que nous finissions ce qui a été commencé cet après-midi. Et quand nous nous y mettrons, ce sera ailleurs que dans un parc !

Troublée, craignant de mal interpréter ses propos, elle sourit.

— Seth t'attend à la réception, annonça-t-il en s'engouffrant dans son véhicule.

Sans perdre une seconde, Adrienne partit en direction du FBI. Plus vite elle ferait son test, plus vite elle pourrait retrouver Conner. Si, du moins, c'était ce qu'il avait sous-entendu… Mais peut-être prenait-elle ses rêves pour la réalité ?

9

Quand Adrienne entra, quelques minutes plus tard, dans le hall du FBI, Seth était là, comme prévu. Il y avait du monde autour d'eux, et la tête d'Adrienne se mit à bourdonner.

— Salut ! lui lança Seth. Content que vous ne soyez pas partie pour de bon.

— Non, j'avais juste besoin de prendre l'air.

— Conner m'a téléphoné mais il ne m'a pas dit grand-chose sur la suite des événements.

— Et pour cause ! Je ne lui ai pas donné beaucoup de détails. Disons, pour simplifier, que je vais faire une expérience.

D'un signe de tête, elle montra l'ascenseur.

— Sur quoi ?

— Sur mes dons.

Seth appela l'ascenseur.

— Sur quelque chose en particulier ?

— J'essaie de comprendre pourquoi mes dons se font un peu prier depuis que je suis ici. Un coup, ça marche, un coup, ça ne marche pas. Il doit y avoir une raison.

Les portes de l'ascenseur coulissèrent et ils montèrent dedans.

— C'est quoi, votre plan ?

— Je vais vous demander de faire quelque chose que vous n'avez pas forcément envie de faire. C'est important pour la suite.

L'ascenseur s'arrêta à l'étage de leurs bureaux et ils descendirent. A peine fut-elle sortie de la cabine que les bourdonnements recommencèrent autour d'Adrienne.

Quelques secondes plus tard, sa tête cognait comme une peau de tambour frappée par des centaines de baguettes. Elle était de plus en plus lourde. Le mal de tête pointait.

— Je voudrais que vous me montriez un des paquets de Jacques a dit.

— D'accord.

Surprise — elle s'attendait sinon à un refus, du moins à une forte résistance —, elle se tourna vers lui.

— Ce n'est pas plus compliqué que ça ?

— Non.

Ils continuèrent de longer le couloir en silence.

Quelques mètres plus loin, elle se tourna de nouveau vers lui.

— Vous n'avez pas peur que Conner pique une colère quand il l'apprendra ?

— Non. Il m'a recommandé de vous laisser libre accès à tout ce que vous demanderiez.

— C'est vrai ?

Seth la regarda en riant.

— Vous pensez qu'il s'est fait enlever par des extra-terrestres ?

— Sans doute.

Elle s'arrêta, considéra Seth avec étonnement. Disait-il vraiment la vérité ? Ce que Conner avait autorisé la stupéfiait. Un tel pas en avant…

Elle reprit sa marche.

— Où voulez-vous aller ? s'enquit Seth. On retourne dans la salle des interrogatoires ?

Depuis qu'elle était seule avec lui dans les étages, les sons qu'elle avait dans la tête avaient changé de nature.

C'était comme si des murmures s'échappaient des murs pour attirer son attention. Ce bâtiment, cela ne faisait aucun doute, abritait des esprits malins. Les cloisons, les bureaux, les hommes, tout ici suintait la méchanceté, les menaces, la peur. Les images et les sons débordaient des salles et se jetaient à sa tête. Ils forçaient son esprit. S'imposaient. Le phénomène ne s'arrêterait que si elle fuyait les lieux.

Elle se passa la main sur le front. Elle transpirait.

— Oui, retournons dans cette salle. Au moins, je la connais.

— Je vous laisse vous installer, je reviens dans une minute, dit Seth.

Le ménage avait été fait dans la pièce depuis son départ. Elle s'assit devant la table, vide. Un murmure la cerna aussitôt, une atmosphère violente.

Elle inspira une grande bouffée d'air par le nez et la rejeta par la bouche comme on lui avait appris dans ses cours de yoga. Rien ne semblait pouvoir la détendre.

Lorsque Seth revint, elle était en train de souffler, ce qui le fit rire. Il avait une boîte à la main. Une espèce de coffret marron de la taille d'une demi-boîte à chaussures. Rien qui sorte de l'ordinaire.

Bien qu'effrayée à l'idée de la toucher, Adrienne prit la boîte. Pourquoi attendre ?

Du bout des doigts, elle souleva le couvercle : il y avait un petit écrin à l'intérieur. Elle le prit et l'ouvrit. Il contenait une mèche de cheveux qu'elle caressa.

Aussitôt, tout son corps se tendit avec une force si brutale qu'elle fut projetée contre le dossier de sa chaise. Submergée par les pensées malignes du tueur, elle commença à sangloter.

Seth lui toucha alors le bras mais il était terriblement loin, à des années-lumière. Entre eux se dressait le mur infranchissable des pulsions du tueur.

Les sentiments du redoutable pervers s'entrechoquaient

dans sa tête dans une cacophonie insupportable. De toutes ses forces, elle essaya d'identifier les sons, les images, mais l'effort que cela supposait était surhumain. C'était comme si le tueur s'était trouvé dans la même pièce qu'eux tant ce qui se dégageait était puissant.

Adrienne lâcha la mèche de cheveux mais cela ne la soulagea pas. Les yeux fermés, elle se prit la tête à deux mains.

Elle aurait dû continuer de toucher les cheveux. C'était ce qu'elle avait souhaité, non ? Mais ce qu'elle éprouvait était si intense qu'elle ne le supportait plus.

Courage, se dit-elle. Il faut tenir bon.

Elle rouvrit les yeux et, s'armant de toute sa volonté pour affronter la suite, caressa de nouveau la mèche.

Le bruit dans sa tête s'amplifia, devenant intenable.

Vaincue, elle tomba, le visage contre la table, et se mit à saigner du nez.

Elle lâcha alors les cheveux mais ce geste n'améliora rien.

Elle n'en pouvait plus, il fallait qu'elle parte, juste quelques instants, mais il le fallait. Elle reprendrait des forces mentalement et reviendrait ensuite.

Elle releva la tête : Seth avait disparu. N'était-il pas avec elle quelques instants plus tôt ? Elle ne savait plus. Se souvenir lui demandait trop d'efforts.

Il fallait qu'elle fuie ce bâtiment. L'ascenseur partait du bout du couloir. Ce n'était pas trop loin. Elle pouvait sûrement aller jusque-là, descendre et sortir dehors. Loin de cet écrin et du tueur.

Loin de tout ce mal.

Elle se leva de sa chaise et, en titubant, alla jusqu'à la porte. Il lui fallut quelques secondes pour se rappeler comment on ouvrait. Elle tira de toutes ses forces sur la poignée mais la porte s'entrebâilla à peine. Tout juste l'espace de se faufiler.

Le couloir n'en finissait pas. Appuyée au mur, elle se concentrait pour mettre un pied devant l'autre. Des sons l'effleuraient, des mots, mais était-ce parce qu'on lui parlait ? Ou dans sa tête ? Tout se floutait.

Aller jusqu'à l'ascenseur absorba toute son énergie. Elle pressa un bouton et, quand les portes s'ouvrirent, soupira de soulagement.

Il y eut alors un cri et la tête défaite de Seth apparut brusquement. Puis les portes se refermèrent. Avait-elle été victime d'une hallucination ?

Sans force, elle s'adossa à la cloison de l'ascenseur et glissa jusqu'au plancher de la cabine. Elle se releva et appuya sur le bouton du bas. Une fois au rez-de-chaussée, elle courrait dehors si nécessaire.

Mais dès que l'ascenseur commença à descendre, elle se sentit mieux. Quelques secondes encore et elle serait dehors. Le bruit et la douleur diminuaient déjà d'intensité. Le voile qui avait obscurci sa vision s'était levé.

L'ascenseur s'arrêta et, vite, elle sortit.

Conner était là. Il se précipita vers elle.

— Conner…, supplia-t-elle en tendant la main vers lui.

A cet instant, et pour la deuxième fois de la journée, elle tomba inconsciente dans ses bras.

Cela devenait une manie, songea Conner. Retenir Adrienne alors qu'elle s'effondrait.

Alerté par l'appel d'un Seth paniqué, il était revenu en catastrophe en ville, roulant comme un bolide, au mépris des règles les plus élémentaires de la conduite automobile. Comme le matin même. Et il l'avait retrouvée.

322   *Le prix du chantage*

Seth n'avait pas exagéré. Elle avait une mine impossible. Pâle, tremblante bien qu'il ne fasse pas froid, elle était un zombie.

Comme il remettait en place une mèche de cheveux tombée sur son front, elle lui chuchota quelque chose, qu'il ne comprit pas, et commença à bouger.

— Adrienne chérie, murmura-t-il. Tu veux bien te réveiller ?

— Ah, c'est toi !

Elle hésita deux secondes et finit par lui sourire.

— Oui, c'est moi.

— Non, je voulais dire : *c'est toi qui me fais cet effet*. Je n'ai plus mal et je n'ai plus de bruits dans la tête.

Elle se releva doucement, fit un pas vers l'ascenseur.

— Tu es sûre que ça va aller ? On peut attendre encore un peu si tu veux.

— Oui, ça va, dit-elle. Nettement mieux que tout à l'heure, en tout cas. Seth doit se faire du souci pour moi. Il faut monter le retrouver.

Conner appuya sur le bouton et l'ascenseur remonta. Quand les portes s'ouvrirent, Seth était là, visiblement préoccupé.

— Ah, vous voilà. Ça va, Adrienne ? Vous m'avez beaucoup inquiété, vous savez. Je crois que j'ai pris dix ans d'un coup rien qu'à vous regarder. Ça va mieux, on dirait. Qu'est-ce qui est arrivé ?

Elle pointa un doigt vers Conner.

— *Il* est arrivé.

Conner la dévisagea.

— C'est la deuxième fois que tu me mets en cause. Que veux-tu dire ?

Il longea le couloir avec elle pour l'emmener dans la partie réservée aux bureaux, loin de la salle des interrogatoires.

Adrienne installée dans son fauteuil, il s'assit sur un coin de la table, près d'elle. Seth, qui les avait suivis, approcha une chaise et s'assit à son tour.

Adrienne prit une grande inspiration.

— J'ai remarqué, aujourd'hui, que lorsque je suis avec vous deux, je ne sens rien.

— Ah ? Qu'est-ce qui te fait dire cela ?

Elle haussa les épaules.

— Je ne sais pas. Je l'ai remarqué, c'est tout. Quand vous n'êtes pas là, ça marche, comme au café ce matin.

— Ça marche ?

— Oui, mon don se manifeste.

— Ça ne veut pas dire que…, poursuivit Conner, sceptique.

— Même chose, cet après-midi, l'interrompit-elle. Il a suffi que vous partiez sur la scène de crime et que vous vous éloigniez de ce bâtiment pour que le seul fait de regarder les clichés me fasse réagir.

Intrigué par ce détail, Conner fit la moue.

— Je ne vois rien et je ne sens rien quand vous êtes avec moi, dit Adrienne en lui prenant la main. En ce moment, par exemple, c'est le silence complet et je n'ai pas mal. Je n'entends rien, je ne vois rien, pas un son, pas un bourdonnement, même pas l'habituel bruit de fond. Dans ce bâtiment, qui est rempli de dossiers horribles et de pièces à conviction, c'est incroyable.

— A ton avis, qu'est-ce que cela veut dire ?

— Je n'en sais rien.

Elle lâcha sa main et se cala au fond de son siège.

— Ce que je peux te dire, c'est que ça me va très bien. Je n'ai pas envie de vomir, pas de migraine, pas besoin de prendre d'anti-douleur. Je te jure que j'apprécie.

Perplexe, Conner décida de ne pas chercher à comprendre. Il préférait se concentrer sur ce qu'il connaissait.

— Raconte-moi ce qui s'est passé pendant que j'étais absent.

— Je lui ai montré le paquet de Josie Paton, intervint Seth.

Josie Paton, la dernière victime, celle dont ils avaient retrouvé le corps dans un entrepôt abandonné, deux semaines plus tôt. Mariée. Trente et un ans.

Conner se pencha vers Adrienne.

— As-tu ressenti quelque chose quand tu as vu le paquet ? Elle frissonna.

— Il était fou de rage contre elle parce qu'elle refusait de se laisser terroriser. Elle ne pouvait pas se défendre parce qu'elle était ligotée mais elle jurait et le traitait de tous les noms.

Elle s'arrêta mais Conner attendait la suite.

— Tu peux tout nous dire, Adrienne. Continue. Parle.

Elle sembla hésiter puis se décida. De détail en détail, elle raconta l'enlèvement puis le meurtre. Des éléments qu'elle ne pouvait connaître que grâce à sa capacité à *entrer* dans la tête du tueur et à comprendre sa logique.

Un don de voyance vraiment singulier, pensa Conner.

— Je ne vois pas clairement où il les emmène après les avoir enlevées, confia Adrienne. Je ne sais pas pourquoi.

— Pourquoi choisit-il ces femmes-là plutôt que d'autres ? demanda Conner.

Leur taille semblait être leur seul point commun. Avec Seth, ils avaient vérifié s'il existait d'autres ressemblances : où elles faisaient leurs courses, où elles déjeunaient, travaillaient, faisaient du sport… Ils n'avaient rien trouvé.

Adrienne se frotta le front.

— Elles lui rappellent quelqu'un… une femme qu'il connaissait. Mais j'ignore ce que cette femme est pour lui. C'est assez vague dans sa tête et je ne capte pas grand-chose.

Elle s'agita sur sa chaise. Elle semblait fatiguée, très fatiguée, à deux doigts de s'évanouir. Ce n'était pas étonnant, songea Conner : la journée avait été rude pour elle. Elle avait besoin de repos.

— Si on faisait un break ? proposa-t-il. Il y a un canapé dans la salle de conférences, tu pourrais t'allonger. J'ai quelques petites choses à voir avec Seth et je te ramène ensuite à ton hôtel.

— Merci, dit-elle.

Elle paraissait touchée qu'il se rende compte de son épuisement.

Il lui tendit les deux mains pour l'aider à se relever et l'emmena dans la salle de conférences.

A peine entrée, elle s'effondra sur le canapé.

— Je vais me reposer quelques minutes, dit-elle.

Conner enleva sa veste et la posa sur elle.

— Tu es tranquille, ici. Personne ne viendra te déranger.

Il caressa sa joue mais elle ne dut pas sentir sa main car elle avait déjà sombré dans le sommeil.

Deux heures plus tard, Conner avait étudié à fond le dossier de Josie Paton avec Seth. Ils avaient recoupé leurs propres données avec les informations d'Adrienne.

Pour la première fois en dix mois, ils reprenaient espoir. Cette fois, c'était certain, ils allaient arrêter ce psychopathe. L'intervention d'Adrienne n'aurait pas servi à rien.

Après avoir examiné le cas de Josie Paton, Seth montra à Conner la vidéo d'Adrienne en train d'ouvrir le paquet de Jacques a dit.

— Bon Dieu ! s'exclama-t-il devant sa réaction.

Celle-ci était si violente qu'elle ne pouvait être feinte. Ses muscles étaient littéralement tétanisés. Elle était blanche comme un linge. Et le contact avec la mèche de cheveux l'avait fait bondir.

— Elle m'a fichu une trouille pas possible, reconnut Seth. Sans blague. Quand j'ai vu que je n'arrivais pas à la sortir de cet enfer, je t'ai téléphoné. Elle était en transe, les yeux grands ouverts. Et elle s'est mise à marcher de long en large.

— Marcher ? On dirait plutôt qu'elle divaguait.

— Tu as raison. Je l'ai vue sortir de la salle et se diriger vers l'ascenseur en titubant.

Ils l'observaient toujours, pétrifiés. Elle avait eu besoin de trois minutes pour tourner la poignée de la porte, quand un gosse de deux ans l'aurait fait en deux secondes. Et puis elle avait ouvert et s'était glissée dans le couloir. Hors du champ de la caméra.

Ils se calèrent dans leurs chaises. Visionner cette séquence était épuisant. Aucun d'eux ne parlait. Qu'y avait-il à dire ?

Il faut que je la sorte d'ici, décida Conner. *Don ou pas, je ne veux pas qu'elle endure ce supplice plus longtemps.*

— Je vais la ramener à son hôtel, lança-t-il à Seth. Ce que je viens de voir est insupportable. Ça ne peut pas continuer.

— Je suis d'accord avec toi. A demain, alors.

Conner retourna dans la salle de conférences. Adrienne dormait toujours, en chien de fusil, les deux jambes repliées sous sa veste, la tête de côté reposant sur un bras. Elle avait les yeux cernés.

Bien que l'idée de la réveiller lui déplaise, il se décida. Elle dormirait mieux à l'hôtel, dans un vrai lit.

— Oh ! La Belle au Bois Dormant ! Vous voulez bien vous réveiller ? dit-il, posant la main sur son épaule.

Elle battit des paupières et se redressa brusquement.

— J'ai dormi longtemps ?

— Deux heures environ. Pas très longtemps. J'ai fini ce que j'avais à faire et je me propose de te raccompagner à ton hôtel.

Elle se leva et s'étira.

— D'accord, ça me convient. D'habitude, je ne m'endors

pas dans des endroits fréquentés, il y a trop de bruit. Mais je suis tellement fatiguée…

Ils retournèrent prendre son sac dans la salle des interrogatoires et se dirigèrent vers le garage.

— Tiens, monte dans ma voiture, dit-il.

Il s'installa au volant et reprit.

— Tu sais, j'ai beaucoup repensé au fait que je bloque ton don d'extralucide.

— J'aimerais autant que tu parles de mes superpouvoirs terrifiants de combattante du crime. Mais je t'en prie, continue.

Sa remarque le fit rire. Si Adrienne commençait à plaisanter, c'était qu'elle allait mieux.

— A ton avis, pourquoi est-ce que je bloque tes superpouvoirs ? C'est déjà arrivé ?

Elle mit un temps infini à répondre.

— Honnêtement, je ne sais pas pourquoi tu les bloques. C'est déjà arrivé avec mes sœurs…

Elle laissa sa phrase en l'air.

— Tu as des sœurs ?

— Oui. Une plus âgée et une plus jeune. Je ne les vois pas très souvent.

— Pourquoi ?

— Mon père et ma mère sont morts quand j'avais douze ans. Comme nous n'avions pas de parents pour nous recueillir, nous nous sommes retrouvées placées dans des familles d'accueil. Et comme il n'y avait pas de foyers prêts à accueillir trois filles en même temps, des ados traumatisées avec, en plus, des natures un peu… spéciales, on nous a séparées.

Elle haussa les épaules.

Pauvre Adrienne ! pensa Conner. Non seulement elle avait perdu ses parents mais également ses sœurs. Les bonnes fées ne s'étaient pas penchées sur son berceau à sa naissance.

Brusquement, deux mots de son explication lui revinrent à l'esprit.

— Quelles natures spéciales ?

— Bof…

— Tu veux dire qu'elles ont un don, elles aussi ?

— Oui, mais pas exactement le même.

Conner attendit qu'elle continue mais, de toute évidence, elle n'était pas disposée à s'étendre sur les natures un peu spéciales de ses sœurs.

— Tu disais qu'elles aussi, elles bloquent ton don ?

— Oui. Quand nous sommes ensemble toutes les trois, nous nous bloquons mutuellement sans que nous sachions pourquoi. C'est comme ça, il ne faut pas chercher à comprendre.

De toute évidence, elle ne tenait pas à parler de ses sœurs. Aussi, il changea de sujet.

— Quand tu as travaillé pour le FBI, la dernière fois, c'était aussi douloureux ? Seth m'a montré la vidéo qui a été prise cet après-midi quand tu ouvrais le paquet.

— J'ai perdu la main ! plaisanta-t-elle. A l'époque, j'étais plus coriace. Je réussissais à me concentrer pour me protéger. Mais je ne sais pas si j'aurais mieux résisté qu'aujourd'hui à la vue de la mèche de cheveux. C'était bizarre, je sentais le mal tout proche.

Elle se mit à trembler.

— Oui, c'est toujours aussi pénible.

Il hocha la tête.

— A l'époque, tu n'as jamais parlé à personne de cette douleur ? On aurait pu t'aider, faire quelque chose. Bon sang, tu n'étais qu'une gamine !

— Bien sûr que si, j'en ai parlé. Y compris au chef Logan Kelly. De toute manière, je ne vois pas comment j'aurais pu le cacher, la moitié du temps je vomissais ou je saignais du nez.

Conner prit sur lui pour ne pas laisser éclater sa colère.

Comment le chef Kelly — ou qui que ce fût du Bureau, d'ailleurs — avait-il pu la laisser souffrir de la sorte ?

— Vous n'êtes pas des monstres au FBI, dit-elle comme si elle avait lu dans ses pensées. C'est seulement qu'il y avait toujours un dossier critique à traiter. Une nouvelle affaire qui requérait les talents du rottweiler.

Agacé, il grinça des dents. Tout cela était difficile à admettre et, en même temps, compréhensible. Qu'aurait-il fait lui-même ? C'était la vie de femmes contre la douleur d'une adolescente. Qu'aurait-il choisi ?

Plus difficile encore, s'il avait été doté de cette faculté de clairvoyance qui pouvait — peut-être — permettre de sauver des vies, quel degré de douleur aurait-il été prêt à endurer ?

Comment une jeune fille de dix-huit ans pouvait-elle prendre pareille décision alors que lui-même n'en était pas capable ?

— Donc tu es partie du FBI ?

— Non, répondit-elle. J'ai craqué et je me suis retrouvée six semaines à l'hôpital. Ensuite, oui, j'ai laissé tomber.

Il n'osa en demander plus et le silence s'installa dans l'habitacle.

Adrienne était tournée vers la vitre, elle regardait défiler le paysage.

Au bout d'un moment, elle reprit.

— Je n'en pouvais plus. J'ai eu peur. J'ai pensé que travailler pour le FBI allait finir par me tuer.

Il y avait du remords dans sa voix. Sans doute se traitait-elle tout bas de lâche ?

Il lui prit la main et la serra.

— Personne ne te reprochera jamais d'avoir fait ce choix, Adrienne. A quoi bon aider les autres si l'on doit y laisser sa peau ?

Elle observa leurs mains jointes et sourit tristement.

— En effet.

Conner entra dans le parking de l'hôtel et gara sa voiture. Il coupa le contact mais ne descendit pas. Sa ceinture de sécurité défaite, il se tourna vers Adrienne mais elle restait tournée vers la vitre.

— Tu étais toute jeune. On aurait dû voir — le chef Kelly ou un autre agent — ce qui t'arrivait et t'épargner ça.

Il prit son visage entre ses mains, la forçant à le regarder.

— Après ce que j'ai vu aujourd'hui, je comprendrais que tu ne veuilles plus remettre les pieds au Bureau. Tu n'es pas lâche, Adrienne. Le fait que tu sois encore ici aujourd'hui le prouve.

Elle était plus forte qu'elle ne le pensait et trop jolie pour le laisser de glace. Bouleversé par sa beauté, il pencha la tête et l'embrassa. Un baiser d'abord très doux, très tendre mais, comme elle y répondait avec plaisir, il l'approfondit. Elle posa alors les mains sur son torse et il la serra contre lui.

Ils s'étaient déjà embrassés, mais cette fois, elle semblait particulièrement fragile. Petite, désarmée.

Il la lâcha un instant pour la contempler puis, se rapprochant, balaya ses lèvres du bout de la langue, ce qui la fit frémir.

Ondulant contre lui, elle empoigna sa chemise et la froissa entre ses doigts.

Bon Dieu ! jura-t-il intérieurement. Pourquoi sa voiture était-elle si petite ? Il avait envie d'elle, de tout d'elle…

Il ne voulait pas que sa bouche. Aurait-il seulement le temps de l'accompagner jusqu'à sa chambre ?

La sonnerie d'un téléphone mit fin à ses fantasmes. Adrienne s'éloigna de lui, attrapa son sac et fouilla dedans.

— Ah le voilà !

Elle consulta l'écran.

— C'est Vincent. Je prends.

Conner lui caressa le visage.

— Oui, Rick, dit-elle. Non, attends.

— Ma chérie, murmura Conner en la caressant de nouveau.

— Deux secondes, Rick, s'il te plaît.

— La journée a été longue pour tous les deux, reprit Conner. On se voit demain. Je passe te prendre pour le petit déjeuner.

Elle tourna la tête et embrassa sa main puis, l'air triste, elle descendit de voiture et se dirigea vers l'entrée de l'hôtel.

Après s'être assuré qu'elle était bien entrée, Conner démarra et quitta le parking.

La journée avait été longue pour tous les deux.

Et, si ce qu'il entrevoyait était juste, cela ne faisait que commencer.

10

Le lendemain matin, Conner retrouva Adrienne à son hôtel et ils prirent le petit déjeuner. Puis ils se rendirent au Bureau. Mais à peine étaient-ils arrivés qu'un pressentiment assaillit Conner : quelque chose ne tournait pas rond.

Effectivement. Un nouveau paquet était arrivé. La sécurité l'ayant examiné — il ne présentait pas de risque pour les équipes —, ne restait plus qu'à l'ouvrir.

Conner, Seth, le chef Kelly et deux autres agents qui travaillaient aussi sur ce dossier se retrouvèrent dans la salle de conférences. Adrienne arriva à son tour mais resta à distance.

Equipés de gants de caoutchouc, Conner et Seth ouvrirent le carton. Comme d'habitude, il contenait un petit écrin qui lui-même renfermait une mèche de cheveux accompagnée d'un mot écrit sur une page blanche, sans aucune marque ou signe distinctif.

« Jacques a dit vous êtes encore trop lents. »

Dans la salle, personne ne broncha. Tous savaient ce que ce mot voulait dire : qu'une autre femme était morte. Dans quelques heures, ou quelques jours, on découvrirait le corps.

Conner déglutit et observa ses collègues : ils avaient les yeux braqués sur Adrienne. Ils attendaient ses lumières.

— J'aimerais te parler dans mon bureau, lui lança-t-il.

Elle le suivit dans le couloir et Seth leur emboîta le pas.

— Je vous accompagne.

Conner poussa un long soupir et fixa Adrienne.

— Si nous voulons que tu trouves quelque chose, il faut que je m'éloigne. Je vais aller me chercher un café.

— C'est parfait, déclara Seth. Cela nous laisse du temps. Comme il faut vingt minutes au moins pour énoncer la recette du café que tu veux ! Capuccino machin truc machin chose avec bâton de vanille, etc.

Adrienne posa la main sur le bras de Conner.

— Je suis désolée. Je sais que c'est dur pour toi.

— Peu importe. Si cela nous permet de mettre enfin la main sur ce psychopathe...

— Ça va venir, dit-elle. Mais ne va pas prendre ton café à la réception, c'est trop près.

— Je vois que je ne suis pas désiré, souffla-t-il. Alors, je m'en vais. Je m'en vais.

Adrienne lui lâcha le bras.

— Ne t'éloigne quand même pas trop. J'ai un mauvais pressentiment sur ce coup-ci.

Conner opina et s'en alla.

Une fois dehors, un sentiment pénible, une sorte de frustration, l'envahit. Il y avait sûrement quelque chose d'autre à faire. En était-il réduit, à ce stade de sa carrière, à aller boire un café pendant que les autres pistaient le tueur ?

Dépité, il réfléchit. Ça ne lui ressemblait pas de rester les bras ballants pendant que les autres faisaient le travail. Surtout lorsque c'était Adrienne et qu'il n'avait qu'un désir, la protéger.

Un goût amer dans la bouche, il hocha la tête.

Qu'elle soit dans les bureaux en train de souffrir alors qu'il traînait dehors et allait boire un café... C'était indigne de lui.

Et pourtant...

Il entra dans le pub et commanda son capuccino.

Oui, *con latte*, oui sans sucre.

Oui, avec un bâton de vanille…

Dans la queue qui s'allongeait derrière lui, les femmes qui riaient se moquaient-elles de lui et de sa commande ? Mais d'abord, pourquoi trouvait-on son goût si drôle ?

Il sortit, de très mauvaise humeur, et s'assit sur un banc avec son café.

Son portable vibra dans sa poche. Ce ne pouvait être ni Seth, ni Adrienne. Il n'était parti que depuis dix minutes.

Pourtant, c'était Seth.

Reviens.

Conner fronça les sourcils. Un autre texto apparut.

Dépêche !

Avec un point d'exclamation !

Conner jeta son capuccino con latte avec bâton de vanille, etc. dans la poubelle la plus proche et partit au pas de course.

Si Seth lui demandait de revenir aussi vite, il se passait quelque chose de grave.

En quelques minutes, il fut de retour.

L'ascenseur étant trop lent à venir, il monta à pied, trois marches à la fois. Que se passait-il ?

Il entra dans la salle de conférences comme une fusée. Adrienne gisait au sol, inconsciente, le nez en sang.

— Bon Dieu ! C'est quoi, ça ? demanda-t-il en tombant à genoux à côté d'elle.

— Je ne sais pas, Conner. Quand tu es parti, elle a changé de tête comme ça lui arrive parfois. Puis on est venus ici et elle a touché la boîte. Et là, elle s'est figée. Elle a parlé de l'hôtel puis elle a lu le papier. C'était comme si elle s'était électrocutée. Elle ne pouvait plus dire un mot. A un moment, j'ai vu qu'elle voulait hurler mais aucun son n'est sorti. C'était impressionnant.

Conner tâta le pouls d'Adrienne, il battait mais faiblement. Elle était très pâle et saignait toujours un peu du nez.

— Elle est tombée par terre d'un bloc, continua Seth.
J'ai cru qu'elle avait une attaque. Alors je t'ai tout de suite
envoyé un texto. Heureusement, tu n'étais pas loin.

Conner ne quittait pas Adrienne des yeux. Sa respiration
était un peu plus profonde qu'une minute plus tôt, mais
elle ne reprenait pas ses esprits.

Il caressa sa joue.

— Je pense qu'on devrait l'emmener à l'hôpital, dit-il
en se tournant vers Seth.

— Non, répondit un filet de voix, très faible, presque
inaudible.

Conner se pencha au-dessus d'Adrienne : elle avait
toujours les yeux fermés.

— Ça va aller, soupira-t-elle. Donnez-moi quelques
minutes et tout ira bien, mais ne me laissez pas.

Elle tendit le bras vers Conner et il lui prit la main.

— Non, ma chérie. Je ne te laisse pas.

Seth fit évacuer la pièce et ferma la porte.

Peu à peu, Adrienne reprenait des couleurs. Son pouls
battait plus fort, constata Conner.

Seth s'approcha avec des mouchoirs en papier qu'il
tendit à Conner.

— Pour lui essuyer le nez.

— Merci, murmura Adrienne en rouvrant les yeux.

— Si c'était pour me faire revenir plus vite, tu n'avais
qu'à demander, plaisanta Conner. Tu n'avais pas besoin
de toute cette mise en scène.

Elle lui sourit.

— Je t'ai bien eu !

— Tu veux essayer de t'asseoir ou tu préfères rester
allongée ?

— Je crois que je vais m'asseoir. Je me sens nettement
mieux.

Conner l'aida à se relever et à s'asseoir sur le canapé. Il s'assit à côté d'elle tandis que Seth prenait une chaise en face d'eux.

— Que s'est-il passé, Adrienne ? demanda-t-il. C'était impressionnant. Je n'ai jamais vu un phénomène pareil.

Elle recommença à trembler.

— C'était comme s'il avait été dans la pièce avec nous tant c'était violent. Et puis, il avait ce rire diabolique… C'était horrible.

Elle replia les jambes et les entoura de ses bras.

— Il a tendu la main pour me toucher et j'ai perdu connaissance, je crois. J'avais l'impression de brûler. Je hurlais.

— Vous essayiez de crier, rectifia Seth. Mais vous aviez la gorge étranglée et aucun son ne sortait.

— Je ne sais pas pourquoi j'ai réagi avec cette violence. Peut-être parce qu'il a touché la boîte très récemment ? Je ne sais pas. C'est peut-être pour cela que mes réactions ont cette force.

Quelqu'un frappa à la porte. Un agent passa la tête.

— Il y a eu un appel, les gars. Un cadavre de femme découvert dans un hôtel sur Harrison. La police locale est sur les lieux. Il y a des chances pour que ce soit Jacques a dit.

Seth se tourna vers Adrienne.

— Vous avez parlé d'un hôtel avant de perdre connaissance.

Elle fit oui de la tête.

— Oui. C'est sûr, c'est elle. La dernière victime de Jacques a dit.

Assise à l'arrière de la voiture, Adrienne était en route pour la scène de crime avec Seth et Conner. Elle ne le leur avouerait pas mais elle se serait volontiers passée de cette expédition car elle était épuisée.

Ils n'étaient pas contents qu'elle soit avec eux, elle le savait, mais ils n'avaient pas pu faire autrement. Soit Conner restait au Bureau avec elle — mais c'était impensable —, soit elle était du voyage.

De son côté, elle n'était pas ravie à la perspective de découvrir la scène de crime. Elle aurait mille fois préféré se retirer loin de cette humanité, aller se coucher, tirer les couvertures sur son nez et dormir pendant une semaine.

Dans la salle de conférences, elle avait eu si peur. C'était comme si Jacques a dit avait su qu'elle était là. En même temps, ce n'était pas possible car elle aurait senti sa présence bien avant de toucher la lettre.

La seule fois où elle avait eu une réaction aussi violente, c'était le jour où le criminel avait été tout près d'elle et avait retourné sa haine contre elle.

Il y avait quelque chose de pas normal dans cette affaire de tueur en série, mais quoi ?

Un tueur en série *pas normal*. Original !

Elle faillit rire toute seule.

Ils s'arrêtèrent près du motel où l'on avait trouvé le corps. C'était exactement l'endroit qu'elle avait aperçu dans ses visions.

— Veux-tu qu'on fasse sortir tout le monde avant que tu ne viennes ? lui demanda Conner.

— Non. Mais allez-y, vous. Ne m'attendez pas. Si cela ne vous ennuie pas, je vais rester un peu assise ici. Les personnes qui sont là ne me gêneront pas.

Conner s'exécuta et descendit de voiture.

Elle commença par observer les gens qui s'activaient sur la scène de crime. Il y avait des techniciens de la police scientifique, des photographes et des policiers locaux qui couraient partout. Les journalistes n'allaient plus tarder et les badauds non plus.

Armés de leur ruban jaune et noir, les policiers locaux délimitaient la scène de crime.

Adrienne poussa un soupir. C'était la première scène de crime qu'elle pouvait observer comme simple spectatrice. Tant que Conner serait là, elle ne verrait et n'entendrait rien. Elle ne leur serait d'aucun secours. Pour l'heure, elle était tranquille, et ce n'était pas plus mal.

Elle connaissait la procédure. Les lieux allaient être scrupuleusement photographiés puis les spécialistes essaieraient de relever des empreintes. La chambre du motel et le cadavre allaient être examinés à la loupe pour tenter de trouver des empreintes, des pièces à conviction, des preuves.

Mais ils ne trouveraient rien, Adrienne en était certaine. Jacques a dit leur en avait déjà fait la démonstration : il ne laissait jamais aucune preuve derrière lui.

Un homme, caméra au poing, s'approcha de la voiture. Il était grand et dégingandé. Il tapa à la vitre d'Adrienne et elle ouvrit sa portière.

— Mademoiselle Jeffries. Je suis Victor Faraday, photographe au FBI. Ravi de vous rencontrer.

Il parlait vite, d'une étonnante voix de nez, nota Adrienne. Elle l'aurait plutôt imaginé avec une belle voix de basse.

— Ça ne va pas ? s'enquit-il. Je peux peut-être vous aider ?

Ce photographe — elle avait déjà oublié son nom — avait un comportement étrange même si son désir de l'aider semblait sincère.

Elle sourit vaguement.

— Je vais très bien. Merci. J'attends, c'est tout.

— L'agent Perigo m'envoie vous dire que vous pouvez venir. En ce qui concerne les photos, c'est fini. Quant à la police scientifique, elle a également terminé.

Adrienne remercia le photographe et descendit de voiture. Sans se presser vraiment, elle se dirigea vers la chambre du motel. Elle avait vu quantité de photos la veille et l'avant-veille, elle n'était pas pressée d'être confrontée à la scène de crime.

Conner vint au-devant d'elle.

— Déjà là ? Je pensais que tu attendrais que je vienne te chercher. Ça va ?

Adrienne ne commenta pas. C'était bizarre, quand même ! Victor était venu la chercher de la part de Conner. Il avait oublié… ?

Elle croisa les bras devant elle.

— Ça pourrait aller mieux. On ne peut pas dire que voir la scène de crime m'enchante vraiment.

Conner lui caressa le bras, ce qui la fit ronronner de plaisir. Comme c'était doux, cette main sur son bras. Comme c'était bon…

— Donne-moi cinq minutes et je vais m'éloigner, dit-il.

Adrienne fit oui de la tête.

Elle n'avait pas hâte mais plus vite il partirait, plus vite elle serait débarrassée de cette horrible corvée.

Elle entra dans la chambre et observa les lieux, en évitant soigneusement de jeter un coup d'œil au corps étendu sur le lit.

Conner s'approcha d'elle.

— Ça va ? Tu tiens le coup ?

Elle acquiesça en silence.

— Seth et moi, nous avons imaginé un plan, reprit-il. Je vais partir en voiture à deux rues d'ici. Pas plus loin, comme cela, si jamais je devais revenir vite… De toute manière, je garde mon téléphone allumé et je resterai en communication avec Seth tout le temps que tu seras dans la chambre. Donc, dès que tu seras prête, tu préviendras Seth.

Touchée qu'ils se préoccupent de son bien-être, elle lui

sourit et, ne résistant à l'envie de l'embrasser, monta sur la pointe des pieds pour déposer un baiser sur sa joue.

— Merci.

Conner lui rendit son sourire et sortit.

A peine se fut-il éloigné que des images la traversèrent.

— Dites-lui de s'éloigner encore un peu, Seth. Je commence à avoir des visions. Mais c'est flou.

Seth transmit le message à Conner et se rapprocha d'elle.

— Vous êtes sûre que ça va ? Si vous rééditez la séquence de ce matin, je fais une crise cardiaque !

Adrienne inspira plusieurs fois de suite pour se concentrer.

— Je crois que ça va. Mais je préfère y aller doucement.

Pour la première fois depuis son arrivée, son regard se posa sur la morte.

Puis, s'armant de courage, elle s'approcha du lit sur lequel elle était étendue.

Comme les autres victimes, cette femme avait été lardée de coups de couteau.

Adrienne lui effleura la cheville.

Ennuyeuse. Celle-ci ne m'a pas amusé autant que les autres. Elle pleurait sans faire de bruit. Tuer la précédente avait été un must car elle s'était débattue comme un beau diable. La torturer m'avait donné un plaisir énorme. Celle-ci était pathétique.

— Autre chose ? demanda Seth.

— J'ai parlé tout fort ?

— Oui. Vous avez dit qu'elle était ennuyeuse et des trucs comme ça.

Il désigna le téléphone qu'il avait en main.

— Je l'ai mis en haut-parleur. Conner aussi vous écoute.

Adrienne effleura de nouveau la cheville de la morte. Elle ne voulait pas aller plus haut pour ne pas risquer de toucher les plaies.

Elle respirait mal, alors évidemment elle ne pouvait pas crier. Ce sont les cris qui procurent le plaisir.

Adrienne lâcha la cheville de la femme. Elle connaissait la suite. Il l'avait assassinée. Elle ne voulait pas voir ça.

Elle se tourna vers Seth.

— Elle était asthmatique ou quelque chose comme ça. Elle ne pouvait pas crier, donc ça ne le faisait pas jouir.

Seth hocha la tête.

— Autre chose ?

Adrienne fit le tour de la chambre mais rien de particulier ne lui apparut. Elle décida alors de tenter une expérience.

— Dites à Conner d'aller encore plus loin car, pour l'instant, je n'entends pas grand-chose. Peut-être que s'il s'éloigne, je percevrai plus de détails.

Seth passa le message à Conner.

Adrienne recommença à marcher dans la pièce mais rien de plus ne vint.

— Il est très prudent, méthodique quand il abandonne les corps. Il est calme. Je ne vois rien d'autre.

Brusquement, sa tête se mit à cogner. Des crampes lui tordirent l'estomac. Conner s'était certainement éloigné encore un peu : il ne faisait plus écran. Elle allait donc en savoir plus.

Elle caressa les meubles, effleura les murs.

Mais rien.

Elle allait abandonner quand une image s'imposa à elle.

— Seth ! Il était là, dans le coin ! s'écria-t-elle, se précipitant à l'endroit où elle avait vu le tueur. Il regardait. C'est étrange… C'était comme s'il avait été présent quand vous faisiez l'état des lieux. Il se délectait de ce qui allait se passer quand tout le monde serait là, devant le corps.

Immergée dans sa vision, elle poursuivit.

— Il ricanait. Oui, il se moquait franchement de vous parce qu'il voyait que vous ne compreniez rien. Et puis il est sorti par la porte.

Elle s'approcha de la porte et, empruntant le même chemin que lui, elle sortit. Seth lui emboîta le pas.

— Il a pris cette rue pour reprendre sa voiture. Il l'avait garée là. Il est peut-être fou mais il a été assez malin pour ne pas stationner devant l'hôtel. Il était pressé. Il voulait voir quelque chose. Il voulait le voir à tout prix.

— Quoi donc ?

— Je ne sais pas. Son œuvre, j'imagine.

Elle s'arrêta et fixa le sol.

— Il a laissé tomber ses clés ici et il a pesté. Il allait rater le spectacle s'il ne se dépêchait pas.

Elle s'arrêta et observa les alentours. Troublée. Incrédule. Perdue.

— Et alors ? insista Seth.

— Je ne sais pas. Il a disparu.

— Vous voulez dire qu'il est parti en voiture ?

— Non. Il a ramassé ses clés et puis, plus rien.

Elle se frotta le front. Pourquoi ne l'avait-elle plus vu ? Il n'y avait personne autour d'elle, rien qui la gêne. Elle n'aurait jamais dû perdre sa trace.

— Je ne sais pas pourquoi, c'est tout, expliqua-t-elle à Seth.

De nouveau, elle regarda autour d'elle. Elle ne voyait plus rien.

— Conner n'est pas revenu, si ? demanda-t-elle.

Mais ce ne devait pas être le cas, car sa tête lui faisait toujours mal et un brouhaha la cernait.

— Je vais voir, dit Seth.

Elle l'arrêta.

— Non, c'est bon, il peut revenir. Je ne vois plus rien, ici.

Elle fit demi-tour et se dirigea de nouveau vers la scène de crime.

Elle était dépitée. Dépitée de n'avoir rien pu lire de précis dans la tête du tueur, de n'être, finalement, d'aucun secours. Le problème venait-il d'elle ? De Conner ?

Un peu plus tôt, se souvint-elle, elle avait pensé que ce psychopathe n'était *pas normal*.

Comme si un psychopathe pouvait être normal ! ricana-t-elle pour elle-même.

En attendant, elle allait essayer de comprendre ce que ce psycho avait d'encore moins normal que les autres.

Mais le temps pressait. Il fallait faire vite, avant qu'une autre femme ne meure sous ses coups.

Quelques minutes plus tard, Conner réapparut.

— Ça va ? s'enquit-il immédiatement.

— Oui, juste fatiguée, répondit-elle. Ce cas est étrange, il est très différent de ceux sur lesquels j'ai travaillé autrefois. Je n'arrive pas à grand-chose, je suis déçue.

— Je vois ça. Ecoute, Seth et moi, on finit ce qu'on a à faire ici et je te ramène à ton hôtel.

Adrienne opina.

— Je vais t'attendre dans ta voiture, dit-elle en s'éloignant.

Ils avaient du pain sur la planche, comprit-elle. Il fallait tout relever. Tout noter. Prendre en compte chaque détail de la scène de crime. Chaque élément avait son importance car c'était autant d'indices possibles. Cela représentait beaucoup de travail, délicat, minutieux, beaucoup de personnes à diriger, beaucoup d'instructions à donner. Et des réponses à fournir aux multiples questions qu'on venait leur poser.

En attendant, Adrienne était bien dans la voiture. Au calme. Un agent de police lui apporta même un sandwich en guise de dîner, ce qu'elle apprécia.

Il faisait nuit quand Conner et Seth finirent par arriver. Ils bavardèrent tous les deux durant quelques instants, puis se séparèrent.

Conner la rejoignit dans la voiture.

— Seth va se faire reconduire au Bureau, je vais donc te ramener à l'hôtel. Je vois que tu es fatiguée, je suis désolé de t'avoir fait attendre.

Il démarra et s'engagea sur la route.

— Pas de problème, le rassura-t-elle. C'était intéressant de voir tous ces gens s'agiter.

— Oui, la police locale nous a bien aidés. Ce n'est pas courant. Les policiers n'aiment pas beaucoup qu'on marche sur leurs plates-bandes. Dans le cas présent, nous sommes tous d'accord : il faut arrêter ce salaud au plus vite.

— C'est bien ce que je pense.

Conner prit sa main dans la sienne et la caressa.

— Tu es formidable, Adrienne. Seth m'a raconté ce qui s'est passé aujourd'hui. Je suis ennuyé car je ne veux pas que cela te rende malade. Tout ce que tu as fait jusqu'à présent nous sert et nous t'en sommes très reconnaissants.

— Je n'ai pas fait grand-chose pourtant.

— Si. Tu verras, cela nous servira. Il va finir par se faire prendre, ce malade.

Elle était fatiguée et elle en avait assez de ces tueurs, de ces cadavres, de ces voix et de ces visions qui se télescopaient dans sa tête. Elle n'avait qu'une envie : dormir. Dormir une nuit complète, sans bourdonnement ni images qui la réveillent en sursaut.

Ils étaient arrivés. Conner s'arrêta dans le parking de l'hôtel et fit le tour de la voiture pour lui ouvrir sa portière.

— Tu es morte de fatigue, remarqua-t-il en caressant sa joue.

Elle haussa une épaule pour frotter sa joue contre sa main. Celle-ci était délicieusement chaude.

— Ces journées ont été rudes…

— Les nuits ne sont pas meilleures, répondit-elle.

— Pas étonnant, dans ces conditions, que tu aies petite mine. Tu as du mal à dormir ?

— Oui, et ça empire tous les jours.

Conner lui posa la main sur l'épaule et la fit passer devant lui.

— Je resterai ici, cette nuit. Dans le hall. Tu dormiras peut-être mieux si tu sais que je suis en bas.

Soulagée d'avoir une nuit complète, elle sourit. Mais elle ne pouvait pas le laisser passer la nuit dans le hall. Elle ne pouvait et, surtout, elle ne le voulait pas. Elle avait envie de lui… dans son lit.

Elle se tourna vers lui, lui adressa un sourire timide et prit sa main.

— Pourquoi veux-tu rester en bas ?

Il appela l'ascenseur qui ne devait pas être très haut car les portes s'ouvrirent très vite. Ils montèrent, se serrèrent l'un contre l'autre.

— Tu sais aussi bien que moi que si je reste en haut, nous ne dormirons ni toi ni moi !

— Dormir… dormir, dit-elle. Tu ne trouves pas que c'est… surfait ?

Elle rit et, brusquement, se hissa sur la pointe des pieds et prit ses lèvres. Il sembla hésiter mais cela ne la freina pas. Très vite, d'ailleurs, l'hésitation céda la place à une détermination qu'elle ne soupçonnait pas.

Il la poussa contre la cloison de l'ascenseur et se plaqua contre elle. Cela ne faisait aucun doute, il la désirait. Elle passa un bras derrière sa nuque et attira son visage à elle. Il y eut le *ding* des portes, indiquant qu'ils étaient arrivés, mais ils ne bougèrent pas. Conner dévorait sa bouche. Ses lèvres étaient brutales, dures, mais elle ne s'éloigna pas. Il grognait de plaisir et elle se tordait contre lui. Plus rien n'existait autour d'eux. Ils se cognaient contre la cloison de la cabine qui aurait pu se détacher, elle s'en fichait. Ils étaient ensemble, submergés de désir, et rien d'autre ne comptait plus.

Il appuya sur le bouton pour que les portes — qui s'étaient refermées — s'ouvrent et la prit par la main.

Ils volèrent jusqu'à sa chambre, l'ouvrirent et allaient

se jeter sur le lit quand ils furent brutalement freinés dans leur élan.

La pièce avait été mise à sac.

Quelqu'un était entré et avait tout dévasté.

11

Instinctivement, Conner cacha Adrienne derrière lui et dégaina. Tout dans la chambre avait été renversé. Détruit.

Il s'accroupit pour inspecter sous le lit, vérifia le placard, la salle de bains.

Pourquoi, bon Dieu, pourquoi n'avait-il pas sécurisé la chambre la première fois qu'il y était venu ? C'était quasiment une faute professionnelle.

Pour l'heure, personne ne s'y cachait.

Interdite, les yeux écarquillés de stupeur, Adrienne contemplait le désastre.

Soudain, elle désigna le lit.

— Conner ! murmura-t-elle, blême.

Il suivit son geste : une enveloppe était posée sur le lit.

Il s'approcha aussitôt et l'ouvrit. Un mot avait été glissé à l'intérieur :

« Jacques a dit c'est bientôt ton tour. »

Adrienne l'avait rejoint et lut également. Elle tremblait.

Il la prit dans ses bras et l'allongea sur le lit. Puis il appela Seth.

— Je suis à l'hôtel avec Adrienne. Jacques a dit a encore sévi. Il a saccagé sa chambre et lui a laissé un mot sur son oreiller.

Conner jeta un coup d'œil à Adrienne.

Grâce au ciel, elle n'entendait pas les jurons de Seth.

— Je te demande de faire venir toute l'équipe ici. Tout de suite.

Conner revint vers Adrienne. Elle s'était redressée et assise sur le lit. Elle tenait le mot dans sa main mais ne le lisait plus. Elle avait les yeux perdus dans le vague.

— Oh, mon cœur ? lui dit Conner en s'agenouillant devant elle. Oh ! Adrienne ?

Elle sortit de ses songes et le regarda. Elle avait des larmes plein les yeux.

Bouleversé, il lui prit les mains.

— Il est venu ici, Conner. Dans ma chambre. Est-ce que tu te rends compte ?

Les larmes qu'elle retenait se mirent à couler. Il en écrasa une sur sa joue, puis une autre et encore une troisième.

— Oui, mon cœur. Je sais.

— Quand est-il venu ? Comment a-t-il pu entrer ? Et comment savait-il où je suis descendue ?

Brusquement, elle se leva. Conner en fit autant.

Elle l'empoigna par la chemise.

— Tu penses qu'il rôde encore dans les parages ?

Conner déglutit. Adrienne n'était pas un agent endurci du FBI, il ne devait pas l'oublier. C'était seulement une jeune femme qui avait déjà subi beaucoup de violence dans la vie. Et voilà qu'un malade mental s'attaquait à elle. Elle avait de bonnes raisons d'être affolée.

Il posa la main sur la sienne et immobilisa ses doigts qui froissaient nerveusement sa chemise.

— Non, Adrienne, non, il n'est plus là. J'ai regardé partout, dans la chambre, dans le couloir. Il n'y a personne, je te jure. Tu peux être rassurée.

En hoquetant, elle fit oui de la tête.

— Seth et l'équipe arrivent, ajouta-t-il. D'ici à leur arrivée, nous ne devons rien toucher pour ne pas brouiller les empreintes s'il en a laissé.

Elle lâcha sa chemise et resta là, debout, pétrifiée.

— Tu devrais peut-être t'en aller, lui dit-elle. Je verrais peut-être des choses… Je peux essayer.

Conner lui empoigna les bras et la secoua.

— Jamais de la vie, gronda-t-il. Je ne te laisserai jamais seule, ici. Tu comprends ? Et n'en parlons plus.

— Mais…

Il prit son visage dans ses mains et caressa ses joues du bout des pouces.

— Non, mon cœur. Non, n'insiste pas. Je ne te laisserai pas. Pas question.

Elle parut soulagée, nota-t-il. Elle avait suggéré qu'il s'en aille et c'était très courageux de sa part, mais au fond, elle ne le souhaitait probablement pas.

Il sortit de la pièce avec elle et descendit à la réception. Le responsable de nuit était à son poste derrière le comptoir.

— La chambre de mademoiselle Jeffries a été visitée et mise sens dessus dessous, l'informa Conner. Une équipe du FBI va venir faire les relevés d'usage.

Le responsable écarquilla les yeux. Conner poursuivit.

— Il me semble qu'il y a une chambre libre près de celle de mademoiselle Jeffries. Peut-elle en disposer le temps que la police scientifique fasse son travail ? Elle quittera l'hôtel ensuite.

Le responsable bafouilla presque en lui tendant le passe.

— Bien entendu… Cela va de soi.

Conner conduisit Adrienne dans la chambre voisine. Il n'était pas question qu'il la laisse seule dans cet hôtel. Dans aucun hôtel, d'ailleurs. Après ce qui venait de se passer, la laisser là aurait relevé de la non-assistance à personne en danger. Car ce n'était pas un simple avertissement qu'elle avait reçu, c'était une menace. Il allait donc la ramener chez lui et elle y resterait jusqu'à ce qu'ils aient mis la main sur Jacques a dit.

Adrienne avait toujours une petite mine et se laissa faire quand il l'installa dans la chambre. Seth et l'équipe arrivèrent presque au même moment. Conner posta deux gardes à la porte d'Adrienne, puis rejoignit Seth dans la première chambre.

— Tout ce désordre ! Ça ressemble à de la vengeance, commenta son équipier.

Conner acquiesça. Le malade mental avait tout saccagé. C'était vraiment un pervers.

Non content d'éparpiller les vêtements d'Adrienne, il les avait déchirés, mis en lambeaux. Il y en avait partout dans la chambre.

— Du désordre ? releva Conner. Tu veux dire un désastre ! De la violence gratuite ! Insensée !

— Encore une veine, tu étais avec elle, soupira Seth.

— Oui. Je me demande ce qui se serait passé si je n'avais pas été là. Si je l'avais juste déposée et qu'elle avait découvert ça toute seule.

Faute de pouvoir cogner dans quelque chose pour passer sa rage, il serra les poings. Ce Jacques a dit était un monstre. Comment une femme pouvait-elle supporter un choc pareil ? Comment Adrienne allait-elle vivre cette nouvelle agression ? Savoir que Jacques a dit était entré dans sa chambre, qu'il avait touché à ses affaires, qu'il lui avait écrit ce mot… C'était à frémir d'horreur !

Quelques heures plus tôt, lorsqu'elle avait vu le dernier envoi de Jacques a dit, sa réaction avait été violente. D'émotion, elle avait failli se retrouver à l'hôpital. Cela, il ne l'oublierait jamais.

Que serait-il arrivé s'il n'avait pas été avec elle dans la chambre ? Il n'y aurait eu personne pour l'aider à encaisser ce coup dur.

Mieux valait ne pas y penser. Et agir.

Il n'y avait qu'une chose à faire, une chose urgente, l'éloigner de cette ville au plus vite, l'emmener loin de cette violence.

— Dis-moi, Seth, je vais emmener Adrienne chez moi.

Je sens qu'elle est sur le point de craquer. Je prends ses affaires, je la ramènerai quand elle se sentira prête.

Seth acquiesça d'un signe de tête, ce que Conner apprécia. Il n'aurait pas aimé essuyer les sarcasmes de son partenaire.

Il alla donc chercher Adrienne dans la chambre voisine. Elle était comme il l'avait laissée, assise sur une chaise, les yeux dans le vague.

Il s'approcha doucement d'elle pour ne pas l'effrayer et lui caressa le bras.

— Ah ! fit-elle en le regardant.

— Tu es prête ? On peut y aller ?

Elle hocha la tête et se leva.

— Je t'emmène chez moi, à Daly City. J'ai une maison là-bas, ce n'est pas trop loin.

Elle se frotta les bras comme pour lisser une chair de poule — qu'elle n'avait pas.

— Tu as froid ? s'enquit-il.

— Oui, mais ma veste est…

Conner ôta son blaser et le lui mit sur les épaules. Aussitôt, elle fit le dos rond à l'intérieur de son vêtement comme pour s'imprégner de sa chaleur.

Il n'avait plus de veste pour cacher son arme et son holster devait se voir comme le nez au milieu de la figure. Mais peu importait.

Il descendit avec elle jusqu'à sa voiture et l'aida à boucler sa ceinture. Les yeux grands ouverts, elle le regardait mais elle avait l'air complètement perdue.

A cette heure de la soirée, ils ne mirent pas longtemps pour arriver à Daly City. Pendant tout le trajet, Conner essaya de la distraire en lui parlant de broutilles, de Daly City, banlieue de San Francisco, où il s'était installé, de sa famille qui habitait dans le Nevada, de sa grand-mère qui lui avait légué cette maison justement, un bien qu'il n'aurait jamais pu s'offrir — si près de San Francisco — avec ses seuls revenus.

Sagement assise dans son siège, Adrienne ne disait pas grand-chose, elle avait l'air d'écouter cependant.

Il gara sa voiture devant chez lui et l'aida à descendre. Elle avait toujours l'air égarée et c'était pire que tout. Il aurait préféré qu'elle crie ou qu'elle pleure mais qu'elle manifeste une émotion quelconque.

— Un thé ? Ça te ferait plaisir ? lui demanda-t-il en la faisant asseoir dans la cuisine.

— Un thé vert ?

— Pas de problème, si c'est ce que tu veux.

— Oui, mais sans vanille et sans mousse et…

Un sourire moqueur passa sur ses lèvres.

Soulagé qu'elle plaisante, Conner renchérit.

— C'est ça, fiche-toi de moi !

Elle observait la cuisine.

— Donc, c'est ici que tu habites.

— Oui, depuis six ans.

— Et tu es tout seul depuis ?

— Que veux-tu savoir ? Si je suis ou ai été marié ? Très subtil, s'amusa-t-il.

Elle se mit à rougir, c'était attendrissant.

— Ma grand-mère a vécu ici avec moi pendant deux ans et puis elle est décédée. Depuis, oui, je suis seul.

Il mit un sachet de thé dans chaque tasse et versa de l'eau dessus.

— Je peux visiter ? Tu n'y vois pas d'inconvénient ?

Heureux qu'elle reprenne pied dans la réalité, Conner lui fit signe de le suivre.

— Ne fais pas attention au désordre. Je n'attendais pas de visite ; je n'ai pas rangé.

Adrienne commença à faire son tour. Elle s'arrêta devant les photos et les bibelots du salon. La plupart des objets devaient dater de l'époque de sa grand-mère et Conner n'avait touché à rien.

— Et toi ? demanda-t-il. Jamais mariée ?

— Non. Après mon expérience avec le FBI il y a dix ans, je n'ai eu qu'une envie, me retirer du monde. Dans ces conditions, trouver un mari…

— De toute manière, il ne doit pas y avoir beaucoup de candidats à Lodi. Comment as-tu atterri là ?

— C'est là qu'habitait la femme qui m'a recueillie et que je considérais comme ma mère. Elle est morte mais m'avait laissé un peu d'argent. Ensuite, j'ai économisé ce que j'ai gagné avec le FBI. Bref, j'ai fini par amasser de quoi acheter mon ranch et des chevaux.

— Tu aimes les chevaux ?

— Je ne les aime pas, je les adore. Eux au moins ne me donnent pas de maux de tête. J'en ai toujours eu autour de moi et je ne pourrais pas me passer d'eux.

Il posa les tasses de thé sur la table basse.

— Raconte-moi par quel tour de passe-passe tu t'es retrouvée au FB.

Persuadé qu'elle allait s'asseoir sur le canapé, il se posa en face, de l'autre côté de la table basse, mais elle semblait plus intéressée par la visite des lieux que par sa conversation. Les photos, les objets, les livres, les DVD, tout semblait la captiver.

— J'avais dix-huit ans, finit-elle par répondre. Au décès de ma mère, enfin… je viens de te le dire ce n'était pas ma vraie mère, mais pour moi, c'était ma seule famille, donc au décès de ma mère, j'ai dû aller à San Francisco pour régler la succession. Ça se passait au tribunal. Tu imagines, un tribunal, pour moi, avec ce fichu don…

Oui, il imaginait volontiers ce qu'elle avait dû endurer mais il ne dit rien, préférant ne pas l'interrompre.

— En plus, je n'avais pas l'habitude des grandes villes, poursuivit-elle. Je ne savais plus où j'en étais, je ne tournais pas rond, si j'ose dire. Et puis, en marchant, je suis rentrée dans le chef Kelly. Je l'ai bousculé — si tu préfères — sans le faire exprès évidemment, son attaché-case s'est ouvert et tous ses documents ont volé sur le trottoir. Je l'ai aidé à les ramasser. A un moment, je lui ai tendu une photo, c'était celle d'un des voyous les plus recherchés par le FBI. J'ai tout de suite *vu* où il se trouvait. Pas loin, à deux rues de là, il était sur le point de cambrioler un petit supermarché.

Elle se retourna et vint s'asseoir en face de lui sur le canapé.

— Et alors ?

— Hé bien, je lui ai dit ce que je voyais. Et il ne s'est pas fichu de moi. Il aurait pu se moquer ou m'arrêter, je ne sais pas, moi ! En fait, il a appelé une équipe qui est arrivée et a coffré le malfrat qui se trouvait bien là où j'avais dit.

Elle reprit son souffle.

— Après avoir vérifié que je n'étais pas sa complice, le chef Kelly m'a proposé de travailler pour le Bureau comme consultante. J'avais dix-huit ans, personne dans la vie, pas de famille. J'avais envie de faire quelque chose d'important. De vivre autrement. D'être différente.

— Tu as réussi, Adrienne. Je peux te le dire, tu es vraiment différente !

— Je sais, dit-elle en haussant les épaules. Mais… je continue de penser que j'ai été lâche en décidant de quitter le FBI. Même si je n'avais pas vraiment le choix. C'était trop dur.

Conner se leva et vint s'asseoir près d'elle.

— J'ai été témoin de la souffrance que tu supportes à cause de ce… don. Personne n'a le droit d'exiger que tu paies un tel prix. En plus, tu étais très jeune à l'époque.

Adrienne appuya la tête contre le dossier du canapé.

— Ma perception de cette époque a changé grâce à toi, confia-t-elle.

— Que veux-tu dire ?

— Je comprends maintenant comment j'aurais pu aider le Bureau si les choses avaient été faites correctement. Mais, à l'époque, tout était fait en dépit du bon sens. Toi, tu m'as montré qu'en me laissant des plages de temps pour me reposer, je pouvais être ensuite très efficace.

— Je ne sais pas si c'est exact quand je vois à quel point tu es fatiguée, soupira-t-il.

— Peut-être, mais je sais qu'à certains moments de la journée, je serai au calme. Pas d'images, pas de bourdonnement. La paix. Et ça, c'est grâce à toi.

— Si seulement j'avais pu faire partie du Bureau il y a dix ans !

— Cela aurait été idéal. Malheureusement, je ne me rends compte qu'aujourd'hui que si, à l'époque, j'avais exigé du temps libre entre les affaires pour récupérer, cela aurait fait une énorme différence. J'aurais été beaucoup plus efficace. Il m'aurait fallu un endroit loin de la ville pour me ressourcer. Ne plus rien entendre, ne plus rien voir.

— Tu avais dix-huit ans, Adrienne. A dix-huit ans, la plupart des jeunes ne pensent qu'à leurs études ou à boire des bières au pub sans se faire pincer.

Elle haussa les épaules.

— Ah bon ? C'est ça que tu faisais à dix-huit ans ?

— Pas vraiment. J'ai toujours su que je voulais entrer dans la police, faire respecter la loi. Alors je me suis toujours tenu à carreau. J'ai intégré le FBI dès ma sortie de la fac.

— Tu ne t'es jamais marié ?

— Non, j'ai été fiancé. Une fois. Là-bas, sur la côte Est. Mais elle ne supportait pas le nombre d'heures que je passais au Bureau. Heureusement qu'elle s'en est rendu compte avant le mariage ! Bref, il n'y a pas eu de bobo.

Ils avaient fini leurs thés et Adrienne emporta leurs tasses dans la cuisine. De l'eau se mit à couler dans l'évier, elle devait être en train de les rincer, supposa Conner.

— Il n'est pas si tard que ça, lança-t-il. Tu veux regarder la télévision ?

— Non, répliqua-t-elle en revenant.

Elle se planta devant lui.

— En fait, ce que j'aimerais, c'est que tu m'embrasses encore et qu'ensuite, tu me montres le chemin vers ta chambre.

Debout devant le canapé où Conner était resté assis, Adrienne ne put s'empêcher de rougir. Elle n'avait jamais désiré un homme comme elle désirait Conner Perigo, à cet instant précis.

Il ne bougeait pas, mais manifestement, un flot de sentiments déferlait dans sa tête. Ils se lisaient sur son visage : inquiétude, passion, hésitation, doute.

Il était clair qu'il la sentait fragile et vulnérable. Sans doute redoutait-il d'avoir l'air d'en abuser.

Mais il n'était pas homme à profiter d'une femme en état de faiblesse, elle le savait.

Craignant qu'il ne prétexte sa fatigue pour rejeter le projet qu'elle faisait, elle soupira.

D'accord, elle avait été secouée ces dernières heures.

Ce qu'elle avait vu dans sa chambre d'hôtel l'avait épouvantée. Elle allait devoir évacuer cette peur, mais elle le ferait plus tard.

Là, dans cette maison, entourée d'objets chers au cœur de Conner, des photos, des bibelots, des souvenirs, elle se sentait en sécurité. C'était une maison qui transpirait l'amour et la confiance. Elle pouvait y puiser de la force.

C'était déjà fait, d'ailleurs. Elle n'allait pas la gaspiller à cause d'un pervers. Personne ne pouvait dire combien de lendemains il leur restait à vivre.

Conner n'avait toujours pas répondu. Il la suivait des yeux, l'air perplexe. Cherchait-il un moyen de botter en touche ?

Elle allait devoir l'aider à dépasser ses principes. Le bousculer un peu si nécessaire.

Elle s'avança vers lui, se pencha et posa les mains sur ses genoux.

— Adrienne…

Elle se pencha davantage et l'embrassa. Un petit baiser innocent. Elle posa les mains sur ses épaules et il ne la repoussa pas, mais il ne l'attira pas non plus à lui.

— Je ne suis pas sûr que ce soit une bonne idée, dit-il, son front contre le sien.

— Tu as peut-être raison, répondit-elle en souriant. Mais je ne pense pas que nous ayons, à ce stade, assez de données pour en juger !

Sans lui laisser le temps de répondre, elle s'assit à califourchon sur lui. Puis elle prit son visage dans ses mains et l'embrassa fiévreusement, avec toute la fougue qu'elle avait accumulée depuis l'instant où elle l'avait rencontré.

Il fit semblant de résister mais pas longtemps. Il caressa ses hanches, ses cuisses. Ses mains étaient partout, couraient, la pétrissaient. Ses seins, son ventre…

Il n'en fallait pas plus pour qu'elle s'enhardisse davantage. Un son étranglé s'échappa de ses lèvres. Elle recula pour reprendre son souffle et chercha de nouveau ses lèvres.

Ses lèvres qui dévoraient sa bouche, ses mains qui l'avaient empoignée et la serraient… Elle gémit, ondula sur lui. Prit ses cheveux dans ses mains et tira sa tête en arrière. Alors il lâcha sa bouche et promena sa langue sur son cou, sur sa gorge, puis remonta, chatouilla le creux de son oreille, la mordilla.

Une vague de chaleur la gagnait.

Submergée, elle susurra son nom et chercha à reprendre sa bouche. Passant la main entre eux, elle tira sa chemise de son pantalon et la déboutonna, maladroite, excitée, arrachant plusieurs boutons dans sa hâte.

Le contact de son torse nu la fit tressaillir.

Il lui prit alors le bas de son T-shirt : il allait le lui

enlever. Elle détacha ses lèvres des siennes pour le laisser le lui passer par la tête.

Il recommença à lui mordiller le cou, l'oreille. Elle ronronna de plaisir.

Il la rendait folle avec ses baisers, ses dents qui la mordillaient, la chatouillaient.

Il dégrafa son soutien-gorge et prit ses seins entre ses mains. Commença à les pétrir, les embrassa.

— Qu'est-ce que tu es belle !

Elle empoigna ses cheveux et l'attira à elle avec violence.

Brusquement, il la repoussa et se leva, la débarrassa de ses vêtements sans perdre une seconde puis il se déshabilla, la souleva et la hissa sur ses hanches. Elle lui entoura le cou de ses bras et enroula ses jambes autour de sa taille.

Alors, il monta l'escalier.

— Tu as dit que tu voulais voir ma chambre ?

Elle éclata de rire.

— C'est gentil à toi de me faire faire la visite.

— J'aime faire plaisir, que veux-tu?

Sa chambre était éminemment masculine. Des meubles en chêne massif, une couette ivoire jetée négligemment sur le lit, aucun bibelot…

Il la poussa presque sur le lit, et elle se laissa faire, ravie.

Il reprit sa bouche. L'embrassa, la mordit. Leurs mains se cherchèrent, se serrèrent. Leurs hanches bougèrent en rythme. Il glissait sur elle, sur sa peau humide.

Couverte par son corps, elle se sentait bien, au chaud comme dans un cocon, en sécurité. Et très excitée.

Pour la première fois de sa vie, elle s'abandonna alors au plaisir, sans aucun frein, sans aucune retenue. Dans ces bras-là, elle ne risquait rien, qu'être heureuse.

Le lendemain matin, Conner, relevé sur un coude, contemplait Adrienne en train de dormir. Elle serrait un oreiller contre elle. Sa respiration régulière et profonde laissait supposer qu'elle n'était pas près de se réveiller.

C'était parfait car elle avait besoin de sommeil.

La nuit avait été merveilleuse mais elle ne s'était sûrement pas reposée… Il avait eu envie d'elle comme jamais il n'avait désiré une femme. Quand elle l'avait appelé par son prénom, quelque chose s'était déclenché, quelque chose d'extrêmement puissant.

Pour l'heure, il allait devoir la quitter pour se rendre au Bureau.

Sans faire de bruit, il descendit du lit. Il prit son jogging dans un tiroir, le passa puis se rendit dans la cuisine pour se faire un café.

Egoïstement, il aurait aimé la prendre encore, avoir ses jambes bloquées autour de sa taille, aller et venir en elle, ses bras relevés au-dessus de sa tête et leurs doigts entrelacés. Mais il fallait qu'elle se repose. Qu'elle dorme encore le rassurait. Elle allait avoir besoin de toute son énergie puisque ce psychopathe de Jacques a dit avait jeté son dévolu sur elle.

A cette pensée, des sueurs froides le glacèrent.

Jacques a dit savait qui était Adrienne, où elle était descendue. Mais eux, au FBI, ignoraient quasiment tout de lui.

Il fit une pleine cafetière de café — il en aurait besoin — et s'assit à la table de la cuisine. Son téléphone, qu'il avait posé sur le comptoir, sonna. C'était un message de Seth.

T'es debout ?

Très vite, Conner tapa un mot.

Oui. Je prends le petit déjeuner.

La réponse de Seth ne tarda pas non plus.

Suis là dans cinq minutes avec des sandwichs.

Conner sourit. Il était toujours prêt pour un repas, surtout si on le lui apportait à domicile. Seth était donc le bienvenu. En plus, ils allaient pouvoir discuter de l'idée qui lui était venue durant la nuit.

Jacques a dit ne pouvait être qu'un agent du FBI. Ou un flic. Ou un type comme ça.

Personne d'autre ne pouvait connaître l'existence d'Adrienne, ni savoir qu'elle collaborait avec eux.

Cela ne lui avait pas sauté aux yeux dans la chambre d'hôtel d'Adrienne, sans doute parce qu'il ne pensait qu'à l'éloigner de ce champ de bataille. Mais durant la nuit, à force d'y penser, cette hypothèse s'était imposée jusqu'à devenir une certitude. Le psychopathe ne pouvait être qu'un flic ou assimilé.

Un *toc toc* à la porte le sortit de sa réflexion. Il alla ouvrir. C'était Seth, un paquet à la main.

— Jacques a dit est un flic ! lança-t-il en entrant.

— C'est l'idée qui m'est venue cette nuit, renchérit Conner. Un flic ou un type du Bureau. En tout cas, quelqu'un qui a un rapport avec la police ou qui gravite autour.

Ils s'assirent tous les deux, ouvrirent le paquet de sandwichs.

— On a travaillé avec des tas de gens ces six derniers mois, ça peut être n'importe qui, remarqua Seth. Mais ça nous donne un point de départ. Ça rétrécit notre champ d'action.

Conner prit un sandwich et l'attaqua.

— Ça ne peut pas être un gars du Bureau. Adrienne serait tellement incommodée qu'elle ne pourrait pas rester dans le bâtiment.

— Sauf si tu es là et que tu la bloques.

— Oui, mais ça, il ne peut pas le savoir. On n'en a pas parlé à personne. On n'est pas fous.

— Nous, non, mais lui, il est complètement cinglé.

— Ecoute, Seth. Dorénavant, un de nous deux restera

en permanence avec elle. Du moins au Bureau. Si Jacques
a dit la sait seule... Tu as vu dans quel état elle est après
ses séances de voyance. Imagine un peu si Jacques a dit
lui met la main dessus...

— On pourrait peut-être lui attribuer un garde du corps.

Conner fit non de la tête.

— Pas d'accord, vieux. Pas avant de savoir en qui on
peut avoir confiance. Ça peut être n'importe qui.

— C'est qui ce n'importe qui ?

La voix encore ensommeillée d'Adrienne les surprit en
pleine conversation.

Conner se tourna vers elle.

Sapristi, quelle beauté !

Pourtant, le T-shirt trop grand et le short qu'elle lui avait
empruntés n'étaient pas faits pour flatter une silhouette
féminine ! Fallait-il qu'elle soit belle naturellement...

— Bonjour, l'accueillit Conner. Du café ?

— Oui, volontiers. Bonjour, Seth.

— Bonjour, Adrienne.

Un sourire ironique se dessinait sur les lèvres de Seth.

— La ferme ! lui murmura Conner. Tu la boucles !

— Ah bon ? Moi qui voulais te féliciter pour ta galanterie. Avoir dormi sur le canapé pour lui laisser ta chambre,
c'est plutôt sympa.

— Ça ne s'est pas passé exactement comme ça.

— Je plaisantais, vieux ! Je vous ai observés depuis le
début, je ne suis pas né de la dernière pluie.

Adrienne s'approcha de la table et Conner la prit par la
taille pour l'asseoir sur ses genoux.

— Vous parliez de quoi, tous les deux ? demanda-t-elle.

Conner hésita un instant. Il n'était pas chaud pour lui
faire part de leur déduction. D'un autre côté, mieux valait
la prévenir pour qu'elle soit sur ses gardes.

Il lui exposa donc leur théorie.

— En conséquence, conclut-il, nous avons décidé que

tu aurais en permanence, soit Seth, soit moi avec toi quand tu seras dans les locaux du Bureau.

Visiblement énervée, elle se leva.

— Vous ne pensez pas que ce serait plus simple que je retourne au ranch ? De toute manière, il va falloir que j'y aille, au moins quelques jours. Vincent ne peut pas tout faire éternellement tout seul.

— Non, Adrienne, trancha Conner. Tu ne retourneras pas à Lodi. Pas tant que nous n'aurons pas mis la main sur Jacques a dit.

— Mais, parti comme c'est, cela risque de prendre des mois !

Peut-être, pensa Conner, mais ils n'avaient pas le choix. Aussi longtemps que le tueur en série serait dans la nature, il retiendrait Adrienne prisonnière au Bureau, qu'elle le veuille ou pas. Il y allait de sa vie.

— Ça ne prendra pas des mois, reprit-il avec le plus de conviction possible. Mais il faut que tu coopères.

Il voulut la rasseoir sur ses genoux mais elle esquiva.

— Enfin, Conner, je ferai attention, je ne suis pas folle, je ne tiens pas à tomber dans les pattes de ce fou ! J'ai un don d'extralucide qui me permet de savoir si je suis mal entourée, je ne risquerai donc rien. Ne t'en fais pas pour moi.

Que pouvait-il rétorquer ? Son argumentation était logique. Implacable. Effectivement, elle ne risquait pas grand-chose. En principe…

— Trois jours, la pria Conner. Laisse-nous trois jours pour faire le tri et repérer les suspects potentiels. Pendant ce temps, tu ne t'éloignes pas de nous, soit de Seth soit de moi, ou tu restes au centre des bureaux. Dans trois jours, on refera le point.

L'air boudeur, elle réfléchissait. Elle détestait sûrement l'idée d'être coincée quelque part, surtout dans un lieu qu'elle n'avait pas choisi, elle qui aimait tant la campagne et les grandes plaines isolées.

— Ce n'est pas une punition, mon cœur. Il s'agit de ta sécurité. De ta vie.

Il lui prit la main et elle se laissa faire.

— O.K. J'accepte. Mais trois jours. Pas plus.

12

Dès leur arrivée au Bureau, Conner se remit au travail avec Seth et Adrienne. Ils n'avaient que trois jours pour trouver la trace de Jacques a dit.

Durant ces trois jours, Adrienne ne ménagea pas sa peine. Elle les aida énormément, leur fournissant des détails nouveaux sur Jacques a dit. Sur son physique, son mental, ses mobiles et ses crimes. En fonction de la taille des victimes et de son port de tête quand il les regardait, Adrienne put déterminer approximativement sa taille. Il devait mesurer un mètre quatre-vingts environ.

Elle travailla avec un artiste pour l'aider à dessiner une vue de la pièce où il tuait ses proies.

Dossier après dossier, paquet après paquet, elle recueillit un maximum d'informations et les leur transmit. Grâce à elles, Conner en était certain, ils auraient bientôt l'avantage sur Jacques a dit.

Ce qu'Adrienne réussissait à faire était stupéfiant.

Mais la torture qu'elle subissait pour obtenir des résultats était à la mesure de son talent.

Evidemment, Conner n'en avait connaissance qu'après coup car il était persona non grata pendant qu'Adrienne travaillait.

Durant ces trois jours, il passa le plus clair de son temps à arpenter les rues de la ville, retourna voir les scènes de crime, réinterrogea des témoins qu'il avait déjà vus, dans l'espoir d'apprendre quelque chose de nouveau et de composer, morceau après morceau, le puzzle.

Cependant, la laisser au Bureau l'inquiétait, le tueur se trouvait peut-être dans ces murs…

Mais, pour avoir une chance de faire avancer le dossier, il devait rester à distance.

Chaque après-midi, quand il revenait, il visionnait les bandes de ce qui s'était passé avec Adrienne en son absence. C'était douloureux. Pour elle, comme pour lui.

Il essayait de la protéger de tous et de chacun mais ce n'était pas facile. Non seulement elle devait travailler sur le dossier Jacques a dit, mais tous les agents avaient fini par avoir vent de la présence du rottweiler dans leurs murs. La nouvelle s'était répandue comme une traînée de poudre.

Le rottweiler est de retour.

Ce n'est pas une légende, il est bien réel.

Tout le monde voulait la voir, lui serrer la main et, pour certains, implorer son aide.

C'était à croire qu'on la pensait capable de miracles, de changer l'eau en vin, ou la ferraille en or. Alors, chacun lui apportait sa cruche !

Ce n'était pas méchant, aucun agent ne lui voulait de mal. Au pire, ils étaient piqués dans leur curiosité. Au mieux, ils voulaient son aide pour faire prévaloir la justice.

L'ennui, c'était que personne ne semblait mesurer le prix qu'elle payait pour aider. Ni se rendre compte de la violence à laquelle elle était soumise quand elle touchait un objet ou autre chose pour tenter de faire la lumière sur une affaire.

Autant qu'il puisse en juger à partir des bandes qu'il avait visionnées, ses réponses de prédilection aux questions sur son don d'extralucide empruntaient aux dialogues de bandes dessinées.

J'ai été piquée par une araignée radioactive.

Ou, *j'ai subi un bombardement de rayons cosmiques.*

Ou, *j'ai été accidentellement soumise à un rayonnement gamma.*

Après ces explications fantaisistes, plus personne n'insistait.

Le soir, ils se retrouvaient enfin. Ils dînaient en tête à tête, se promenaient en ville, rentraient chez lui et dormaient l'un contre l'autre. Il adorait lui offrir cette tranquillité, cette sérénité après des journées aussi éprouvantes.

Un des photographes du FBI, Victor Faraday, semblait avoir compris ce qui se passait entre Adrienne et lui ou, du moins, que Conner devait s'éloigner pour permettre à Adrienne de travailler.

Le matin du troisième jour, il montra à Conner comment bidouiller une *vidéo chat* sur son mobile, de façon à voir ce qui se passait au Bureau en son absence.

Ce n'était pas génial, mais suffisant.

Ils décidèrent d'utiliser ce système alors qu'Adrienne devait examiner une nouvelle fois les pièces à conviction collectées sur les scènes de crime.

Conner s'éloigna du Bureau et appela Seth avec son portable.

— O.K., Seth, je pense que je suis assez loin comme ça.

— O.K. Faraday va tenir la camera pendant que j'aiderai Adrienne si jamais elle a besoin de moi. Elle est en train d'ouvrir le premier des sacs de pièces à conviction.

La camera zooma sur Adrienne et les sacs.

— Sapristi ! jura Conner.

Comme elle était pâle. Déjà. Alors qu'elle n'avait pas encore touché un seul vêtement de la victime.

Adrienne plongea la main dans le sac qu'elle venait d'ouvrir et en sortit un pull. Elle se crispa mais ne dit rien.

— Adrienne ?

Seth posa la main sur son épaule. Elle hocha la tête mais ne répondit pas, prit un deuxième sac et le vida. Elle plaqua alors les deux mains sur les vêtements, doigts écartés pour bien les sentir.

— Seth ? cria Conner. Je rate quelque chose là, non ? Que se passe-t-il ? Faraday, je n'ai pas le son.

— C'est normal, mademoiselle Jeffries ne dit rien, agent Perigo. Si, si, il y a le son.

Adrienne ouvrit un troisième sac, plus vite que les précédents. Elle en sortit le contenu, toucha chaque objet avec soin et ne dit toujours rien.

Conner attendait toujours.

Trois sacs plus tard, c'était toujours le même silence. Mis à part le bruit des sacs qu'Adrienne ouvrait. C'était ceux avec ces affaires à elle, celles de la chambre d'hôtel.

— Conner ? appela-t-elle en fixant la caméra que Faraday tenait.

— Oui, mon cœur ?

Le mot tendre lui avait échappé et c'était trop tard, il avait été entendu.

Mais peu importait, pensa-t-il. Seth était déjà au courant et Faraday n'était pas très haut placé dans la hiérarchie du Bureau pour que ce mot doux prête à conséquence. Et il n'avait aucune raison de l'ébruiter.

— Il ne se passe rien, Conner.

— Tu penses que je suis trop près ? C'est ça ?

— Non. Je sens Jacques a dit sur les vêtements. Il avait sûrement une idée en tête et il est venu dans la pièce. Mais quand il a tout esquinté, il n'était pas en colère. En tout cas, je ne la ressens pas, sa colère.

— A ton avis, qu'est-ce que ça veut dire ?

Adrienne hocha la tête.

— Je ne sais pas. Quand il a saccagé la chambre, il n'était pas du tout menaçant. Là, j'avoue mon incompétence…

— Etes-vous sûre que c'était Jacques a dit ? demanda Seth.

— Absolument. Il n'était pas en rage quand il a fait ça.

Il n'avait pas de mauvaise intention vis-à-vis de moi ou de qui que ce soit. C'était plutôt comme s'il exerçait son métier, calmement, méthodiquement.

Conner plissa les yeux.

Calme et méthodique, deux qualificatifs qui lui faisaient au moins aussi peur que *folie meurtrière*.

— Je ne vois rien d'autre, désolée, soupira-t-elle.

— Ce n'est pas grave. Je reviens.

Adrienne en resta là, perplexe.

Quelque chose clochait.

C'était comme si Jacques a dit connaissait la fragilité de ses visions et en profitait. Quand il n'abritait pas d'intentions malignes, elle ne voyait pas avec précision.

Seul quelqu'un qui connaissait le type de travail qu'elle faisait pour le FBI pouvait le savoir.

Finalement, la théorie de Conner était peut-être la bonne. De près ou de loin, Jacques a dit devait avoir un lien avec la police.

De là où elle était assise, au bureau de Conner, rien ne lui échappait. Il y avait beaucoup de monde dans le bâtiment, des agents, des suspects, des témoins. Des gens qu'elle ne connaissait pas, pour la plupart.

Ils pouvaient tous être l'assassin.

Elle hocha la tête comme si ce geste pouvait chasser cette pensée.

Non, Jacques a dit n'était sûrement pas dans ces locaux, elle l'aurait su. S'il avait été là, ses pensées malignes et ses mauvaises intentions l'auraient trahi. Un tueur dans les parages ne serait pas passé inaperçu. Elle l'aurait aussitôt détecté.

Machinalement, elle se pencha vers le couloir. Au bout, il y avait la salle de conférences. Seth remettait dans les sacs les vêtements déchirés qui étaient autant de pièces à conviction. Et Conner n'allait plus tarder.

Il avait accepté de l'emmener à Lodi dans l'après-midi pour qu'elle puisse faire le point sur les chevaux et le ranch avec Vincent. Cette virée la rassurait. Ils avaient prévu de passer la nuit sur place et de revenir le lendemain, mais elle avait un nouveau projet et il n'allait certainement pas plaire à Conner.

Elle consulta les dossiers empilés sur la table et en sortit le dessin de la pièce où Jacques a dit séquestrait et tuait ces victimes.

Il lui manquait quelque chose sur cet endroit. Un détail important qu'elle n'arrivait cependant pas à identifier. Que ce soit dans les bureaux du FBI ou en ville, il y avait trop de nuisances sonores pour se concentrer. Finalement, elle n'était au calme que lorsque Conner était là.

Elle lui était infiniment reconnaissante de lui avoir facilité la vie. Grâce à son soutien, ce qu'elle vivait au FBI était supportable. Et rentrer avec lui, chez lui, chaque soir, était un grand bonheur. Il lui tardait de le revoir.

Elle leva les yeux. Justement, il arrivait.

Il entra dans la salle de conférences où Seth travaillait toujours. Il s'arrêta sur le seuil de la porte puis se tourna vers elle et, voyant qu'elle le regardait, lui sourit. Il entra alors pour de bon dans la salle.

Aussitôt, le cœur d'Adrienne s'affola. Si elle en avait douté, elle en était certaine désormais, elle était amoureuse. Tout en lui lui plaisait. Tout.

Repensant à la nuit qu'ils avaient partagée, elle rit. Oui, tout, absolument tout de lui lui convenait…

Elle referma la chemise et, mettant ses fantasmes en sourdine, se dirigea vers la salle de conférences.

Ce qu'elle allait faire, Conner n'allait pas aimer, mais elle le ferait quand même.

— J'ai repensé à Lodi, lança-t-elle depuis le seuil de la porte.

Conner et Seth levèrent les yeux des sacs dans lesquels ils rangeaient les pièces à conviction.

— Tu veux toujours y aller ? demanda Conner.

— Oui, il faut que j'y aille mais je pense que tu ne devrais pas venir avec moi.

Conner se figea.

— Pardon ?

Elle brandit la chemise qu'elle tenait à la main.

— J'ai réfléchi. Jacques a dit prétend qu'il assassine les femmes à un certain endroit. Moi, j'ai mon idée sur le sujet. Je pense que je peux faire quelque chose.

— C'est génial, s'emballa Conner.

— Oui, mais je ne pourrai rien faire avec toi dans les jambes.

Il haussa les épaules.

— En ce cas, fais-le ici. Je m'en vais.

Elle s'approcha de lui et posa la main sur son torse.

— Je ne veux pas t'obliger encore à partir. C'est ton bureau, ici.

Il commença à protester mais elle l'interrompit.

— De toute manière, il y a beaucoup trop de bruit ici. Il y a plein de choses dans ce bâtiment qui me déconcentrent. Et pas seulement dans ces locaux. C'est toute la ville qui me trouble. J'ai besoin de silence. Je vais emporter des photos à Lodi et ce sera mieux ainsi.

— Ta magie ne fonctionne pas quand je suis là, en somme.

Adrienne lâcha le plastron de sa chemise et fit courir ses doigts sur sa manche.

— C'est ça. Je suis désolée. Je sais que je passe à côté de choses. Là-bas, quand je serai seule, je suis sûre que la magie opérera.

— Seule ? s'emporta Conner. Pas question ! Jacques a dit sait qui tu es. Je pense qu'il sait aussi où tu habites.

— Voyons, Conner, s'il vient rôder, je le saurai. Moi, personne de mal intentionné ne peut me surprendre, tu le sais bien.

— D'accord. N'empêche, s'il réussit à t'approcher, tu seras seule, sans personne pour voler à ton secours. J'ai vu ce que ça donne quand tu te trouves près d'objets qu'il a touchés. Qu'est-ce que ce sera si c'est lui en personne ? Est-ce que tu t'en rends compte ?

Son visage s'était durci. Ses yeux brillaient de l'éclat froid d'une lame d'acier. L'heure n'était pas à la plaisanterie.

— Non, insista-t-il, tu n'iras pas seule. C'est *niet*. Tu comprends ?

— Je vais l'emmener, proposa Seth. On part cet aprem' et on revient demain matin comme tu l'avais prévu.

Conner serra les dents, il était crispé. Il ne voulait pas de ce plan qui l'excluait, comprit Adrienne.

— Je ne la quitterai pas des yeux, parole de scout, déclara Seth en levant deux doigts en V comme le font les scouts. Je dormirai même dans son lit si elle m'y autorise !

Conner grommela. Il prit Adrienne par la taille et la serra contre lui.

— Mollo, Harrington ! Tu fais quoi, là ?

Seth pouffa de rire.

— Tout compte fait, j'ai de la paperasse à faire, déclara Conner. Je vais rester.

— Je suis désolée, s'excusa Adrienne. Tu as pris du retard parce que je t'ai chassé de ton bureau. Pour un maigre résultat.

Il happa sa bouche et l'embrassa.

— Entre ta sécurité et mon bureau, il n'y a pas photo ! En plus, ils connaissent maintenant mes goûts au bistrot du coin, je n'ai plus besoin de décliner la recette de mon cappuccino sans sucre avec bâton de vanille et…

— Ça va, le coupa Seth. Nous aussi, on connaît par cœur.

Puis il se tourna vers Adrienne.

— Vous avez beaucoup de chance, Princesse. Je vous emmène. Allez, vous êtes prête ?

— D'accord, je vous suis. Mes affaires sont dans le bureau de Conner.

Il lui restait peu de choses, ses affaires ayant été saccagées trois jours plus tôt par le monstre pervers.

— Bien, je les prends et je vous retrouve à la voiture, dit Seth.

Conner l'accompagna jusqu'au parking.

— Reste avec Seth tout le temps, lui recommanda-t-il. Ne t'aventure pas dans l'écurie sans lui. Et, surtout, oublie les balades à cheval.

— C'est promis, répondit-elle en lui souriant.

— Je n'aime pas te savoir loin de moi. Tu me manques déjà. Bien sûr, tu ne crains rien avec Seth, mais j'aimerais partir avec vous.

Il caressa les deux pointes du col de son chemisier et la hissa sur la pointe des pieds.

— Heureusement, on se voit demain.

Elle l'embrassa.

— Oui, demain. Si possible avec plus de détails que je n'en ai eus jusqu'à présent.

Il l'embrassa de nouveau.

— Des détails ? Je m'en balance. Ce qui m'importe, c'est que tu me reviennes vite.

— Moi aussi, susurra-t-elle.

Le trajet vers Lodi se passa sans encombre. Heureusement. Adrienne avait hâte de retrouver le ranch.

A son arrivée, Vincent n'eut pas l'air plus content que ça. Manifestement, il s'était habitué à être tout seul et s'en sortait plutôt bien. Adrienne alla rendre visite aux chevaux avec lui : tous étaient en pleine forme.

— Tu es sûr que tout s'est bien passé ? lui demanda-t-elle en sortant.

— Plus que bien, mam'zelle. Mais tu me connais, je suis jamais aussi bien que quand je suis seul avec mes chevaux. Faut pas m'en vouloir, hein ! La question, c'est plutôt : est-ce que tu vas bien ?

Elle fit oui de la tête.

— Ça n'a pas toujours été facile mais je m'y attendais. Et puis, il y a eu du bon aussi. Tout compte fait, les agents du FBI ne sont pas de mauvais bougres. J'ai fait ce qu'il fallait pour.

Vincent fit la grimace.

— Ça, je sais pas. Mais s'ils veillent sur toi, c'est bien.

— Ils veillent sur toi aussi, Vincent. Et je ne pense pas qu'ils soient à la veille de t'ennuyer avec ton histoire de liberté conditionnelle et de parole non respectée.

Le régisseur sembla soulagé. Adrienne s'approcha de lui et ils se prirent mutuellement dans les bras.

Après une longue étreinte, Adrienne le laissa devant l'écurie et repartit vers la maison.

Seth était un garde hyperconsciencieux.

Toute la soirée, il vérifia les issues, portes, fenêtres, et fit plusieurs fois le tour de la maison. Conner, lui, appelait toutes les heures pour un contrôle.

Mais elle se sentait bien chez elle, dans le calme relatif du ranch. Un bruit de fond qui venait sûrement de Seth et de Vincent lui parvenait, mais ce n'était pas gênant. Elle avait donc toute la nuit pour analyser les clichés qu'elle avait emportés.

Décidée à rapporter de nouveaux éléments à Conner, elle s'installa dans le salon. Bien qu'elle les ait déjà vues, ces photos étaient toujours aussi pénibles à regarder. Elle concentra son attention sur le bâtiment, l'endroit où Jacques a dit emmenait les femmes, et elle s'efforça de ne penser à rien d'autre.

Pourquoi n'apercevait-elle pas l'extérieur de la bâtisse ? Autrefois, elle voyait toujours les suspects entrer ou sortir de leurs immeubles. C'était d'ailleurs une des raisons pour lesquelles le FBI l'avait trouvée si précieuse. Sa capacité à identifier un lieu. Son flair, qui lui valait son surnom de *Rottweiler*.

Cette fois-ci, le rottweiler ne reniflait rien ! Pourquoi ? C'était troublant.

Elle sentait Jacques a dit quand il était à l'extérieur de l'immeuble mais c'était flou, comme lorsqu'elle avait touché les vêtements qu'il avait déchirés.

Elle reposa les clichés et réfléchit.

Jacques a dit était calme et méthodique quand il avait dévasté sa chambre d'hôtel. Il n'y avait en lui ni colère, ni rancune. Peut-être était-il calme et méthodique quand il emmenait les femmes dans son antre ? Peut-être n'avait-il pas l'intention de leur faire du mal ?

Mais cela n'avait aucun sens. Pourquoi les emmener s'il leur voulait tellement de bien ?

Une idée germa alors dans son esprit.

Et si Jacques a dit avait un complice ? Quelqu'un qui, simplement, lui apportait ses proies ? Une personne docile et falote. Jacques a dit aurait le dessus sur elle autant que sur les objets et les photos des scènes de crime.

Une nouvelle fois, Adrienne observa les clichés, l'un après l'autre, essayant de sentir la présence d'une deuxième personne. Mais la personnalité de Jacques a dit était trop forte pour laisser la moindre place à quelqu'un d'autre.

Mieux valait abandonner cette piste. Rien dans les pièces à conviction n'avait jamais permis de mettre en évidence l'intervention d'un complice. Jacques a dit était certainement trop égocentrique pour partager une miette de son pouvoir. Trop attaché à son importance pour en laisser un peu à quelqu'un d'autre.

Epuisée, Adrienne n'alla pas plus loin. Jacques a dit travaillant avec un partenaire, c'était impossible.

Elle alla dans la cuisine. Seth était en train d'y faire du café.

— Vous allez passer la nuit debout ?

Il se frotta les joues.

— Oui. J'ai un copain tellement inquiet pour sa petite amie qu'il m'envoie un texto toutes les heures.

— Oh ! à ce point ? Je suis désolée.

— C'est pas grave. Il a toujours été un enquiquineur, bien avant que vous ne soyez dans le paysage ! Vous avez du nouveau ?

— Oui et non. Je me suis demandé si Jacques a dit n'aurait pas un complice.

Et d'expliquer qu'elle avait écarté cette possibilité pour telle et telle raison.

— Vous l'avez peut-être écartée un peu vite, remarqua-t-il. Une indication sur le lieu ?

— Pas encore. Mais je vais réessayer, dans ma chambre, avant de me coucher. J'espère que vous allez pouvoir dormir.

Il marmonna quelque chose qu'elle ne comprit pas, mais elle préféra ne pas lui faire répéter et se rendit dans sa chambre.

Elle y enfila son pyjama et étala les photos sur son lit. Toujours les mêmes photos et toujours le même silence.

Elle décida de les passer en revue une dernière fois. Ensuite, elle arrêterait. Elle y verrait peut-être plus clair le lendemain.

Elle scruta les clichés de Josie Paton. Cette dernière avait mis Jacques a dit en rage parce qu'elle lui avait tenu tête. Au début, il avait voulu la tuer tout de suite pour lui apprendre à ne pas avoir peur. Et puis il s'était ravisé. Il n'allait pas se priver du plaisir de la voir souffrir. Il avait donc décidé de ne pas se précipiter.

Pour se calmer — car elle l'avait énervé —, il était parti se promener. A l'instant où il mettait le nez dehors, Adrienne avait eu un flash. Elle avait aperçu quelque chose. Une espèce de chapelle toute blanche. A ce moment-là, il avait eu un problème de vertige et *pfittt*, plus rien. L'extralucide qu'elle était n'avait plus rien vu.

Dans un souci de vérification, elle reprit les clichés. Ne perçut rien de nouveau. Peut-être que la petite église blanche et l'accès de vertige de Jacques a dit pourraient leur servir ? Dès le réveil, elle en parlerait à Seth. Pour l'heure, elle allait se coucher.

Quelques minutes plus tard, allongée dans son lit, elle fixait le plafond. Le sommeil ne venait pas. Conner lui manquait. C'était sa première nuit sans lui ; c'était comme s'il avait été absent depuis des mois.

Qu'allait-elle devenir, sans lui, quand ils auraient coffré Jacques a dit ?

Sans lui… Mieux valait ne pas y penser. Comme le lui disait parfois Vincent : « Mam'zelle, ne te mets pas la rate au court-bouillon.»

Elle ferma les yeux et compta les moutons…

13

Réveillée brutalement, Adrienne s'assit dans son lit et tendit l'oreille. Y avait-il vraiment eu un bruit ? Qu'est-ce qui l'avait sortie de son sommeil ? Il se passait quelque chose de bizarre, de pas normal, elle le sentait. Mais quoi ?

Ses yeux firent le tour de la pièce, puis elle s'immobilisa pour écouter. Rien. Il faisait noir dehors. Elle jeta un coup d'œil au réveil : il était 3 h 45.

En pantalon de pyjama et T-shirt, elle sortit de sa chambre. Seth était-il toujours dans le salon ou était-il allé dormir ?

Elle longea le couloir sans faire de bruit. A quoi bon réveiller la maison s'il n'y avait rien d'anormal ?

Brusquement, elle plissa le front.

Si, si, il se passait quelque chose de pas normal. Ce n'était pas des visions, mais la sensation d'une présence étrangère. Quelqu'un rôdait, animé de mauvaises intentions. C'était flou, un peu comme la veille quand elle avait envisagé que Jacques a dit puisse avoir un complice.

Elle entra dans le salon. Seth n'était pas là. Conner avait dû lui ficher la paix avec ses textos et il était allé se coucher.

Pour s'en assurer, elle se dirigea vers la troisième chambre qu'elle avait transformée en bureau. La table était très grande et laissait tout juste assez de place pour un canapé. Elle y avait laissé un oreiller et une couverture pour Seth.

La porte était entrebâillée. Aussi, elle passa la tête.

L'oreiller et la couverture n'avaient pas bougé de place, et Seth n'était pas là.

— Seth ? appela-t-elle.

Il se passait vraiment quelque chose d'anormal.

Elle courut de la chambre jusque dans la cuisine. Seth n'y était pas non plus.

— Se-eth ! appela-t-elle, très fort cette fois.

Vincent sortit brusquement de sa chambre.

— Qu'est-ce qui se passe ?

Il avait les yeux pleins de sommeil mais il s'était habillé.

— Je cherche Seth. L'agent Harrington. Il n'est pas dans le salon, dans le bureau non plus.

S'interdisant de paniquer, elle inspira très fort. Non, Seth n'était sûrement pas parti en la laissant ici, sans la prévenir.

— Il est peut-être parti chercher quelque chose dans sa voiture, avança Vincent.

Ça devait être ça.

Adrienne hésita quand même à ouvrir la porte pour vérifier. A la place, elle prit son portable sur la table du salon et appela Conner.

— Ça va ? répondit-il sans préambule.

— Oui je vais bien, c'est Seth. Tu lui as parlé quand pour la dernière fois ?

— Je ne sais pas. Pourquoi ? Quelle heure est-il ?

Il avait la voix pâteuse de quelqu'un surpris en plein sommeil.

— Presque 4 heures, répondit-elle.

— Ça fait deux heures. Pourquoi ? Où est-il ?

Elle commença à s'affoler.

— Justement, je ne sais pas. Il était assis sur le canapé du salon quand je suis partie me coucher, il y a quelques heures, et maintenant il n'est plus là. Je ne pense pas qu'il serait parti comme ça.

Elle se tourna vers Vincent. Lui aussi semblait inquiet.

A cet instant, une lueur orange, à l'extérieur, attira son attention. Elle s'approcha de la fenêtre.

Mon Dieu ! Ce n'était pas une lueur, mais un incendie.

L'écurie était en feu.

Elle étouffa un cri alors que Vincent se précipitait aussi vite que sa jambe folle le lui permettait. Paniquée, elle le suivit.

A l'autre bout de la ligne, Conner s'emportait :

— Adrienne ? Bon Dieu ! Mais que se passe-t-il ?

— L'écurie est en feu, lui cria-t-elle sans cesser de courir.

— Adrienne, écoute-moi, tu dois rester dans la maison et t'enfermer. Si Seth a disparu, c'est peut-être Jacques a dit.

— Je ne peux pas, Conner. Faut que j'aide Vincent à évacuer les chevaux.

Ils hennissaient, frappaient le sol de leurs sabots. Ils devaient être terrifiés. Adrienne se pressa encore plus.

— Adrienne !

Il ne l'appelait plus, il hurlait.

Impressionnée par sa voix affolée, elle cessa de courir.

— Ecoute, Conner, je ne peux pas rester là à ne rien faire. Les chevaux sont enfermés dans l'écurie. Ils sont piégés, il faut les sortir de là.

— Je sais, mon cœur, mais écoute-moi une seconde. Tu as des armes chez toi ? Un revolver ? Un pistolet ?

— Non, juste un fusil.

— C'est trop grand. Tu as du poivre moulu ou quelque chose comme ça ?

— Oui.

— Prends-en et garde-le sur toi. Non, va plutôt prendre un couteau de cuisine. Mais fais attention. Aide Vincent mais garde à l'esprit que Jacques a dit peut rôder dans le coin. De mon côté, j'appelle la police.

Les chevaux affolés hennissant de plus belle, elle n'arrivait plus à écouter et raccrocha.

Elle fit demi-tour pour retourner dans la maison.

Conner avait raison. Même si elle ne sentait rien, Jacques a dit pouvait être tapi dans le noir, attendant pour l'enlever.

O.K., il fallait sauver les chevaux, mais elle devait aussi faire attention à elle.

Dans la cuisine, elle prit le poivre mais délaissa le couteau avec lequel elle risquait de se couper ou que Jacques a dit — s'il l'attrapait — pouvait retourner contre elle.

Armée du seul poivre, elle repartit en courant vers l'écurie.

Le feu s'étendait à vitesse grand V et les chevaux étaient complètement paniqués. Elle essaya de se rappeler ce que Conner lui avait dit à propos de Jacques a dit : se méfier, etc. Mais dans la pagaille qui régnait, c'était difficile. Et puis, il y avait urgence à faire sortir les chevaux de cet enfer, elle repenserait plus tard à ses recommandations.

Comme elle approchait de l'écurie, Vincent en sortait, tirant une forme derrière lui. Un paquet long et lourd. Un sac de céréales, sûrement. Mais, brusquement, la forme se précisa. Prise de nausée, Adrienne plaqua la main sur sa bouche. Elle crut défaillir. C'était un corps que Vincent traînait. Un corps inerte.

Seth.

Elle se précipita vers Vincent pour l'aider.

— L'agent du FBI, cria-t-il pour couvrir les hennissements des chevaux.

Affolée, Adrienne attrapa Seth par un bras et détourna vite les yeux de la blessure dégoulinante de sang qu'il avait à la tête.

— Il est mort, Vincent ?

Seigneur Jésus, s'il vous plaît, non, faites qu'il ne soit pas mort ! pria-t-elle en silence.

— Non, il respire encore. Faut l'éloigner d'ici et retourner délivrer les bêtes.

Ils portèrent Seth jusqu'à un endroit à l'abri. Il était toujours inconscient. Vincent retourna aussitôt à l'écurie mais Adrienne hésita. C'était affreux de laisser Seth là, sans protection, sans soins, mais les chevaux étaient en panique. Il fallait aider Vincent ou tous mourraient.

A son tour, elle repartit vers l'écurie. L'incendie s'était propagé et les flammes montaient très haut. Au loin, des gyrophares semblaient déchirer la nuit.

Mince ! Les secours n'étaient pas à côté, ils n'arriveraient jamais à temps pour sauver les chevaux. Vincent et elle n'avaient plus qu'à se débrouiller seuls.

Elle piqua un cent mètres vers l'écurie. Plus elle approchait, plus la fumée devenait épaisse, acide. Elle lui piquait les yeux. L'air devenait étouffant, irrespirable et elle ne voyait rien dans ce brouillard chaud.

Quand elle entra dans le local, la fumée la prit à la gorge. Les chevaux frappaient leurs sabots à toute force en hennissant de terreur. Elle attrapa une serviette accrochée à l'entrée, la trempa dans le seau d'eau qui se trouvait près de la porte et se l'enroula autour de la tête. Ainsi protégée, elle chercha Vincent.

En vain.

Aussi, elle décida de s'occuper des chevaux.

Le premier était Willie Nelson. Elle ouvrit sa stalle et avança doucement vers la bête terrorisée, attrapa le licou et les rênes accrochés au mur.

Généralement très doux, Willie Nelson était devenu incontrôlable. Il la mordilla et donnait des coups de sabots dans le mur derrière lui. Si elle ne parvenait pas à lui mettre le licou en quelques secondes, il faudrait qu'elle le laisse et aille en délivrer un autre, elle le savait. Chaque seconde comptait.

Soudain, une main lui empoigna l'épaule. Elle sursauta. Voulut prendre le poivre dans sa poche mais celle-ci était profonde et y plonger la main lui prit trop de temps.

D'une poigne ferme, on la fit pivoter sur elle-même ; elle poussa alors un cri perçant.

C'était Vincent.

Elle en vacilla d'émotion. De soulagement.

— Le seul moyen de les sortir de là est de leur mettre un

chiffon sur les yeux. Et ensuite le licou, cria-t-il essayant de dominer les hurlements des bêtes et le grondement du feu.

Il lança des serviettes à Adrienne et sortit de la stalle en courant.

Adrienne s'approcha de nouveau de Willie Nelson, serviette à la main. Après deux tentatives, elle réussit à nouer le tissu sur ses yeux. Ne voyant plus, il se calma sur-le-champ. Adrienne le sortit vite de l'écurie et le conduisit dans le corral le plus éloigné de l'incendie pour éviter qu'il ne panique de nouveau. Deux bêtes y étaient déjà, ce qui voulait dire qu'il en restait cinq, piégées dans le local.

Elle piqua de nouveau un sprint, toussa en entrant dans le mur de fumée noire qui se dressait comme un barrage. Les poumons, la gorge, la tête, les yeux, elle avait mal partout mais elle devait y aller.

Elle trouva un autre cheval et répéta les mêmes gestes qu'avec Willie Nelson. Elle respirait de plus en plus mal, l'air se raréfiait et la chaleur devenait insoutenable. Elle ne réussirait pas à faire beaucoup d'autres allées et venues. L'écurie tout entière aurait flambé avant.

Alors qu'elle sortait du bâtiment, une silhouette chancelante s'approcha d'elle.

C'était Seth.

— Donne-moi le cheval, dit-il. Je l'emmène au corral.

Elle toussa, observa la plaie qu'il avait à la tête.

— Tu es sûr ?

Il ne répondit pas, prit le licou et emmena la bête.

Au moment où elle allait s'engouffrer de nouveau dans l'écurie, quelque chose bougea sur la terrasse de la maison. Il faisait noir, il était difficile de savoir quoi mais quelqu'un semblait assis sur la balancelle.

Jacques a dit.

C'était lui, aucun doute, comprit Adrienne.

C'était clair dans sa tête qui cognait comme si on la frappait à coups de marteau. Et il jubilait, le monstre !

Elle percevait son plaisir sadique devant le désastre qu'il avait provoqué.

Elle se détourna et rentra dans l'écurie.

Qu'il se délecte s'il veut, pensa-t-elle. *Moi, je sauverai tous les chevaux.*

Elle ne permettrait pas qu'il gagne à ce petit jeu pervers. D'ailleurs, il n'était pas là pour lui faire du mal, ce qui l'intéressait, c'était de contempler la catastrophe dont il était l'artiste. Elle en était certaine.

Elle s'assura tout de même que son poivre moulu était à portée de main dans sa poche.

Cinq minutes plus tard, Vincent et elle avaient sorti tous les chevaux. Avec l'aide de Seth, les huit bêtes étaient dans le corral. Elles s'agitaient encore, mais étaient hors de danger.

Soulagée d'avoir réussi ce sauvetage, Adrienne se tourna vers la terrasse. Il n'y avait plus personne. D'ailleurs, sa tête ne cognait plus.

Jacques a dit était parti.

Quelques minutes plus tard, les pompiers arrivèrent. Seth, Vincent et elle, épuisés, s'assirent sur les marches de la maison et les regardèrent faire mais il n'y avait pas grand-chose à sauver.

Heureusement, ils étaient tous sains et saufs et, à part Seth, personne n'était blessé. Un secouriste examina sa plaie : un transfert à l'hôpital allait être nécessaire. Adrienne et Vincent reçurent de l'oxygène. Ils avaient inhalé de la fumée et leur état nécessitait aussi une hospitalisation.

Tous en bloc refusèrent. Et, au lieu de monter dans les ambulances comme on les y invitait, ils restèrent assis sur leurs marches, trop fatigués pour bouger. La vie ne s'arrêterait pas là, ils survivraient.

Le soleil allait bientôt se lever. Sa lumière naissante jetait déjà sur le paysage un voile apaisant, se réjouit Adrienne.

Un couinement de pneus sur le gravier de l'allée lui fit lever la tête.

Conner.

Enfin, il était là. Une heure et demie après l'appel désespéré qu'elle lui avait lancé. Il avait dû brûler plus d'un feu rouge pour arriver aussi vite ! En général, il fallait deux heures depuis San Francisco.

Il se gara en catastrophe et courut vers eux.

Epuisée, elle ne trouva même pas la force de se lever pour se jeter dans ses bras. Peut-être valait-il mieux car elle devait sentir la locomotive à charbon !

Conner s'assit à côté d'elle sur la marche. La prit sur ses genoux et l'embrassa éperdument.

— Tu m'as fait tellement peur, soupira-t-elle.

Comme il l'écrasait dans ses bras, elle le repoussa gentiment, en quête d'air.

— Je n'aurais jamais dû te laisser venir à Lodi, poursuivit-il. Je m'en doutais…

— Mais je vais bien, protesta-t-elle en essayant de se dégager. Tu vois bien que ça va.

Il la dévisagea, caressa ses lèvres.

— Jacques a dit était là, non ?

Etonnée, elle écarquilla les yeux. Comment le savait-il ?

— Tu as saigné du nez, répondit-il comme s'il avait entendu sa question.

Machinalement, elle s'essuya d'un revers de main, ce qui lui barbouilla un peu plus le visage.

— Je l'ai vu, Conner. Il était assis sur la terrasse, sur la balancelle, et il nous regardait nous débattre avec les chevaux.

— Tu l'as vu assez nettement pour le décrire ?

— Non, il faisait trop noir malgré les flammes. En fait, je l'ai perçu plus que je ne l'ai vu.

— Il n'a pas cherché à te blesser ?

— Non, mais il a assommé Seth.

Conner regarda Seth qui fit oui de la tête.

— En fait, il m'a semblé qu'il y avait de la lumière dans l'écurie, expliqua-t-il, alors je suis allé voir. Absurde. Quand je revenais vers la maison — j'étais déjà sur les marches —, il m'a sauté dessus. Ce salaud m'a traîné dans l'écurie. Il voulait que je grille comme une côtelette !

— Je pense que c'est ce qui m'a réveillée, ajouta Adrienne. J'ai cru entendre un bruit mais c'est peut-être seulement la présence de Jacques a dit que j'ai sentie.

— Peut-être, souffla Seth. En tout cas, je bénis le ciel que tu te sois réveillée à ce moment-là. Sans toi, j'étais bon pour le barbecue. Et si Vincent n'était pas intervenu…

Il laissa sa phrase en suspens.

Deux officiers de police approchaient.

Conner et Seth se levèrent pour leur parler et leur montrèrent leurs badges du FBI.

Vincent se rapprocha d'Adrienne.

— J'imagine que l'agent du FBI et toi, vous ne vous détestez plus, maintenant.

Adrienne rougit mais, sous la suie, cela ne devait pas se voir.

Heureusement ! se dit-elle, s'empourprant de plus belle.

— Finalement, il est beaucoup plus gentil que je ne pensais.

Vincent se dérida, ce qui n'était pas courant. Autant qu'elle s'en souvienne, c'était même la première fois qu'il esquissait un sourire.

— Moi aussi, je l'aime bien finalement, confia-t-il.

Elle n'en revenait pas.

— Ah ? Et pourquoi ?

— Parce qu'il t'a prise dans tes bras et, sans vouloir te vexer, mam'zelle, tu devais pas sentir tellement bon, et ensuite il t'a prise sur ses genoux sans faire attention qu'il allait se salir.

Adrienne sourit.

Après avoir parlé quelques minutes avec les officiers de police, Conner et Seth revinrent vers les marches sur lesquelles Adrienne et Vincent attendaient, toujours trop fatigués pour bouger. Conner tenait un papier à la main. Seth et lui avaient l'air sombre.

Conner s'assit près d'Adrienne.

— C'est bien Jacques a dit que tu as vu sur la terrasse.

Ce n'était pas une surprise.

— C'est quoi ? demanda-t-elle.

Il brandit une enveloppe qu'elle reconnut tout de suite. Elle en avait déjà vu quelques-unes.

— Encore lui ! s'exclama-t-elle.

Conner ouvrit et lut à voix haute :

— « Jacques a dit merci pour le spectacle.»

Adrienne soupira. Elle avait donc raison. Il était bien là, il contemplait, se régalait de les voir se débattre pour sauver leurs animaux. Peut-être voulait-il, au départ, l'enlever, elle. Mais ensuite il s'était laissé prendre au spectacle enivrant de l'incendie et des efforts qu'elle et Vincent avaient déployés pour combattre l'enfer qu'il avait engendré.

Sadique !

Tout le monde se taisait.

Au bout d'un long moment, Vincent brisa le silence.

— Je sais pas qui est ce bonhomme, votre Jacques a dit, mais il me plaît pas. S'il remet un pied ici, il aura affaire à moi. Pour l'heure, je vais voir si je peux me débarrasser de cette odeur de brûlé avant que ça excite toutes les femmes du canton.

Les hommes s'esclaffèrent. Adrienne sourit, elle aussi.

Conner pencha la tête et l'embrassa.

— Bravo, tu as fait un super travail, tu sais.

Elle se blottit contre lui.

— On a tous fait du bon boulot. Tous les chevaux sont en vie ; on est tous en vie. Cette fois, Jacques a dit n'a pas gagné.

Cette fois, songea tristement Adrienne.

14

Adrienne ne retourna pas tout de suite à San Francisco. Elle dut d'abord trouver une pension pour ses chevaux, remplir des tonnes de documents pour les assurances, chercher une entreprise pour reconstruire l'écurie. Que des activités ennuyeuses !

Conner resta avec elle. Et la présence d'un agent du FBI lui facilita les démarches auprès des experts en assurance.

— C'est une bénédiction de t'avoir, lui dit-elle.

En effet, il était là, jour et nuit. Il ne la quittait pas. Si Jacques a dit faisait la folie de revenir, il trouverait à qui parler. Conner ne lui ferait pas de cadeau.

Seth, lui, repartit pour San Francisco dès le lendemain, après avoir fini les relevés dans ce qu'il restait du local.

Jacques a dit avait intentionnellement incendié l'écurie, sans chercher à cacher le départ de feu dans une des stalles vides, ni le carburant qu'il avait employé pour que les flammes se propagent très vite.

Tout bien pesé, c'était un miracle, avait affirmé le spécialiste en incendies, que personne, ni humain ni bête, n'ait été blessé ou tué.

Au bout de quatre jours bien remplis, le ranch était de nouveau sur les rails et la reconstruction de l'écurie en bonne voie. Vincent surveillait les travaux, tous les chevaux étaient en pension. Adrienne estima qu'elle pouvait repartir à San Francisco.

Mais dès leur arrivée au ViCAP, elle eut un pressentiment : il s'était passé quelque chose. Dans l'immeuble, c'était l'ébullition générale. Conner la prit par le bras et l'emmena directement à son bureau.

— Que se passe-t-il ? demanda-t-il.

— On vient de recevoir un paquet de Jacques a dit, expliqua Seth. Je vous attends en salle de conférences pour l'ouvrir.

— Je sors, alors, dit Conner.

— Tu ne restes pas l'ouvrir avec nous ? s'étonna Adrienne.

— Non, il vaut mieux que je m'éloigne si l'on veut que tu exerces ton don extralucide. Seth me racontera.

Adrienne tendit le bras pour le retenir.

— Je suis désolée, Conner. Mais je n'y peux rien.

— Ne t'excuse pas, ce n'est pas ton problème, c'est le mien. Il faut que j'apprenne à le gérer.

— Ça n'empêche, je suis désolée, insista-t-elle.

Finalement, il se rapprocha d'elle et lui caressa la joue.

— Tu es forte, tu sais. A ta place, j'aurais craqué depuis longtemps.

Elle sourit. Il lui arrivait de craquer, mais Conner l'ignorait.

— Je m'en vais, dit-il. Je serai à quelques rues d'ici. Seth n'aura qu'à transférer ce qui se passe ici en direct sur mon portable.

Seth, qui se trouvait dans la salle de conférences, appelait justement.

— On va ouvrir, annonça-t-il.

Adrienne se tourna pour aller le rejoindre mais Conner se rapprocha et la prit par la taille. Il happa sa bouche, l'embrassa, la dévora puis il partit, la poussant en douceur vers la salle de conférences.

— Va, mon cœur. On a besoin de toi.

Il prit sa veste et la balança sur son épaule.

Adrienne fit quelques pas et se retourna. Elle avait oublié de lui dire quelque chose.

— Rappelle-moi tout à l'heure de te montrer ce que j'ai trouvé avant l'incendie. C'est dans le dossier. J'ai peut-être déniché des détails sur la cachette de Jacques a dit. Ils ne seront peut-être pas utiles pour l'instant, mais je te les montrerai quand même.

Conner lui sourit.

— On regardera ça ensemble quand je reviendrai.

Que Conner suive en direct ce qui allait se passer dans la salle de conférence la soulageait. Elle s'était vite habituée à partager ses journées avec lui et détestait désormais quand il la laissait. Que deviendrait-elle quand elle repartirait pour de bon à Lodi ?

Elle s'assit dans un coin de la salle de conférences, puis observa.

Avec un mélange de prudence et d'impatience, Seth prit le paquet qu'ils avaient reçu et le déballa.

Le bourdonnement commença à gronder dans les oreilles d'Adrienne. Conner était donc assez loin. Un agent qu'elle avait déjà croisé dans un couloir tenait la camera pour que Conner puisse suivre ce qui se passait dans la salle.

C'était un paquet identique aux précédents. Une grande boîte. Un petit écrin. Une mèche de cheveux et un mot que lut Seth.

— « Jacques a dit pressez-vous. »

Moins ironique sans doute que les mots précédents, mais tout aussi peu utile, songea Adrienne. Ils n'étaient pas plus avancés. Toutes les personnes présentes, des agents pour la plupart, plus deux photographes et même un analyste, ne purent cacher leur déception.

A quoi s'attendaient-ils ? se demanda Adrienne.

Seth renvoya tout le monde excepté le photographe chargé de la camera et Adrienne qui allait se mettre au travail. Moins elle aurait de bruit autour d'elle, moins elle serait distraite, plus efficace elle serait.

— Prête ? lui demanda Seth.

Elle fit oui de la tête et prit sa respiration.

Elle commença par prendre le papier. Toucher la mèche, elle le savait, allait la perturber gravement. Elle verrait le meurtre, la victime, son effroi et ses sentiments. C'était affreux. Elle préférait garder ce supplice pour la fin.

Avec le papier vint aussitôt un flot d'images. D'abord, le lieu. Un théâtre, avec une scène, ses coulisses, ses accessoires, ses éclairages.

Le monde est une vaste scène et tous les hommes et toutes les femmes sont des comédiens. Ils entrent, ils sortent et un seul homme joue plusieurs rôles…

Jacques a dit se promenait sur la scène, déclamant du Shakespeare pour des spectateurs invisibles. Si sûr de son importance, si fier de son intelligence.

Mais sa voix ne correspondait pas à l'idée qu'il se faisait de lui-même. Il se pensait important et puissant, sa voix était perchée et gémissante. Elle n'inspirait aucun respect.

C'était impossible mais Adrienne brûlait d'envie de lui cracher à la figure qu'il parlait comme un eunuque. Si elle le faisait, c'était sûr, il la tuerait.

Une image — un souvenir — passa alors comme un flash dans la tête du tueur. Et soudain, Adrienne comprit.

Oui, elle savait. Elle savait pourquoi il avait choisi ces proies-là !

Ce n'était pas parce qu'elles se ressemblaient, ce n'était pas parce qu'elles faisaient leurs courses dans les mêmes boutiques, non plus parce qu'elles fréquentaient les mêmes lieux.

Non, il avait choisi ces malheureuses parce qu'elles lui rappelaient une femme qu'il avait connue autrefois, quand il était jeune. Pour Jacques a dit, cette femme, c'était « elle ».

Elle l'avait méprisé, soumis. A cause d'*elle*, il s'était senti faible et impuissant. *Elle* s'était moquée de lui, l'avait ridiculisé. *Elle* imitait sa voix de fausset, si haut perchée qu'il semblait qu'il n'était pas devenu un homme. Qu'il ne le deviendrait jamais.

Tu n'es qu'une mauviette geignarde, lui disait-*elle*.

Il la détestait et la haine qu'il nourrissait envers *elle* avait gâché le reste de sa vie.

Ce n'était donc pas pour leur physique qu'il avait choisi ses victimes. C'était pour leur voix.

Brusquement, Jacques a dit chassa le souvenir d'*elle*.

Il s'inclina devant son public invisible puis leva les yeux vers les spots et agita la main en guise de salut. Il sauta alors en bas de la scène et, empruntant l'allée principale, sortit dans la rue.

Là, avec un mouvement ample du bras, il se retourna et regarda l'enseigne.

— *Eureka Theater*, dit-elle tout haut.

Seth sursauta, la regarda.

— Vous connaissez ? demanda-t-elle.

— Bien sûr. L'Eureka Theater. De l'autre côté de la ville. On appelle la police. Conner arrive.

— Non, dites-lui d'attendre un peu, Seth. Je perçois un danger. Un traquenard.

— Quoi ?

— Je ne sais pas. Attendez que je touche les cheveux. Ce n'est pas comme d'habitude.

Seth passa le message à Conner qui jura si fort qu'elle tressaillit.

Prenant alors son courage à deux mains, elle toucha la mèche, du bout des doigts d'abord. Puis, à pleine main. Le résultat fut immédiat. Elle se mit à trembler, à sangloter. Accouru auprès d'elle, Seth essaya de la calmer. En vain. Il lui mit son portable à l'oreille pour qu'elle entende la voix de Conner.

— Adrienne, chérie, je sais que c'est dur mais tu dois nous aider. Dis-nous tout ce que tu vois.

— Conner… Elle est vivante. Elle est encore vivante !

Tout se brouilla soudain.

Deux minutes plus tard, Conner arrivait.

Ils voulaient tous les détails.

Etait-elle sûre que la femme était toujours vivante ?

Etait-elle sûre qu'elle se trouvait à l'Eureka Theater ?

Oui, oui, oui.

Etait-elle sûre que c'était un piège ?

Oui.

Elle avait beau insister, c'était comme s'ils ne voulaient pas comprendre.

Conner fila à son bureau et elle le suivit.

— Il y a quelque chose d'autre, Conner. Je ne sais pas quoi mais quelque chose. Toute cette affaire sent le piège, tu m'entends ? Je t'en supplie, sois prudent.

Il lui prit le visage dans les mains et l'embrassa.

— C'est promis, nous serons prudents, je te le promets.

Adrienne lui agrippa les poignets.

— Je viens avec vous.

Il se raidit aussitôt.

— Non ! Tu viens toi-même de dire que c'est un piège. Tu n'es pas policier, ni agent spécial. Tu n'as aucun entraînement. Et après l'incendie… Ah non, je ne veux pas te voir sur la scène de crime sans protection. C'est ce qu'il attend. Tu veux bien le comprendre ? Reste ici, s'il te plaît. Ici, tu ne risques rien.

— Je veux être utile.

— Tu es utile en restant ici. Ça me rassure.

— Et si vous avez besoin de moi ? De mes voyances ?

Conner se pencha et l'embrassa tendrement.

— Si on a besoin de toi, on demandera qu'on t'amène. Je te le promets. Reste ici et ne prends pas de risque.

Il dégagea ses poignets et partit en courant dans le couloir, avec Seth, sans lui laisser le temps de répondre.

C'était la brèche qu'ils espéraient, se réjouit Conner.

L'excitation était palpable autour de l'Eureka Theater.

La police de San Francisco était arrivée la première mais elle avait attendu — comme elle en avait reçu l'ordre — que le FBI arrive.

Toutes les issues, entrées, sorties, étaient maintenant sécurisées, de sorte que personne ne pouvait plus ni entrer ni sortir.

Mais quelque chose tracassait Conner.

Pourquoi la fille était-elle toujours en vie ? Soit le paquet était arrivé plus tôt que Jacques a dit ne l'avait prévu, soit quelque chose ne s'était pas déroulé comme il l'avait imaginé.

N'empêche, mieux valait prendre l'avertissement d'Adrienne au sérieux. Puisqu'elle soupçonnait un piège, il fallait agir comme s'il y en avait un.

L'équipe de déminage était arrivée juste avant Seth et lui. Elle inspectait les portes pour détecter d'éventuels explosifs.

Inquiet, Conner suivait leur travail à distance.

S'il y avait une femme dans ce théâtre, une femme que le pervers faisait souffrir, pourquoi ne se pressaient-ils pas plus ? Peut-être était-elle en train de se vider de son sang ! S'ils ne se démenaient pas davantage, ils arriveraient trop tard.

Jacques a dit était-il encore à l'intérieur ?

Ils devaient se méfier, mais il fallait aussi faire vite. L'équipe de déminage qui s'affairait autour de la grande porte semblait prendre tout son temps. Cela ne faisait que quelques minutes qu'elle était là pourtant, mais les minutes semblaient interminables. On aurait dit des heures, pesta Conner.

Enfin, ils ouvrirent.

Les chiens entrèrent en reniflant. Entraînés à flairer les bombes, ils couraient partout. L'un d'eux s'arrêta brusquement. Il venait de trouver quelque chose, sous la scène. Un spécialiste s'approcha. C'était un ensemble d'explosifs relié à un détonateur à distance.

Les techniciens désarmèrent l'engin, sans faire de dégâts. Adrienne avait raison, c'était un guet-apens. Si la police de San Francisco ou le FBI avaient fait irruption dans le théâtre sans les spécialistes du déminage, on aurait assisté à un carnage. Le don de voyance d'Adrienne avait permis de sauver des vies.

Les chiens continuèrent mais ne trouvèrent plus rien, du moins comme explosifs.

Conner et Seth avancèrent, arme au poing. Prêts. Les bombes n'étaient sans doute pas les seules surprises que Jacques a dit leur avait préparées.

Méfiants, ils traversèrent le théâtre en appelant mais personne ne répondit. Avec les officiers de police, ils commencèrent une fouille systématique de la salle, se penchant sous les fauteuils pour vérifier que personne ne les attendait, allongé par terre. Ils montèrent sur la scène. Rien non plus. Le doute et le découragement commencèrent à s'insinuer.

Dans le fond, la femme n'était peut-être pas là du tout.

Seth s'approcha de Conner.

— On fait un bide, là, non ?

— Ça m'embêterait mais…

Dépité, il haussa les épaules en soupirant.

Ils étaient aussi déçus l'un que l'autre et ces fichus spots qui éclairaient la scène les aveuglaient et leur donnaient chaud.

— Tout le monde est un théâtre…

Conner se mit à déclamer tout haut, se rappelant le passage qu'il avait entendu de la bouche d'Adrienne, par le truchement de son téléphone, une heure plus tôt.

Enfin non, ce n'était pas ses mots à elle, c'était ceux de Jacques a dit. Plus exactement, ceux de Shakespeare dans sa comédie *Comme il vous plaira*, si du moins il se souvenait correctement de ses cours de littérature anglaise.

— Oui. Jacques a dit est ridicule dans son numéro. Il se prend pour l'auteur.

Conner essaya de se rappeler alors tout ce qu'Adrienne avait dit avoir vu. Il observa les éclairages. Ils avaient allumé la salle en entrant mais pas la scène. Pourquoi ces spots étaient-ils allumés ?

— Bon Dieu, Conner ! Pourquoi est-ce allumé, là-haut ? Ce spot n'était sûrement pas sur le même commutateur.

— T'as raison.

— Et rappelle-toi ce qu'a dit Adrienne. Avant de sauter de la scène dans la salle, le psycho a levé le bras et fait un grand salut.

— J'y suis. Magne-toi !

Ils se ruèrent sur l'échelle en métal qui permettait d'accéder à la galerie en haut des cintres.

En deux secondes, ils trouvèrent le spot branché sur

la herse électrique dissimulée dans les cintres... et la jeune femme qui gisait là, ligotée, bâillonnée.

Mais en vie.

— On l'a trouvée ! Appelez un médecin, vite ! cria Seth tandis que Conner arrachait le sparadrap que la malheureuse avait sur la bouche.

— Ça va ? lui demanda Conner en l'aidant à s'asseoir. Vous êtes blessée ?

Elle sanglotait.

— Non, je... je vais bien.

Le médecin arrivant, Conner lui céda la place.

— Je vais vous examiner rapidement avant qu'on vous descende, dit-il.

Après avoir coupé le ruban adhésif qui lui emprison-nait les chevilles et les poignets et cherché d'éventuelles plaies ou fractures, il la tourna délicatement sur le dos et appela.

— Agent Perigo, j'ai quelque chose pour vous, ici.

Conner fronça les sourcils. Comment ce médecin connaissait-il son nom ?

— Tenez, dit-il. Il y a votre nom dessus.

Il tendit une feuille que Conner déplia.

« Jacques a dit pas grave. J'en ai trouvé une mieux. »

Assise dans le bureau de Conner au FBI, Adrienne s'impatientait. Elle était sans nouvelle de la scène de crime. A priori, c'était plutôt bon signe. Malgré tout, elle s'inquiétait. Sans doute à tort. Sa mère ne lui avait-elle pas toujours dit que les mauvaises nouvelles circulent toujours très vite ?

Elle se prit la tête dans les mains en soupirant.

Avaient-ils trouvé la femme ?

Etait-elle vivante ?

Jacques a dit leur avait-il fait du mal ?

Elle soupira de nouveau.

Sans Conner près d'elle, être dans ce bureau la faisait souffrir. Des bourdonnements, des voix, des images se bousculaient dans sa tête. C'était infernal.

Son regard se posa sur le dossier qu'elle avait apporté, la photo de Josie Paton était sur le dessus.

En attendant Conner, elle n'avait qu'à essayer de trouver où pouvait se situer cette petite église blanche qu'elle avait vue. Mais il y en avait des centaines à San Francisco.

Pourquoi ne pas s'intéresser plutôt au vertige dont Jacques a dit était, manifestement, victime? Peut-être était-il soigné pour ça ? Le FBI devait pouvoir trouver des infos sur son éventuel traitement. Et, pour commencer, pourquoi cet accès de vertige l'avait-il réjoui ?

Sans perdre une seconde, elle tapa *vertige* sur l'ordinateur qui se trouvait devant elle.

Elle lut :

> Sensation de mouvement que ressent une personne immobile.

L'impasse. Un trouble, certes, mais pas matière à traitement apparemment.

Elle allait éteindre l'appareil quand le mot *Vertigo*, avec un grand V, attira son attention. Le célèbre film d'Hitchcock.

Elle lut l'article.

Aussitôt, tout se mit en place dans sa tête.

Jacques a dit n'avait pas le vertige.

Non.

Dans sa démence, quand il s'était trouvé devant la chapelle Santa Maria Dolorès, la chapelle qui se dressait au sommet de la colline la plus haute de San Francisco, il avait pensé à la fameuse scène de *Vertigo* et il s'était pris pour Dieu.

Fier d'être là, sur le toit du monde, pensait-il. Même le roi n'était pas son cousin !

C'était pour cela qu'il jubilait en pensant au mot vertige.

Adrienne imprima la carte de la rue Maria Dolorès et de ses environs. Dès leur retour, elle y emmènerait Seth et Conner.

A moins qu'au lieu de les attendre, elle y aille seule ?

Elle se gratta la tête. C'était imprudent. Dans les romans policiers qu'elle avait lus, c'était souvent ce genre d'imprudences qui coûtaient la vie aux protagonistes. Non, elle allait attendre que les hommes reviennent. Ensuite, elle les emmènerait.

— Mademoiselle Jeffries ?

L'un des photographes — elle l'avait déjà vu mais avait oublié son nom — s'approcha d'elle. Il souriait.

— Excusez-moi, dit-elle, mais votre nom m'échappe.

— Je suis Faraday. Victor Faraday, le photographe. On vient de recevoir un message de la scène de crime.

Adrienne se leva.

— Evidemment, reprit Faraday, la femme était morte quand ils sont arrivés.

Adrienne s'effondra sur sa chaise, anéantie. Elle avait tellement cru le contraire. Ils avaient dû arriver trop tard.

— Ils n'ont pas de couverture de réseau à l'intérieur du théâtre, l'agent Perigo ne peut donc pas vous appeler. Il a réussi à nous joindre par radio et vous fait dire de venir les rejoindre. Tout de suite.

Pour voir une nouvelle scène de crime, pensa Adrienne. *Je ne sais pas si je vais pouvoir.*

Elle se leva, souffla très fort.

— C'est bon, j'y vais.

— Je vous emmène si vous voulez, proposa-t-il. Je dois aller dans le coin.

Adrienne n'hésita pas. Elle ne connaissait pas vraiment ce Victor Faraday, mais elle l'avait déjà vu plusieurs fois. Et si, par malchance, il avait eu de mauvaises intentions envers elle, elle les aurait tout de suite perçues puisque Conner n'était pas là pour les bloquer.

— Volontiers, Victor. Merci bien.

Ils traversèrent le parking jusqu'à un 4x4 et montèrent à bord. Démoralisée, Adrienne ravala son envie de pleurer. Elle avait du mal à accepter la mauvaise nouvelle qu'elle venait d'apprendre. Quand elle avait touché la mèche de cheveux, la femme était toujours vivante, elle l'aurait juré. Que s'était-il passé entre-temps ? Entre le moment où Jacques a dit avait quitté le théâtre et l'arrivée des secours ?

Elle releva la tête. Victor conduisait sans hésitation sur la route à suivre.

— Vous savez où se trouve ce théâtre ? s'étonna-t-elle.

Comme il ne répondait pas, sans doute trop concentré sur sa conduite pour se laisser distraire, elle le scruta.

Ils étaient assez loin du FBI et ils roulaient plutôt vite. Soudain, bourdonnements, images, voix, le chaos, lui emplirent la tête.

Plaquant les mains sur ses oreilles, elle dévisagea de nouveau Victor.

Il se passait quelque chose dans cette voiture.

Mais non, ce n'était pas lui.

Ses yeux firent le tour de l'habitacle. Elle ne l'avait pas remarqué en montant, mais il y faisait très noir. Evidemment, les vitres étaient teintées ! Avec tout ce soleil, c'était normal de vouloir se protéger. Malgré tout…

— Il fait sombre dans votre auto… C'est ces vitres teintées…

— Oui, j'ai dû demander un permis spécial pour les teinter en noir. C'est pour protéger mon équipement contre le soleil et pour éviter qu'on le vole.

Le voler. Bien sûr. On avait déjà dû vouloir lui piquer son matériel. N'empêche, ce n'était plus un bourdonnement mais des coups de massue qui lui massacraient le crâne.

Mince ! Qu'est-ce que ça faisait mal !

Elle se pencha pour prendre de l'aspirine dans son sac.

— Mal à la tête ? s'enquit-il.

— Oui, je ne sais pas ce qui se passe mais ça cogne.

— J'espère pour vous que ça va passer, dit-il en souriant.

Elle lui lança un regard en coin.

Elle rêvait ou sa voix venait de changer ? Elle n'était pas perchée comme ça avant. Et elle n'avait pas ces accents geignards.

Oui, elle rêvait, c'était sûrement son imagination qui lui jouait un vilain tour.

Et pourtant… Cette nouvelle voix ressemblait étrangement à celle qu'elle avait entendue au théâtre.

Brusquement, le 4x4 s'arrêta le long d'un trottoir. Il n'y avait pourtant pas de théâtre dans cette rue. Elle observa les environs. Ils se trouvaient devant le bâtiment qu'elle avait *vu* le matin même. Le bâtiment où Jacques a dit emmenait ses proies pour les tuer.

Elle se tourna vers Victor.

Ce n'était plus le même personnage. Là, sous ses yeux, il était en train de se métamorphoser. Le photographe à la voix douce, l'homme presque insignifiant se changeait — oui, sous ses yeux — en un tueur effrayant. Plein de rage et de violence.

Elle serra sa tête dans ses mains.

Ce tumulte ! Son crâne allait exploser !

C'était toute la méchanceté de Victor qui se projetait sur elle. Sa cruauté, sa monstruosité.

Elle se mit à saigner du nez et crut s'évanouir.

— Victor, trouva-t-elle la force de dire.

Une voix pointue, gémissante — plus du tout celle de Victor — lui répondit.

— Désolé. Il n'y a plus de Victor. Je suis Jacques a dit. Et il va me falloir une petite mèche de tes cheveux.

Conner arriva au FBI avec Seth quelques heures plus tard. Ils étaient heureux. Ils avaient retrouvé la femme, en vie, et avaient évité le guet-apens. La situation au théâtre était sous contrôle.

Restait tout de même un gros problème : Jacques a dit courait toujours.

Après un interrogatoire très bref, la femme avait été emmenée à l'hôpital. Elle était déshydratée et surtout sous le choc. Mais il n'avait pas eu le temps de la martyriser.

Conner voulait retourner sur les lieux avec Adrienne, dès que possible, dans l'espoir qu'elle *voie* quelque chose qui leur aurait échappé.

Il avait essayé de la joindre au téléphone pour lui annoncer la bonne nouvelle mais elle n'avait pas décroché.

Dommage !

Apprendre que la femme était vivante lui aurait certainement remonté le moral et l'aurait encouragée.

Mais le lui annoncer de vive voix le réjouissait. Il était également impatient d'avoir son avis sur le sens du mot qu'il avait trouvé.

« Jacques a dit pas grave. J'en ai trouvé une mieux. »

Au départ, il avait tremblé : le tueur faisait-il allusion à Adrienne ?

Et puis, il s'était rassuré.

Ne lui avait-elle pas dit qu'elle *sentirait* si Jacques a dit l'approchait ? Surtout, un tueur ne s'aventurerait jamais dans le bâtiment du FBI. Ce serait une folie.

Conner appela de nouveau Adrienne en entrant dans l'immeuble. Elle allait se sentir mieux puisqu'il était de retour. A la sixième sonnerie, elle n'avait toujours pas décroché.

— Bon Dieu ! marmonna-t-il.

— Tu n'arrives toujours pas à la joindre ? demanda Seth.

— Non. Je comprends qu'elle n'ait pas décroché quand on était là-bas, mais maintenant, il n'y a pas de raison.

Une fois sorti de l'ascenseur, il longea le couloir qui menait à son bureau.

Pas d'Adrienne.

Elle devait être dans la salle de conférences.

Il régnait dans le bureau l'agitation des grands jours. Mauvais signe, pensa Conner.

Faraday s'approcha de lui, un paquet à la main.

— Agent Perigo ? On vient de recevoir ça. Je passais devant la sécurité alors ils m'ont demandé de vous le monter.

Conner fronça les sourcils. Jacques a dit avait encore frappé ?

Seth et lui se regardèrent en silence. Deux colis en un jour ? Cela faisait trop.

— Il a été vérifié ? s'inquiéta Seth.

— Oui, monsieur, répondit le photographe. Avant qu'on me le donne. Il paraît que c'est différent, cette fois-ci. Il n'a pas été expédié, ils l'ont trouvé à la porte.

— Merci.

Faraday salua et fit un drôle de sourire, remarqua Conner. Mais tout le monde était bizarre au Bureau quand un paquet arrivait.

Le chef Kelly fit soudain irruption.

— C'est le nouveau colis ?

— Oui, on vient de le recevoir, répondit Seth. On ne

l'a pas encore ouvert. Cette fois, c'est différent, il n'est pas arrivé au courrier.

— Ah ? Il a été scanné ?

— Oui. Il est clean, précisa Conner.

Il chercha Faraday des yeux pour confirmation mais le photographe avait disparu.

Le chef Kelly regarda le paquet.

— Bien, ne perdons pas de temps. Faites venir Adrienne et ouvrons-le.

L'estomac de Conner se noua.

— Elle n'est pas dans la salle de conférences?

— Non, elle y était tout à l'heure, elle vous attendait. Vous ne l'avez pas vue depuis votre retour ?

Conner se jeta sur son portable, composa son numéro mais son appel bascula tout de suite sur la boîte vocale.

— Pas de panique, Conner, le rassura Seth. Elle ne savait pas combien de temps on serait absents. Elle a dû descendre boire un café ou se promener dans un parc. Tu sais bien que ça lui pèse de rester ici trop longtemps.

Conner essaya de se reprendre. Seth avait raison, elle devait être descendue ou sortie. N'empêche, ça ne lui plaisait pas.

— Perigo, lança le chef Kelly, vous l'ouvrez ce paquet, oui ou non ? Si Jacques a dit a changé de mode opératoire, c'est peut-être l'occasion de lui mettre la main dessus. Adrienne ne va pas tarder.

Conner fit oui de la tête et entra avec les autres dans la salle de conférences où le paquet attendait d'être ouvert. Ils mirent des gants et ouvrirent la première boîte. Comme les précédentes, elle contenait un écrin, un écrin si léger qu'il ne pouvait que renfermer une petite mèche de cheveux.

Puis ils sortirent l'écrin du grand coffret. Faisant bien attention de ne pas laisser leurs empreintes, ils l'ouvrirent.

Il contenait une mèche, mais au lieu de la mèche

blonde à laquelle ils s'attendaient — blonde comme les autres — celle-ci était châtaine.

Châtain avec des reflets roux.

Conner les connaissait, ces cheveux-là.

Il se tourna vers Seth qui était devenu blanc comme un mort et lui arracha le mot qu'il serrait dans la main.

« Jacques a dit c'est moins facile maintenant sans ta putain de fouineuse. »

Quelques secondes s'écoulèrent avant que Conner ne comprenne vraiment. Puis il poussa un cri.

La réalité était là, horrible, monstrueuse, inconcevable. Adrienne se trouvait entre les mains de Jacques a dit.

Il y eut des *Oh !* et des *Ah !* effarés tout autour de lui. Sa panique décupla, le paralysant. Ce psychopathe, ce pervers détenait Adrienne. Son Adrienne.

Et elle était peut-être morte !

Refusant tout défaitisme, il repoussa cette pensée. Non, elle n'était pas morte.

— Perigo !

C'était le patron.

— Oui, chef.

— Vous laissez pas abattre, Perigo, on va la retrouver.

S'il voulait se calmer, mieux valait qu'il cesse de regarder ce maudit écrin.

Il se détourna donc et réfléchit.

Toute cette affaire avait été parfaitement orchestrée. Jacques a dit les avait éloignés d'Adrienne en les attirant auprès d'un autre gibier vivant.

Dès le départ, Adrienne avait flairé le piège et piège il y avait, en effet. Mais il s'était refermé sur elle, pas sur eux.

Jacques a dit avait poussé le vice jusqu'à poser des explosifs pour distraire leur attention de son véritable projet. Absorbé à déjouer d'éventuels autres pièges sur la scène de crime, Conner avait négligé Adrienne.

Il se tourna vers Seth.

— La femme à qui on a porté secours, ce matin, n'était pas la future victime de Jacques a dit. C'était Adrienne, en fait. On est tombés dans le panneau.

— Chef ! appela Seth. Avez-vous vu Adrienne pendant notre absence ?

— Oui.

— Elle était seule ?

— Non. Elle parlait avec Faraday, le photographe.

— Je vais essayer de le trouver pour savoir s'il a vu quelque chose, proposa Seth.

— Je vais voir si je peux localiser le portable d'Adrienne, renchérit Conner. Ça a déjà marché.

Il s'installa à son bureau et activa le réseau du FBI. Très vite, des informations sur le téléphone portable d'Adrienne arrivèrent.

Il reprenait espoir quand il lut l'adresse. Son portable se trouvait quelque part dans les locaux du FBI.

— Bon Dieu ! jura-t-il en tapant du poing sur la table. Seth arrivait.

— Faraday est parti. Je suis allé au garage et j'ai trouvé ça.

Il lui tendit un portable que Conner alluma. Les derniers appels entrants étaient de lui. Ça ne pouvait être que le téléphone d'Adrienne.

A son tour, le chef Kelly apparut. A en juger par son soupir, les nouvelles n'étaient pas bonnes.

— On a relevé les bandes de la caméra du garage. Elle est partie avec Faraday, deux heures environ avant votre retour.

— Avec Faraday ? répéta Conner, surpris.

Sa perplexité céda très vite la place à l'effroi.

Et si Victor était Jacques a dit ?

Mais non, c'était impensable, cela faisait des années qu'ils travaillaient ensemble. Et pourtant...

— Le salaud ! tonna Conner.

Il était encore là, avec eux, quelques minutes plus tôt. Et il aurait eu l'aplomb de lui donner le paquet et de lui sourire, alors qu'il avait déjà enlevé Adrienne ?

Non, c'était un mauvais film.

Animé d'une rage meurtrière, il se fracassa le poing une seconde fois sur la table.

— J'ai interrogé la sécurité, poursuivit Kelly. Ils n'ont pas reçu de deuxième paquet aujourd'hui. C'est Faraday en personne qui a dû l'apporter et il a raconté qu'il l'avait trouvé à la porte.

— On veut tout sur Faraday ! hurla Conner. Le moindre détail. Tout de suite !

Au final, ils savaient peu de choses de lui. Qu'il travaillait pour le Bureau de San Francisco depuis deux ans. Qu'auparavant, il travaillait au Texas, pour le Bureau d'Austin.

Poursuivant leurs recherches, ils découvrirent qu'une série de meurtres non résolus avaient été commis dans la région d'Austin à l'époque où Faraday y vivait.

Après son transfert à San Francisco à sa demande, les crimes là-bas s'étaient espacés.

— Ça alors ! s'exclama Seth. S'il y a un type à qui j'aurais donné le bon Dieu sans confession, c'est lui. J'ai bossé avec lui pendant deux ans et il n'y avait pas plus honnête. Pas une fois, je ne l'ai vu resquiller.

— Il nous a tous roulés dans la farine. Et depuis le début, soupira Conner. C'est pour ça qu'il avait toujours un temps d'avance sur nous.

— Comment a-t-il réussi à berner Adrienne ? s'étonna Seth.

— C'est ce que je n'arrive pas à comprendre. Elle aurait dû le sentir venir. Elle aurait dû sentir à qui elle avait affaire dès qu'elle a mis les pieds ici. En tout cas, lorsque je n'étais pas là. Je ne comprends pas qu'elle n'ait pas perçu le danger. Bizarrement, elle n'a jamais réagi à sa présence dans nos murs. Sauf…

Conner se tapa sur le front. Comment avait-il pu oublier ça ? Le matin même, Adrienne était arrivée tout excitée car elle pensait avoir découvert l'endroit où il séquestrait ses victimes avant de les tuer. Et puis l'excitation provoquée par le nouveau paquet, et l'annonce que la victime était bel et bien vivante, avaient occulté tout le reste.

En fait, elle lui avait apporté un dossier qu'elle avait posé sur son bureau.

Il poussa tout ce qui encombrait sa table et le trouva.

Il contenait une carte et des notes sur la chapelle Santa Maria Dolorès qu'elle avait écrites de sa main. Elle avait souligné les endroits où, selon elle, Jacques a dit pouvait se cacher.

Presque joyeux, il héla Seth.

— Oh ! J'avais oublié. C'est une carte qu'Adrienne m'a donnée en me disant qu'elle nous aiderait peut-être à localiser Jacques a dit. Elle a entouré les endroits où elle pense qu'il emmène ses victimes !

Conner et Seth se levèrent en même temps.

Sans dire un mot de plus, ils dévalèrent l'escalier, en direction de leur voiture.

Réveillée par un brouhaha dans sa tête, Adrienne voulut se boucher les oreilles.

Impossible.

Son esprit était lent, ses idées pas vraiment en place et ses yeux pas en face des trous.

Et d'abord, où était-elle ?

Et comment était-elle arrivée ici ?

Elle inspira trois petites bouffées d'air pour essayer de se calmer et réfléchit.

Elle était allongée par terre, les bras entravés devant elle. Le sol était dur. Ni tapis, ni moquette.

Elle essaya de se tourner un peu pour inspecter son environnement. Plafond haut, charpente apparente. Un escalier qui montait vers une grosse porte en chêne. Pas de fenêtre. C'était une cave gigantesque.

Malgré le brouillard qui noyait son esprit, elle comprit : elle avait déjà vu cet endroit. Dans ses visions.

Brusquement, tout s'éclaira.

C'était Victor Faraday qui l'avait amenée ici. Victor Faraday était Jacques a dit.

— Ah, ça y est ! Je croyais que tu ne te réveillerais jamais. Je t'avais attachée avant de partir mais j'aurais pu m'en passer.

Son gloussement haut perché lui heurta les oreilles. Mais elle ne réussit pas à le localiser.

D'où venait cette voix ? Cette voix stupide.

Elle devait le faire parler, parler, parler le plus longtemps possible.

Elle sentait le mal qu'il avait imaginé pour elle. D'ici une heure, elle serait morte. C'était son plan.

Epouvantée à l'idée de rester consciente pendant qu'il la supplicierait, elle se mit à grelotter. C'était au-delà de ce qu'elle était capable de supporter.

Elle tenta de se ressaisir, de réfléchir.

Mais Jacques a dit apparut soudain d'entre les limbes. Il était assis sur une caisse à quelques mètres d'elle.

— Où êtes-vous allé ?

— Déposer le paquet au FBI. Je ne pouvais pas le poster, ça aurait pris trop de temps. Je voulais qu'ils sachent dès aujourd'hui que je t'avais avec moi.

Et de nouveau il rit, de son rire haut perché qui lui vrillait la tête. S'il continuait, son crâne allait exploser.

— Victor est entré dans le bureau de ton copain comme si de rien n'était et le lui a donné.

Conner était donc revenu de la scène de crime, conclut Adrienne.

Ouf ! Il allait se rendre compte de sa disparition et partir à sa recherche, c'était sûr.

En lisant le dessin qu'elle lui avait laissé, il comprendrait que Jacques a dit l'avait emmenée dans un des endroits qu'elle avait entourés sur le plan.

Mais penserait-il à ouvrir le dossier ? Et arriverait-il à temps ?

Pour cela, il fallait qu'elle fasse parler Jacques a dit le plus longtemps possible.

— Tu sais, reprit celui-ci de sa voix insupportable, je ne suis pas étonné que Conner et toi vous soyez tombés amoureux. C'était écrit.

Fais-le parler. Fais-le parler.

— Comment cela ?

— J'aime décortiquer le nom des gens. Jacques a dit, par exemple. Tu ne trouves pas que ça me va bien ? J'ai toujours pensé que j'étais fait pour commander.

Et encore ce rire.

— Tu sais ce que veut dire Conner ?

Il allait lui parler de Conner. S'il y avait quelqu'un avec qui elle n'avait pas envie de parler de lui, c'était bien cet individu infâme. Mais il fallait faire durer… Laisser à son amour le temps d'arriver.

— Non. Quoi ? marmonna-t-elle.

— Conner veut dire qui aime les chiens !

Ravi de sa mauvaise blague, il s'applaudit lui-même comme un gosse de trois ans.

— Tu comprends ou pas ? Conner veut dire qui aime les chiennes. Les femelles rottweiler, par exemple ! T'es une chienne, toi ! C'est comme ça qu'on t'appelle. Ça tombe bien, non ?

Malgré sa tête qui cognait et lui faisait mal, elle esquissa un semblant de sourire. Conner n'aimerait sûrement pas qu'on lui dise ce que signifiait son nom. Quant à elle, ce surnom qu'elle haïssait ne lui semblait plus aussi détestable tout d'un coup, puisqu'il l'associait à Conner.

Mon Dieu, elle s'égarait… Elle devait rester concentrée.

Mais que c'était difficile avec ce Jacques a dit si près d'elle et cette douleur insoutenable dans la tête !

— Tous les prénoms ne vont pas avec ceux qui les portent, poursuivit-il.

Il avait changé de tête, et de ton.

Pourquoi semblait-il si triste brusquement ? Pour changer d'humeur aussi facilement, il n'était sûrement pas normal ! C'était sans doute ce genre d'individu qu'on appelait des bipolaires ! On en parlait beaucoup depuis quelques années.

— Victor, par exemple. Victor signifie champion. Il ne peut pas y avoir plus faux.

— Mais vous n'êtes pas Victor.

— Cette petite mauviette pleurnicharde ? Ah, non.

— Je pourrais parler à Victor ? Là, maintenant.

Etranglé de rage, il se leva.

Elle essaya de s'éloigner mais elle était par terre, les mains liées…

Il avança vers elle, menaçant. Il transpirait la haine.

L'attrapant par les cheveux, il la souleva. Ils étaient presque nez à nez.

Sa tête lui faisait atrocement mal mais il fallait tenir. S'accrocher à la vie. Rester consciente.

— Tu me crois stupide ou quoi ? Cet imbécile n'a jamais fait ce qu'il aurait dû. Jamais.

Il lui secoua la tête et la lâcha brutalement, l'air dégoûté.

— Victor ne pouvait pas vous protéger d'*elle* ? osa-t-elle.

Il parut hésiter. De l'amertume et de la peur crispaient ses traits. Il partit se jucher sur sa caisse.

— La tante nous ignorait et quand elle ne nous ignorait pas, elle nous frappait, murmura-t-il. Ce qu'on faisait n'était jamais assez bien pour *elle*. *Elle* méritait d'être punie.

— Mais ces femmes-ci ne sont pas *elle*.

— Elles parlaient comme *elle* et faisaient comme *elle*. Elles blessent les gens et les ignorent, comme la tante. Elles devaient être punies.

— Elles vous ont fait du mal ?

— Non, mais elles m'ont ignoré quand j'ai cherché à leur parler, exactement comme la tante. Elles se moquaient de moi et me détestaient, exactement comme la tante.

Il fallait continuer à le faire parler, faire durer, durer.

— Elles se sont moquées de vous, ces femmes ?

— Pas tout fort. Mais j'ai compris qu'elles pouffaient de rire dans leur tête.

Elle le dévisagea. Le souvenir qu'il avait des femmes qu'il avait tuées semblait décupler sa colère.

— Mais comment le savez-vous, Jacques a dit ? Elles vous ont dit des choses méchantes ?

— Non, ricana-t-il. Elles n'en ont pas eu besoin. Chaque fois que j'essayais de leur parler, elles m'ignoraient, mais je voyais bien dans leurs yeux qu'elles se fichaient de moi. Toutes.

Il fallait trouver un autre sujet, et vite, car essayer de le convaincre de l'innocence des malheureuses ne servait à rien et risquait de le mettre dangereusement en colère.

Elle se tut. Personne n'avait jamais fait entendre raison à un fou.

— Il fallait que je les punisse, continua Jacques a dit. Pour qu'elles ne fassent plus jamais de mal à personne… comme la tante. Donc, j'ai fait ce qu'il fallait pour qu'elles arrêtent. C'était bon de les arrêter.

Il descendit de sa caisse et se mit à arpenter la cave en

marmonnant. Il semblait plus calme, comme si la pensée d'avoir débarrassé la terre de ces êtres malfaisants l'avait apaisé, remarqua Adrienne.

Profitant de ce qu'il lui tournait le dos, elle décida de tester la résistance de ses liens. Ils étaient moins serrés qu'elle ne le craignait. Avec un peu de chance et beaucoup de patience, elle pouvait peut-être réussir à les détendre. Mais, en admettant qu'elle y parvienne, réussirait-elle à se sauver avec cette tête prête à exploser ? Elle avait déjà tellement de mal à rester consciente.

— En fait, reprit-il, alors qu'elle frottait discrètement ses poignets l'un contre l'autre, tu n'es pas vraiment comme elles, mais tu dois être punie quand même parce que tu es une tricheuse. Une fouineuse.

— Vous ne croyez pas que vous m'avez assez punie comme ça, en mettant le feu à mon écurie ?

Il gloussa de son rire affreux.

— Quelle rigolade ! Vous aviez tous l'air tellement idiot à courir dans tous les sens pour essayer de sauver ces imbéciles de chevaux. Ça faisait longtemps que je ne m'étais pas autant amusé. Enfin…

— Je vous ai vu sur la terrasse, sur la balancelle.

— Je pensais bien que tu me voyais et j'étais content. C'est ce que je voulais. Tu aurais dû venir me voir, on aurait bavardé.

Il n'aurait certainement pas fait que papoter, ce soir-là. Il l'aurait tuée, oui.

De nouveau, elle se mit à trembler. Un goût amer de bile dans la bouche la fit grimacer.

— J'avais l'intention de tuer l'agent Harrington, poursuivit-il. Je dois dire que ça m'a vexé qu'il sorte vivant de la grange. C'est ta faute.

La colère le reprenait et elle était, cette fois, dirigée contre elle. Il fallait à tout prix qu'elle fasse quelque chose, et tout de suite.

Mais quoi ?

Elle avait tellement mal à la tête qu'elle avait du mal à penser.

Il descendit de son perchoir et, le cou rentré dans les épaules, se mit à marcher de long en large en se frottant les mains. On aurait dit un grand penseur.

— Je voudrais ton avis sur quelque chose, reprit-il. Je pensais que je pourrais te tuer et te laisser dans l'hôtel où tu as séjourné la première fois que tu es venue à San Francisco. Comme ça, la boucle aurait été bouclée. Qu'est-ce que tu en dis ?

Nouveau gargouillis entre rire et ricanement.

Le temps filait et bientôt…

Elle trembla de plus belle.

— Je pensais qu'il y aurait eu une justice immanente à te retrouver là. Pour l'agent Perigo, ça va de soi. Tu ne penses pas ?

Eberluée par l'absurdité de son discours, elle préféra ne pas répondre et recentrer leur échange sur lui.

— Ils savent que vous êtes Jacques a dit. Ils savent à quoi ressemble Victor. Le FBI a des dossiers sur lui.

Furieux, il tapa du pied comme un gosse en colère.

— Je sais ! C'est injuste ! Je ne pourrai même pas voir leurs têtes quand ils te trouveront.

Il s'approcha d'elle et s'accroupit.

— Tu sais ce que j'aime par-dessus tout ? C'est regarder le FBI faire ses constats. Les voir admirer mon travail et me dire qu'ils sont tellement nuls qu'ils sont incapables de comprendre que c'est moi qui suis derrière.

Adrienne essaya de s'écarter de lui.

— Mais ils savent qui vous êtes, maintenant. Il va falloir que vous arrêtiez. Si vous vous rendez à la police maintenant, je suis sûre qu'ils vous aideront. Vous n'irez peut-être même pas en prison.

Elle se souciait peu de mentir si un mensonge pouvait

lui faire gagner du temps. C'était sûrement ce que Conner lui aurait recommandé de faire.

— Non, ils ne cherchent pas à m'aider. Ils veulent juste m'empêcher de continuer.

Il avait flairé sa stratégie, comprit-elle. Il traversa la cave et empoigna le couteau posé sur la table.

Je suis fichue, se dit Adrienne. *Il a pris sa décision, il va me tuer. C'est fini.*

A force de se frotter les poignets, elle avait réussi à desserrer ses liens, mais quelle importance ? A peine l'aurait-il touchée — non, même pas, à peine l'aurait-il effleurée — qu'elle serait anéantie ; elle l'était déjà alors qu'il se trouvait de l'autre côté du local.

En gémissant, elle se traîna par terre pour tenter de s'éloigner de ce fou. Il rit, il allait très vite la rattraper.

Elle essaya de se lever mais retomba. Elle recommença à ramper mais c'était difficile, elle n'était pas entraînée.

De nouveau, il éclata d'un rire sardonique. Il était près de la table, son couteau à la main.

— Les menteurs, les tricheurs ne gagnent jamais, lança-t-il de sa voix fluette.

Elle ne répondit pas mais commençait à y voir plus clair.
Super !

C'était comme si son esprit se dégageait. Ce n'était pas la clarté absolue mais elle retrouvait peu à peu ses facultés. Au lieu d'être submergée par les pensées de son ravisseur, sa propre réflexion reprenait le dessus. Et elle voyait nettement mieux.

Elle inspecta les alentours.
La porte.
C'était vers la porte qu'il fallait qu'elle aille.
De nouveau, elle rampa.

Cette fois-ci, au lieu de s'agiter dans tous les sens, et de la mener à rien, son corps répondait. Elle parvint même à se mettre debout.

Jacques a dit eut l'air surpris mais ne bougea pas, probablement persuadé qu'elle allait s'écrouler.

Il se trompait.

Elle réussit à garder l'équilibre et à rester debout. Avança jusqu'à la porte qu'elle voyait nettement. Aussi nettement que Jacques a dit. C'était miraculeux. Le tumulte dans sa tête s'éloignait et la migraine aussi.

Un éclair passa alors dans son esprit.

Conner.

Ça devait être Conner. Il était sûrement tout près et bloquait ses tourments.

Encore quelques minutes, supplia-t-elle en silence. *Quelques petites minutes, Seigneur Jésus, s'il vous plaît. Car Conner arrive, j'en suis sûre.*

Mais Jacques a dit ne semblait pas disposé à lui faire cadeau de la moindre seconde, encore moins de quelques minutes.

Brusquement, il se précipita sur elle, le couteau brandi, prêt à frapper.

Reste calme, Adrienne, reste calme ! se dit-elle en faisant un pas de côté pour esquiver.

Le couteau se planta à l'endroit où elle se trouvait une fraction de seconde plus tôt.

Les yeux exorbités par la rage, Jacques a dit se rua pour le ramasser et le lança mais, de nouveau, elle esquiva.

Derrière la porte, il y eut un bruit. On cognait. Ça ne pouvait être qu'eux, Seth et Conner.

— Conner ! appela-t-elle de toutes ses forces.

— Adrienne ?

Elle reconnut tout de suite sa voix.

Les coups redoublèrent, plus forts, plus pressants. Ils essayaient de défoncer la porte.

Une lueur meurtrière passa dans le regard de Jacques a dit. C'était trop bête. Si près du but, ils allaient arriver trop tard. Mieux valait qu'elle se débrouille seule.

Un morceau de bois traînait par terre, elle se précipita mais Faraday se jeta sur elle.

Alors que la lame du couteau se rapprochait de sa tête, elle se pencha et ramassa le bout de bois. S'armant alors de toute sa force, elle assomma Jacques a dit qui s'écroula à ses pieds.

Quelques secondes plus tard, la porte cédait et Conner et Seth, arme au poing, entraient.

Conner. Son sauveur. Son amour.

Elle s'effondra contre lui.

— Qu'est-ce que vous faisiez pour que ce soit si long ? leur dit-elle sur un ton de reproche.

Puis, morte de stress et d'épuisement, elle tomba dans ses bras.

16

— Multiples désordres de la personnalité. Incroyable, marmonna Conner.

Il était tard. Adrienne et lui étaient revenus chez lui, ils mangeaient des burgers.

Jacques a dit, alias Victor Faraday, avait été soigné pour choc à la tête et mâchoire fracassée, et arrêté.

Conner et Adrienne avaient fait leur déposition puis ils avaient été libérés non sans promettre d'être au Bureau dès le lendemain matin, première heure.

De multiples désordres de la personnalité ? Ils tenaient là l'explication, songea Conner. C'était sûrement à cause de ce trouble psychologique qu'il avait pu, à plusieurs reprises, passer à côté d'Adrienne sans se faire repérer.

En fait, Victor n'avait aucune intention maligne envers les femmes que Jacques a dit tuait.

Avec pareil dédoublement de la personnalité, Victor ignorait ce que Jacques a dit faisait. Il avait donc pu passer près d'Adrienne sans rien déclencher, sauf quelquefois. Ces occasions-là avaient été les plus pénibles pour elle.

Conner n'avait pas une confiance absolue dans les services de la police locale. Restait à espérer que toute cette affaire ne se terminerait pas par un non-lieu pour Jacques a dit, au motif de « dérangement mental ». Trop de femmes étaient mortes à cause de lui. Et Adrienne avait bien failli ajouter son nom à la liste déjà trop longue des victimes.

Conner n'oublierait jamais sa panique — ses heures

de panique — quand il avait appris qu'elle était dans ses griffes. Il n'oublierait pas non plus les derniers instants, quand ils essayaient désespérément de défoncer la porte de la cave sachant que chaque seconde comptait. Et quand ils avaient ouvert et qu'il avait trouvé Adrienne recroquevillée par terre devant lui, il avait cru que la terre s'ouvrait sous ses pieds.

A cet instant, il avait enfin compris : sans Adrienne, sa vie n'avait aucun sens.

Elle était assise en face de lui dans le salon, mangeant son burger. Elle avait une petite mine et du plâtre ou autre débris accrochés dans les cheveux.

Cela ne l'empêchait pas d'être belle. De toute façon, il n'avait jamais connu rien de plus beau, rien de plus désirable qu'elle.

— Je t'aime.

Les mots étaient allés encore plus vite que sa pensée.

Elle écarquilla les yeux, plaqua la main sur son cou comme si elle s'étouffait.

— Ça ne va pas ? s'inquiéta-t-il en se levant pour l'aider.

Elle hocha la tête de haut en bas et avala le morceau de burger resté coincé au fond de sa gorge.

— Qu'est-ce que c'est que ce numéro ? plaisanta-t-il.

— Je n'oublierai jamais ce burger, répondit-elle. Mais tu sais, Conner, il ne faut jamais parler comme ça à une fille qui a la bouche pleine !

— Excuse-moi, fit-il.

— Je ne sais pas si je peux !

Elle éclata de rire.

— Ce que je peux te dire, en revanche, c'est que moi aussi je t'aime, stupide agent de mes deux !

— Non, s'il te plaît, ne sois pas grossière. Je ne veux plus entendre ce mot-là dans ta jolie petite bouche.

— Excuse-moi.

— J'ai encore une chose à te dire, Adrienne.

Elle plissa le nez, d'un air inquiet.

— Je veux t'épouser.

Elle écarquilla les yeux doublement mais, cette fois, elle n'avait pas la bouche pleine.

Certes, cela ne faisait même pas deux semaines qu'ils s'étaient rencontrés. Il en était conscient. C'était peu pour bien se connaître.

Mais ce qu'il ressentait pour Adrienne, il ne l'avait jamais ressenti pour aucune autre femme.

Il voulait être avec elle, rire avec elle, jouer avec elle.

Il voulait la protéger, lui donner le silence et la paix dont elle avait tellement besoin.

— Nos vies sont différentes, répondit-elle, une fois remise de son émotion.

— Mais pas incompatibles. Ce n'est qu'une affaire d'équilibre qu'il faudra mettre au point. Ce que je veux que tu saches, en tout cas, c'est que je ne souhaite pas que tu reviennes travailler au Bureau.

Elle lui caressa la joue.

— Mais moi, je le veux. Je veux être utile. Et quand tu es avec moi, c'est possible.

Elle soupira.

— J'ai le sentiment que tu me donnes beaucoup plus que je ne te donne, dit-elle. Ce n'est pas équitable.

Il se pencha vers elle et planta son regard dans le sien.

— Moi, je sais que tu me donnes tout ce qui compte pour moi, tout ce que j'estime important. Toi. Je ne pourrais pas vivre sans toi. Je ne vois pas ce qui n'est pas équitable dans tout ça.

Elle sourit et alla s'asseoir sur le canapé. Il la rejoignit et la prit dans ses bras.

— Tout ce qui compte ? répéta-t-elle. Vraiment ? Tu es sûr que je te donne tout ce qui compte ?

Elle passa une jambe sur lui et s'assit à califourchon sur ses cuisses.

— Oui, tout. Absolument tout.

Il prit ses lèvres et commençait à les taquiner mais elle le repoussa.

— Si c'est vraiment tout, minauda-t-elle, alors je pense que oui, nous pouvons nous marier.

Il la serra contre lui, se leva et se dirigea vers l'escalier.

— J'ai envie de toi, dit-il. Si tu savais…

— Je sais, roucoula-t-elle en se frottant contre lui. Je le sens. Moi aussi, j'ai envie de toi. Si tu savais…

— J'ai cru que tu ne me le dirais jamais, Adrienne.

La serrant alors très fort contre lui, il monta les marches en l'embrassant.

Troublante trahison - Carol Ericson

Série L'honneur des Brody 3 / 4

En invitant Ryan Brody à passer une semaine avec elle, la célèbre écrivain Kacie Mannings n'a qu'un but : lui soutirer des informations sur son père, Joseph Brody – soupçonné vingt ans plus tôt d'avoir été un tueur en série. Pour s'assurer sa coopération, elle affirme vouloir prouver enfin l'innocence de Joseph. Ryan accepte et tout semble bien parti... Mais, bientôt, Kacie vacille : contre tout attente, elle ne se sent pas indifférente à Ryan, qui éveille en elle un émoi inattendu. Surtout, quelqu'un cherche à l'empêcher d'écrire son livre, et seul Ryan peut la protéger...

Un témoin en danger - Carly Bishop

Un seul et unique baiser. Torride. Et totalement inoubliable... Quand le détective J.D. Thorne apprend qu'Ann Calder, la rousse incendiaire – dont il est tombé éperdument amoureux quelques mois plus tôt après l'avoir embrassée au cours d'une enquête – doit témoigner dans une affaire de corruption, il se tient immédiatement sur le qui-vive : Ann a besoin de lui. Car, assurément, les hommes qu'elle va incriminer chercheront à la faire taire... Mais alors qu'il vient de la retrouver, des coups de feu éclatent. Pour sauver sa propre vie, mais aussi pour mettre Ann à l'abri, il n'a plus qu'une solution : fuir, avec elle...

Dangereux hiver - Paula Graves

Janelle est-elle encore en vie ? Rongée par la peur, Laney Hanvey ne tient plus en place depuis qu'elle a appris la terrible nouvelle : sa sœur a disparu alors qu'elle randonnait en montagne avec deux amies... dont l'une vient d'être retrouvée morte, tuée de deux balles dans le dos. Qui est le fou qui a pris en chasse les trois jeunes filles ? Envahie par un irrépressible sentiment d'urgence, Laney décide de partir à la recherche de sa sœur, malgré l'avis de tempête qui vient d'être diffusé. Et, surtout, malgré la résistance que lui oppose Doyle Massey, le chef de la police locale. Doyle, qui accepte pourtant de l'escorter...

Un séduisant sauveur - Cynthia Eden

Un traître se cache au sein de son service... L'agent secret Cooper Marshall s'en est fait le serment : il mettra fin à cette situation intolérable en identifiant le salaud qui, en plus de jouer un double jeu, s'acharne à éliminer un à un les témoins qui pourraient le confondre. Aussi, quand Gabrielle Harper, sa voisine – une journaliste d'investigation qui enquête sur l'affaire – lui révèle qu'elle est depuis peu la cible de menaces, Cooper n'hésite-t-il pas à lui proposer de la protéger. Ainsi, il sera au plus près du tueur... tout en veillant sur la séduisante Gabrielle...

Pour la vie de Max - Mallory Kane

Alors que Travis regarde la photo, Kate retient son souffle : ça y es
il a compris. Compris que son départ brutal, cinq ans plus tôt, n'ava
pas été sans conséquences. Compris que Max, le petit garçon de
photo, n'est autre que son fils... Un enfant qu'il ne connaîtra peut-êt
jamais. Car Max a été enlevé, et ses ravisseurs se sont montrés clai
avec Kate : si elle refuse de produire un faux témoignage devant
tribunal qui a fait appel à elle en tant qu'experte, elle ne reverra pa
son fils vivant... Terrorisée, Kate accepte que Travis reste à ses côt
pour la soutenir dans cette épreuve. Mais surtout, elle brûle de
croire quand il lui promet qu'il lui ramènera Max sain et sauf...

Mission protection - Alice Sharpe

Des cheveux de jais, et les yeux bleus les plus incroyables qu'il a
jamais vus... A n'en pas douter, Sarah Donovan est une de ces beaut
que l'on ne croise qu'une fois au cours d'une vie. Bien que troublé pa
le charme magnétique de la jeune femme, l'inspecteur Nate Matthev
le sait : il doit se tenir sur ses gardes. Des menteuses, il en a côtoy
au cours de sa carrière... Et l'histoire de Sarah – qui prétend avo
découvert son père mort alors qu'elle venait lui rendre visite – l
semble des plus étranges... Pourtant, alors qu'il s'apprête à la condui
au poste de police, il est bien obligé d'envisager qu'elle lui ait peut-êt
dit la vérité. Car tout à coup, tous deux sont pris pour cibles par u
tireur embusqué...

La femme sans mémoire - Elane Osborn

Deux ans plus tôt, Jane Ashbury a failli mourir dans un accident d
voiture. Depuis, elle ignore tout de sa vie. Qui est-elle ? D'où vien
elle ? Et surtout, qui a cherché à l'assassiner en la poussant ain
dans le ravin où on l'a retrouvée ? Jane n'en a aucune idée, héla
Aussi, quand des bribes de souvenirs commencent à lui revenir
qu'elle sent une terrible menace peser sur elle, se tourne-t-elle tou
naturellement vers Matthew Sullivan, l'inspecteur chargé de so
affaire. Le seul homme qui prenne son histoire au sérieux...

Le voile du mystère - Justine Davis

Propriétaire d'une maison d'hôtes en Californie, Kelsey Hall atten
chaque été avec impatience la venue de Cruz Gregerson, l'homm
séduisant qui a été son tout premier client et lui est toujours res
fidèle depuis. Irrésistiblement attirée par lui, elle rêve de dépasser u
jour sa méfiance vis-à-vis des hommes et de lui avouer combien il l
plaît. Pourtant, cette fois, elle doit refuser de l'héberger. Car elle a appr
qu'il travaillait dans la police, et craint qu'il ne découvre le secr
qu'elle s'efforce de cacher. Un secret qui, s'il était révélé, l'exposerait
un terrible danger...

Best-Sellers n°627 • suspense
Mystère en eaux profondes - Heather Graham

Un luxueux cargo englouti depuis plus d'un siècle au fond du lac Michigan. A son bord, un somptueux trésor : le sarcophage sacré d'un grand prêtre égyptien…

Les malédictions, l'agent Kate Sokolov n'y croit pas. Alors, quand on la charge d'enquêter sur une série de meurtres ayant tous un lien avec l'épave du Jerry McGuen – un galion échoué dans les eaux glaciales du lac Michigan – et qui seraient, selon la rumeur, l'œuvre d'un fantôme, elle se fait la promesse de mettre un terme aux agissements du tueur au plus vite. Elle qui possède le don si particulier de communiquer avec les morts, est en effet bien placée pour savoir que ces assassinats n'ont en aucun cas été commis par un revenant. Un avis partagé par Will Chan, un expert du FBI qu'on lui a assigné comme partenaire sur cette affaire et qui trouble Kate au plus haut point. Car, en plus de faire preuve à son égard d'une horripilante arrogance, il lui révèle bientôt avoir le même don qu'elle…

Best-Sellers n°628 • suspense
La marque écarlate - Virna DePaul

L'embaumeur. Carrie s'est fait la promesse d'arrêter ce psychopathe qui, depuis deux ans, embaume le corps de jeunes femmes encore vivantes et envoie des photos de son œuvre à la police, comme s'il s'agissait de trophées. Si elle veut avant tout empêcher le meurtrier de frapper de nouveau, pour Carrie, l'enjeu est aussi personnel. C'est son premier cas de tueur en série, et l'occasion qu'elle attendait de faire ses preuves dans l'univers si masculin de la brigade spéciale d'investigation de San Francisco. Même si cela signifie aussi, hélas, qu'elle va devoir travailler avec l'agent Jase Tyler. Un homme qu'elle a toutes les raisons de détester – n'a-t-il pas émis des doutes sur sa capacité à diriger l'enquête ? – mais dont la seule présence éveille en elle un désir profond, brut et incontrôlable...

Best-Sellers n°629 • suspense
Au cœur de la vengeance - B. J. Daniels

Ginny, la petite sœur qu'il adorait, gisant morte dans un fossé…

Depuis onze ans, Rylan West est hanté par cette image terrible, insoutenable. Et, depuis onze ans, il n'a qu'une obsession : tuer Carson Grant, l'homme qui – il en est persuadé – est l'assassin de sa sœur. Aujourd'hui, enfin, il tient sa vengeance. Car Carson vient de refaire surface à Beartooth, le petit village ancré au cœur du Montana où ils ont grandi…

Mais c'est alors que Destry Grant, la jeune fille fougueuse et terriblement attachante dont il était fou amoureux avant le drame, lui apprend, bouleversée, qu'une nouvelle preuve vient d'être découverte. Il faut la croire, répète-t-elle, quand elle affirme que son frère est innocent. Et, si Rylan accepte son aide, elle est prête à reprendre l'enquête avec lui pour découvrir qui est vraiment le meurtrier de Ginny…

Best-Sellers n°630 • érotique
Le secret - Megan Hart

Les regards lourds de désir d'un inconnu dans un bar, les caresses fiévreuses échangées à la hâte, le plaisir vite pris, et vite oublié… Jusqu'où Elle Kavanagh est-elle prête à se perdre ?

Pour fuir son passé et son terrible secret, Elle Kavanagh s'est jetée à corps perdu dans des aventures sans lendemain, multipliant les rencontres furtives et dénuées de sentiments avec des inconnus qu'elle ne revoit jamais. Mais l'irruption de Dan Stewart dans sa vie va tout changer. Pour la première fois, un homme qui lui plaît pourtant de manière insensée refuse le corps qu'elle lui offre. Et lui annonce qu'il ne couchera avec elle que si elle accepte de le revoir. Même si ce n'est que pour du sexe…

Best-Sellers n°631 • historique
Conquise par un gentleman - Kasey Michaels

Londres, 1816
Depuis qu'elle a appris la mort de son fiancé à Waterloo, Lydia pensait qu'elle ne pourrait plus jamais aimer. Son grand amour était tombé au champ d'honneur, et tous ses espoirs avec lui. Recluse dans la demeure familiale d'Ashurst Hall, elle mène depuis ce drame une existence paisible, égayée par le prévenant Tanner, le meilleur ami de son défunt fiancé, qui a juré de veiller sur elle. Mais contre toute attente — et surtout contre toute morale — elle sent monter un trouble de plus en plus fort pour ce confident si attentif, et si séduisant. Se pourrait-il qu'elle nourrisse des sentiments à l'égard d'un homme qui était comme un frère pour son fiancé ? N'est-ce pas une trahison envers la mémoire de ce dernier ? Et Tanner, est-ce seulement par devoir qu'il lui accorde tous ces moments d'intimité, qui les rapprochent au fil des jours ? Elle doit absolument réprimer ses émotions, Lydia le sait : même si son désir était partagé, rien ne pourrait arriver entre eux. Car Tanner est fiancé à une autre...

Best-Sellers n°632 • thriller
L'automne meurtrier - Andrea Ellison

Par une sombre soirée d'octobre, le lieutenant Taylor Jackson est appelée sur plusieurs scènes de crime dans un quartier chic de Nashville. Sur place, elle découvre les corps sans vie de sept adolescents, marqués de symboles occultes. Une vision d'horreur qui obsède Taylor, partagée entre colère et angoisse à l'idée que le tueur puisse frapper de nouveau. Elle doit agir vite, très vite. Mais aussi avec prudence, car le meurtrier est manifestement aussi incontrôlable qu'imprévisible. Or, Taylor a beau se concentrer de toutes ses forces sur le peu d'indices dont elle dispose – les dessins mystiques laissés sur les corps des victimes –, l'enquête piétine.
Déterminée, elle plonge alors dans les ténèbres de cette affaire macabre. Au risque de voir son équilibre menacé, malgré le soutien que lui apporte Jack Baldwin, le brillant profiler du FBI avec qui elle est fiancée. Car c'est le prix à payer pour comprendre comment un être machiavélique, animé d'une rage débridée, en arrive à commettre de telles atrocités. Et, pour trouver le tueur, elle devra d'abord s'en approcher…

OFFRE DE BIENVENUE

2 romans Black Rose gratuits et 2 cadeaux surprise !

Vous êtes fan de la collection Black Rose ? Pour prolonger le plaisir, recevez gratuitement 2 romans Black Rose (réunis en 1 volume) et 2 cadeaux surprise !

Une fois votre colis de bienvenue reçu, si vous souhaitez continuer à recevoir nos romans Black Rose, cela se fera automatiquement. Vous recevrez alors chaque mois 3 volumes doubles inédits de cette collection au tarif unitaire de 7,40€ (Frais de port France : 1,95€ - Frais de port Belgique : 3,95€).

Vous n'avez aucune obligation d'achat et cette offre est sans engagement de durée !

Les bonnes raisons de s'abonner :

- Aucun engagement de durée ni de minimum d'achat.
- Vos romans en avant-première.
- La livraison à domicile.

Et aussi des avantages exclusifs :

- Des cadeaux tout au long de l'année qui récompensent votre fidélité.
- Des réductions sur vos romans par le biais de nombreuses promotions.
- Des romans exclusivement réédités pour nos abonné(e)s notamment des sagas à succès.
- L'abonnement systématique à notre magazine d'actu ROMANCE (2 dans l'année).
- Des points cadeaux pouvant être échangés contre des livres ou des cadeaux.

Rejoignez-nous vite en complétant et en nous renvoyant le bulletin !

IZ5F09
IZ5FB1

N° d'abonnée (si vous en avez un) ⎵⎵⎵⎵⎵⎵⎵⎵⎵⎵

Mme ☐ Mlle ☐ Nom : .... Prénom : ....

Adresse : ....

CP : ⎵⎵⎵⎵⎵ Ville : ....

Pays : .... Téléphone : ⎵⎵⎵⎵⎵⎵⎵⎵⎵⎵

E-mail : ....

Date de naissance : ....

☐ Oui, je souhaite être tenue informée par e-mail de l'actualité des éditions Harlequin.

☐ Oui, je souhaite bénéficier par e-mail des offres promotionnelles des partenaires des éditions Harlequin.

Renvoyez cette page à : Service Lectrices Harlequin – BP 20008 – 59718 Lille Cedex 9 - France

Date limite : **31 décembre 2015**. Vous recevrez votre colis environ 20 jours après réception de ce bon. Offre soumise à acceptation et réservée aux personnes majeures, résidant en France métropolitaine et Belgique. Prix susceptibles de modification en cours d'année. Conformément à la loi Informatique et libertés du 6 janvier 1978, vous disposez d'un droit d'accès et de rectification aux données personnelles vous concernant. Il vous suffit de nous écrire en nous indiquant vos nom, prénom et adresse à : Service Lectrices Harlequin - BP 20008 - 59718 LILLE Cedex 9 - Tél : 01-45-82-47-47. Harlequin® est une marque déposée du groupe Harlequin. Harlequin SA – 83/85, Bd Vincent Auriol – 75646 Paris cedex 13. SA au capital de 1 120 000€ - R.C. Paris. Siret 31867159100069/ PE5811Z

OFFRE DÉCOUVERTE !
2 ROMANS GRATUITS et 2 CADEAUX surprise !

Vous souhaitez découvrir nos collections ? Recevez **2 romans gratuits et 2 cadeaux surprise !**

Une fois votre colis de bienvenue reçu, si vous souhaitez continuer à recevoir nos romans, cela se fera automatiquement. Vous recevrez alors chaque mois vos romans inédits en avant première.

Vous n'avez aucune obligation d'achat et cette offre est sans engagement de durée !

☛ **COCHEZ la collection choisie et renvoyez cette page au**
Service Lectrices Harlequin – BP 20008 – 59718 Lille Cedex 9 – France

Collections	Références	Prix colis France* / Belgique*
❏ AZUR	ZZ5F56/ZZ5FB2	6 romans par mois 27,25€ / 29,25€
❏ BLANCHE	BZ5F53/BZ5FB2	3 volumes doubles par mois 22,84€ / 24,84€
❏ LES HISTORIQUES	HZ5F52/HZ5FB2	2 romans par mois 16,25€ / 18,25€
❏ BEST SELLERS	EZ5F54/EZ5FB2	4 romans tous les deux mois 31,59€ / 33,59€
❏ BEST SUSPENSE	XZ5F53/XZ5FB2	3 romans tous les deux mois 24,45€ / 26,45€
❏ MAXI**	CZ5F54/CZ5FB2	4 volumes triples tous les deux mois 30,49€ / 32,49€
❏ PASSIONS	RZ5F53/RZ5FB2	3 volumes doubles par mois 24,04€ / 26,04€
❏ NOCTURNE	TZ5F52/TZ5FB2	2 romans tous les deux mois 16,25€ / 18,25€
❏ BLACK ROSE	IZ5F53/IZ5FB2	3 volumes doubles par mois 24,15€ / 26,15€

*Frais d'envoi inclus

**L'abonnement Maxi est composé de 2 volumes Edition spéciale et de 2 voulmes thématiques

N° d'abonnée Harlequin (si vous en avez un) ⎵⎵⎵⎵⎵⎵⎵⎵⎵⎵⎵⎵

Mme ❏ Mlle ❏   Nom : _____

Prénom : _____   Adresse : _____

_____

Code Postal : ⎵⎵⎵⎵⎵   Ville : _____

Pays : _____   Tél. : ⎵⎵⎵⎵⎵⎵⎵⎵⎵⎵

E-mail : _____

Date de naissance : _____

❏ Oui, je souhaite recevoir par e-mail les offres promotionnelles des éditions Harlequin.
❏ Oui, je souhaite recevoir par e-mail les offres promotionnelles des partenaires des éditions Harlequin.

Date limite : 31 décembre 2015. Vous recevrez votre colis environ 20 jours après réception de ce bon. Offre soumise à acceptation et réservée aux personnes majeures, résidant en France métropolitaine et Belgique, dans la limite des stocks disponibles. Prix susceptibles de modification en cours d'année.Conformément à la loi Informatique et libertés du 6 janvier 1978, vous disposez d'un droit d'accès et de rectification aux données personnelles vous concernant. Par notre intermédiaire, vous pouvez être amenée à recevoir des propositions d'autres entreprises. Si vous ne le souhaitez pas, il vous suffit de nous écrire en nous indiquant vos nom, prénom et adresse à : Service Lectrices Harlequin BP 20008 59718 LILLE Cedex 9. Service Lectrices disponible du lundi au vendredi de 8h à 17h : 01 45 82 47 47 ou 33 1 45 82 47 47 pour la Belgique.

Harlequin® est une marque déposée du groupe Harlequin. Harlequin SA – 83/85, Bd Vincent Auriol – 75646 Paris cedex 13. SA au capital de 1 120 000€ – R.C. Paris. Siret 318671591000069/APE5811Z.